大家小书

中国字典史略

刘叶秋 著

北京出版集团公司
北京出版社

图书在版编目（CIP）数据

中国字典史略 / 刘叶秋著 . — 北京 ：北京出版社，2016. 7

（大家小书）

ISBN 978-7-200-11992-3

Ⅰ. ①中… Ⅱ. ①刘… Ⅲ. ①辞书学—历史—中国 Ⅳ. ①H16-092

中国版本图书馆CIP数据核字（2016）第064852号

总策划：安　东　高立志　　　责任编辑：陶宇辰

· 大家小书 ·

中国字典史略

ZHONGGUO ZIDIAN SHILÜE

刘叶秋　著

*

北京出版集团公司
北京出版社　出版

（北京北三环中路6号　邮政编码：100120）

网　址：www.bph.com.cn

北京出版集团公司总发行

新华书店经销

北京华联印刷有限公司印刷

*

880毫米×1230毫米　32开本　12.125印张　200千字

2016年7月第1版　2018年5月第2次印刷

ISBN 978-7-200-11992-3

定价：39.80元

质量监督电话：010-58572393

序　　言

袁行霈

“大家小书”，是一个很俏皮的名称。此所谓“大家”，包括两方面的含义：一、书的作者是大家；二、书是写给大家看的，是大家的读物。所谓“小书”者，只是就其篇幅而言，篇幅显得小一些罢了。若论学术性则不但不轻，有些倒是相当重。其实，篇幅大小也是相对的，一部书十万字，在今天的印刷条件下，似乎算小书，若在老子、孔子的时代，又何尝就小呢？

编辑这套丛书，有一个用意就是节省读者的时间，让读者在较短的时间内获得较多的知识。在信息爆炸的时代，人们要学的东西太多了。补习，遂成为经常的需要。如果不善于补习，东抓一把，西抓一把，今天补这，明天补那，效果未必很好。如果把读书当成吃补药，还会失去读书时应有的那份从容和快乐。这套丛书每本的篇幅都小，读者即使细细地阅读慢慢地体味，也花不了多少时间，可以充分享受读书的乐趣。如果把它们当成补药来吃也行，剂量小，吃起来方便，消化起来也容易。

我们还有一个用意，就是想做一点文化积累的工作。把那些经过时间考验的、读者认同的著作，搜集到一起印刷出版，使之不至于泯没。有些书曾经畅销一时，但现在已经不容易得到；有些书当时或许没有引起很多人注意，但时间证明它们价值不菲。这两类书都需要挖掘出来，让它们重现光芒。科技类的图书偏重实用，一过时就不会有太多读者了，除了研究科技史的人还要用到之外。人文科学则不然，有许多书是常读常新的。然而，这套丛书也不都是旧书的重版，我们也想请一些著名的学者新写一些学术性和普及性兼备的小书，以满足读者日益增长的需求。

“大家小书”的开本不大，读者可以揣进衣兜里，随时随地掏出来读上几页。在路边等人的时候，在排队买戏票的时候，在车上、在公园里，都可以读。这样的读者多了，会为社会增添一些文化的色彩和学习的气氛，岂不是一件好事吗?

“大家小书”出版在即，出版社同志命我撰序说明原委。既然这套丛书标示书之小，序言当然也应以短小为宜。该说的都说了，就此搁笔吧。

“二密楼”与大家小书

刘　闻

继刘叶秋先生所著《历代笔记概述》作为“大家小书”一种再版发行之后，他的又一力作《中国字典史略》，近期继续以“大家小书”的精巧形制与广大读者见面，这真是一则好消息。

“大家小书”是个很好的创意，这使不少想学习大家专著的读者“被吸引”，从而揣上这本小书，能够更好地熟悉“大家”所讲述的学识。一位友人在读了我推荐的小书后，感觉收获颇多，说“是小书引导我读大家，小书中自有知识大乾坤”，这让我不得不感叹这“小”的别样魅力。

有意思的是，家父刘叶秋先生当年的陋居兼工作室，也是以“小”著称，颇具小中见大的内涵，仿佛当时就与今天的“大家小书”有些巧合。

刘叶秋先生作为《辞源》的三位编纂者之一，在为保证《辞源》的质量倾注了半生心血的同时，还一直致力中国古代辞书、笔记小说以及古代文化等其他领域的探索研究，四十余年来屡有建树。他对于工作始终坚持高标准、严要求，一丝不苟；但在生活方面却是十分简单朴素，随遇而安。家父的住所就在西珠市口的一座大杂院里，因住房实在紧张，就请友人帮忙，在所住南房前面搭盖了一间狭长的小屋，屋内只能放下一张很窄的单人床板聊作卧榻，还有一个小二屉桌外加一把折椅，如有一位客人来访，椅子让给客人，他本人就只能挤坐到床上去。据估算面积大约只有二米七（平方米）。即使如此，家父仍然很高兴，认为可以有自己“专用”的工作室了，还取“二米七”谐音，即兴挥毫自题“二密楼”书法一幅，又因其形状狭长似一叶小舟，遂称“舟室”。就在这狭小的空间里，家父惜时如金，常常挑灯夜作，垦荒不止，陆续发表了如《从惠园到南沙沟——记与俞平伯先生的文字因缘》《中国楹联概论》《京华琐话》等二十余篇文章，后来出版的《编辑的语文修养》一书也是在这“二密楼”里撰写完成的。

《中国字典史略》没有延循以往的把辞书类别作为讲述主线的传统习惯作法，而是独具匠心，“既依时代先后为次第，复以体例相近为类别，纵横交错，以见演变之迹”，将浩瀚绵长的辞书发展史依序排列分为萌芽与奠基、继承与演变、建设与发展、进化与兴盛、演变与改革五个时期；同时又将古代字书的别体（韵书）单列为一章。通过这样的分期，较为清晰系统地显示了辞书编纂的历史状况，有助于我们在逐步深入学习各时期字书知识的同时，还能够较好地了解辞书总体发展的历史阶段性和连续性，从纵与横的两个方面强化我们的认知和理解。

如在第三章第三节“第一部值得重视的《尔雅》式词典——《广雅》”中讲到“张揖在他的《上广雅表》中对《尔雅》颇致推崇，同时也指出了它的不足，认为《尔雅》包罗的训诂、事物，未能完备，所以他博采群书，以补《尔雅》之缺”。“凡《尔雅》所未载的，他都列入。书名《广雅》，即取推广《尔雅》之意；其内容材料，确实足为《尔雅》之续。”紧接着作者笔锋一转强调指出“由于生产的发展，社会的进化，在一定的经济基础上，文教昌明，语词、名物，随着丰富起来。张揖之能够补充《尔雅》，是和社会的前进分不开的”。

再有如第四章论及唐代的“字样”和宋元辨形的字书，在谈到唐代的“字样”一类书产生的历史背景时讲到“除了当时政治、经济的原因而外”，作者还提出了自己的另一见解，他认为：“大家为了使用方便而共同创造，恐怕还是主要的。”

《中国字典史略》以字书史论为主，为了更好地说明语词的历史渊源，还选择了贴近百姓日常生活的内容。比如对于《广雅》所补充的具体项目，作者举例介绍了“《广雅·释器》收录的有关骨骼、肌肤、脏腑以及饮食等的词语，皆《尔雅》所无。如‘百叶谓之膍胵’。按《说文》云：‘膍，牛百叶也。’清王筠谓‘牛羊食艸入胃，复吐而嚼之，再咽则由胃而入百叶。百叶生胃之后，短肠连之。其外光滑，其内遍生肉刺，纤如鍼比如栉，其状折叠如梵夹，故以百叶名，至今沿之不改也’”。

实际上，我们今天作为老北京风味特色美食之一的“爆肚”，就是以牛羊百叶为主料的，恐怕很少有人会想到，这大快朵颐的老北京风味爆肚的“百叶”之名，竟源自古代字书《广雅》。“由《广雅》对百叶的解释、联系《说文》，可知此词，在汉魏间通用，由来已久。现在我们还以牛羊百叶为食品，称谓未改。”作者接着指出“研究古今语词的变迁沿袭，《广雅》是有参考价值的”。

从《广雅》的例子联想到字书的参考应用，作者进而在本书的最后章节中提出了“即在词典学不断发展的今天，于旧字书的长处，亦不应忽视。这些旧字书对文字的解说，对事物的概括，很有一些值得加以继承和发扬的地方。例如《说文解字》牛部解释‘牵’字说‘引而前也’，就比只说‘拉着’（《四角号码新词典》第六次修订本271页‘牵’字注）要好得多”。“可见取长补短，无分新旧；参考借鉴，不能偏废。”作者这一中肯的建设性意见，应当引起我们足够的重视。

家父撰写此书，颇显他学识渊博、文笔流畅的功力，以详尽的论述和深入浅出的讲解相结合，以考证为依托作前提，旁征博引，把繁复深奥又有些生涩的辞书史学，努力演绎成娓娓道来的知识讲座，受到了读者好评。特别是作者在全书所作的158条注释中，都一一详细列出了引用书目，这不仅显示了其学术的严谨性，而且为阅读学习者提供了切实的便利和帮助，这是应当给予充分肯定的。

值此《中国字典史略》再版之际，抚书思人，脑海中时时浮现父亲在“二密楼”那熟悉而亲切的身影，亦联想起父亲当年所题之《舟室铭》：“寸土偶空，辟兹舟室，不足回旋，聊堪容膝，可供啸歌，可读经史，虽小何碍，纵大无取，泰山沧海，微尘涓滴，钜细齐观，佛家真谛，天游在心，布衣雄世。”纷繁思绪中此情此景恍如昨日，然这一切已成永别，留下的是魂牵梦萦的无尽怀念；我夜不能寐而凝神眺望星空，谨以此书告慰父亲的在天之灵，祈愿学者风范永在，著述魅力长存！

2015年5月于北京什刹海畔

目 录

前记

二十多年前，有位老朋友偶然和我谈起：“中国的字典，历来尚无人写为专书来介绍，读者是需要这方面的知识的。你不妨写一本来论述一下。”我考虑他的意见很有道理，就写成《中国的字典》一书，于1960年由商务印书馆出版。1962年又应《知识丛书》编辑委员会之约，撰《中国古代的字典》，次年由中华书局出版。为了避免两书内容的重复，即和商务印书馆商妥，不再印行《中国的字典》。但原来《中国的字典》论及的十几部近代字书，却没了着落，可是这些书为大家所常用，有一定的参考价值，应该加以介绍。因此我就考虑另写一个小册子，谈谈古今常用的字书，以适应读者的需要。恰好1963年春天《人民教育》月刊编辑部约我为中学老师们写一些介绍字书的文章，于是我把古今常用的字书，分别类型，共写十题，先交该刊发表，后又补充内容，撰成《常用字书十讲》，仍由商务印书馆出版。原《中国的字典》里谈《中华大字典》《辞源》《辞海》《辞通》《联緜字典》《汉语词典》《同音字典》《词诠》《古书虚字集释》，以及《诗词曲语辞汇释》《金元戏曲方言考》等十一部近代字书的材料，已均辑入这十讲之内。

《中国的字典》和《中国古代的字典》，都带有一些史论的性质。《常用字书十讲》则着重论述有关古今常用字书的基本知识，并举例具体说明其有何用处与如何用法，为较偏重于实用的工具书，和前两书的写法不同。

《中国的字典》只印过一版，流行不广。《中国古代的字典》印过两次，《常用字书十讲》则印数较多。但后两书在十年动乱后亦俱未再版。在三书中，以《中国古代的字典》较为人所注意，屡有读者来信，询问何时重印，或至书店寻购旧本。1978年香港中国语文学社曾将此书与《常用字书十讲》影印收入所辑《语文汇编》第十四辑、十五辑中。闻港方其他书店也续有影印《中国古代的字典》者。广西《辞源》修订小组，以觅此书不得，曾自行刻印数十部，以供参考。嗣见美国威斯康星大学周策纵教授所撰论《说文解字》的专著，亦列《中国古代的字典》于后附之参考书目内。雅意虚怀，示学术之无畛域。近年国内研究辞书之风渐盛，撰文论述古代字典、词典者，时见各地报刊，颇多佳作。亦偶有举例发凡，略同拙著，展卷依稀，似曾相识者；甚且有钞撮《中国古代的字典》为数万字大文连续发表，因被目为专家者。于此足征凡事皆以开创为难，拙著粗疏，不过垦荒在先，聊供一时填补空白而已；而乃承读者不弃，谬相称引，以是既感且愧，故尽两载之功，篝灯命笔，以《中国古代的字典》为基础，或增饰旧章，或补充新意，撰成《中国字典史略》一书，以副读者之望。此书起战国、秦汉至近世，共分七章，既依时代先后为次第，复以体例相近为类别，纵横交错，以见演变之迹。《中国的字典》与《常用字书十讲》之内容梗概，亦略具于斯。顾历代字书，存佚均夥，挂一漏万，自所不免。兹编所述，亦仅粗举纲要，略示源流，研讨未深，评骘或失，读者正之。

解放后，辞书编撰，已入新纪元，当另为史传，故不论列。

一九八一年九月　刘叶秋书于北京

第一章　绪论

第一节　名称·类别·作用

（一）名称　字书—字典—词典—辞书

字书本指解说文字形音义的著作，即后来所说的字典。这一名称，早已有之。《魏书·江式传》说江式撰集字书，号曰《古今文字》；北齐颜之推《颜氏家训·书证》也谈及字书："西晋以往字书，何可全非，但令体例成就，不为专辄耳。"可见"字书"作为解释文字的著作的泛称，在南北朝时已经通用。《隋书·经籍志》一著录有佚名的《字书》三卷、十卷两种（今俱失传），这又是以"字书"为书名的专称的。

历代史志于有关文字训诂音韵之书，统归小学类，不立“字书”的名目。直至清代的《四库书目》，始于小学类中分训诂、字书、韵书三种。以“字典”为书名的，《康熙字典》是第一个。清人所说“字典”，就专指这一部书。但中国古代讲文字训诂的著作很多，大都既解单字，亦释复词。因此，从前大家把它们一律称为字书，并不分辨什么叫字典、何者为词典。

自从近代产生了“词典”（或“辞典”）这个名称，字典和词典才相对地有了界限，字书、字典也不再作为某一部书的专称来用。而一般群众所说的字典，却往往包括词典，因为现在的字典大都兼收语词，词典亦皆以单字为词头；二者之间始终有不可分割的关系，不过解字释词，重点各异而已。本书称《中国字典史略》，即取“字典”二字为大家所习用、熟知，易于接受，而于字典、词典两类，仍然分别叙述，兼指时则沿用“字书”这一传统名称。

至于近来以“辞书”一词来代替“字书”，我以为也很好。言之成文为辞，较“字”“词”的含义丰富得多，不仅可以包括讲字词语句的字典、词典，连其他各种类型的词典（如人名词典、地名词典等）以及一般的百科全书，皆能兼收并蓄，范围更广。

（二）类别

中国的字书，源远流长，种类很多。见于著录最早的一部字书是《史籀》十五篇，相传出于周宣王时太史籀之手。秦汉人所撰字书，也有好几部，但大都失传。现存的字书以讲训诂的词典《尔雅》为最古。西汉末扬雄辑录汉代方言俗语的词典《方言》，东汉许慎以“六书”解释文字的字典《说文解字》，刘熙以“音训”释词的词典《释名》，也全是中国字书的先河，为后代字书的发展，奠定了基础。此后到魏晋南北朝时产生了韵书，如魏李登《声类》、晋吕静《韵集》。隋唐人亦续有撰著，惜书俱亡佚。现存的韵书，以宋人所编的《广韵》为最古。这类书虽以审音辨韵为主，也兼讲文字形义，实际是字书的一种。

概括说来，中国古代的字书可以分为三大类：

第一类是《说文解字》派讲文字形义的字典；

第二类是《尔雅》派讲训诂的词典；

第三类是《广韵》派讲音韵兼及文字训诂的韵书。后出的多种多样的字书，都是由这三大系统发展演变而来。

（三）作用

字书是工具书中重要的一种，为阅读时不可缺少的辅助工具，但古今对它的看法却大有不同。

古人对识字，是特别重视的。周时儿童八岁入小学，就学六书。汉代太史试学童，能识九千字以上的，才能作小史[①]。读字书，就是识字的一种主要方法。魏晋南北朝人已注意从《尔雅》中吸取有关字词和其他方面的常识。自唐开成间刻石经起，《尔雅》一直被列为儒家经典之一。《说文解字》也早就受着特殊的重视，唐人把它与晋吕忱的《字林》一齐列为士子的必读书，应“书学”考试的，即须考《说文》《字林》。《新唐书·选举志》上卷说：“凡书学，先口试。通，乃墨试《说文》《字林》二十条，通十八为第。”后代许多人治经学，亦往往借古字书为门径。据说清代的学者戴东原（震）少时就是经塾师指导，先后阅读《说文解字》《尔雅》《方言》等书，始通经义的。

①《汉书·艺文志》：“古者八岁入小学，故周官保氏，掌养国子，教之六书，谓象形、象事、象意、象声、转注、假借，造字之本也。汉兴，萧何草律，亦著其法，曰：太史试学童，能讽书九千字以上，乃得为史。”

今天我们当然不能像古人那样迷信这些古字书，但给予恰如其分的评价，作为一种工具来适当利用，还是必要的。阅读古籍，可借以探讨文字训诂；研究古汉语，可从中找到材料；于古代某些社会情况，字书也常有侧面的反映。例如我们看到《尚书·舜典》中“班瑞于群后”一句，想进一步了解“班”字的含义，查一下《说文解字》卷一的“玨”部，有“班”字的解释：“班，分瑞玉，从玨刀。”原来两块玉连在一起的叫作“玨”，中间加一个“刀”，表示分开的意思，这就是“班”的形义。由此更加清楚“班瑞于群后”是指“分瑞玉给诸侯”了。《说文解字》所引古书，往往与今本文字不同，也有参考价值。如卷一“人”部的“佖”字解释：“佖，威仪也。从人，必声。《诗》曰：威仪佖佖。”按今本《诗经》中“小雅”的“宾之初筵”作“曰既醉止，威仪怭怭”。佖、怭不同。其通假关系，值得研究。其他如《尔雅》的“释诂”对作“始”讲的词，并列了“初、哉、首、基、肇、祖、元、胎、俶、落、权舆”十一个；《方言》对“鸡”的不同名称，举出了“鹍鸡、割鸡、鸐”三个；使我们知道许多同义词，加深了对古汉语词汇的理解。凡是有关文字的形体构造、古音、古训、引申、通假以及古今词语的变迁等问题，都可以靠字书来帮助解决。

至于近代的字书，则涉及的范围更广，内容更为详备，凡在阅读时遇到不认识的字、不懂得的词，不了解的成语、故实、古代的典章制度和人名、地名等，一般皆能从字书中找到答案。研究文史，想找有关的材料，亦往往可由字书内得到一些线索。如有人对明清的科举制度不太清楚，误以“副榜”为“举人”。查一下商务印书馆新修订本《辞源》第一分册的“副榜”一条，可知元代会试，正式录取的名列正榜；另取若干，名列副榜。明代会试、乡试皆有副榜：会试副榜，给一些下第的举人以做官的机会；乡试副榜，准做贡生，称为副贡。清代则只乡试有副榜，可入国子监肄业。这一条对副榜为何，作了清楚的说明，后面还注明参阅清俞樾《茶香室四钞》的“副榜”一节，为读者做进一步研究提供了线索。我认为现在编撰字书，有大量的古今字书，足资借鉴；取材引证，也比前人方便得多；不仅应该尽量做好解说，而且需要以各种方式充实内容，美化文字，以引起读者阅读的兴趣，使人觉得闲时翻翻字书，也很有趣味，可以得到不少知识。这样就能打破以往字书只供检查、无人阅读的局面，而进入一个发展的新阶段了。

第二节　文字的变迁与字书的演进

文字的变迁和字书的演进，有着相应的关系。如字体之由篆到隶、字数之由少至多、字形之由繁趋简等，都对字书的编撰，有直接的影响。所以这里要简略地谈一下中国文字的变迁。

《易·系辞》上说："上古结绳而治，后世圣人易之以书契。"言文字起源的，以此为最早，但这里并未指出后世造书契的圣人为谁。至战国末年，而仓颉造字之说流传，如《韩非子·五蠹》和《吕氏春秋·君守》就都提到"仓颉作书"，《荀子·解蔽》也有类似的说法。汉人述仓颉造字及其神怪传说者尤多。余如周宣王太史籀作大篆，秦李斯作小篆，程邈作隶书；汉史游作草书，杜度作章草，张伯英作狂草；东汉末王次仲作楷书，又改隶字为八分，刘德升作行书等说法，都只能说明某些人参与了字体的统一整理、加工写定，其发明创造，不会是出于一时一人之手。

约略说来，由系绳扣这一最简单的记事方法前进一步，就产生了图画式的原始文字。其后迭经演变，才有所谓"古文""大篆"。古文大抵为周宣王以前文字之通称。汉武帝时，鲁恭王坏孔子宅所得壁中书，晋太康中汲郡民盗发魏安釐王冢所得竹书漆字，其字皆头粗尾细如蝌蚪形，即周时古文，称为蝌蚪文。大篆即周宣王时太史统一写定的文字，亦称籀文。

殷商时代刻在龟甲兽骨之上的文字，为今天我们能看到的中国最古的文字，是清光绪年间在河南安阳小屯村发现的，我们称之为甲骨文。这种文字已很完整，一个字往往有几种写法，基本上还是作画的形式。商周人（主要是周）铸刻在钟鼎彝器之上的文字，我们称之为金文或钟鼎文的，也是现在能见到的一种古文字，其形体笔画，较为圆浑，已显出一些书写的艺术，不像甲骨文出于锲刻的那样细削，但相差并不太远，一个字仍然有好多种写法，颇不统一。春秋时代，文字变化不大。到了战国，由于各国之间，地区隔阂，号令不一以及其他种种原因，文字的写法，就有了不少的差别：或对已有文字的形体笔画，改动增减；或因现实的需要，而创造出新字；各自为政，互不相谋，于是出现了“言语异声，文字异形”[①]的局面。直到秦始皇统一中国，才整理写定以前的文字，使每个字大体上有了固定的写法。这种统一的文字，就叫作篆书。后来

① 见东汉许慎《说文解字》叙。

也把商周的文字称为大篆或古籀，而把秦篆称为小篆。

在篆书通行之后，又出现了一种新字体，这就是隶书。因为这种字体最初只流行于民间，统治阶级对之非常轻视，认为它仅为徒隶贱民所用，故称之为隶书。最初这种字体，不过是篆书的一种草率的写法，但写起来究竟比篆书方便得多，于是使用范围不断扩大，到两汉而形体固定下来，完全脱离了篆书的范畴，成为与篆书并行的一种书体；跟着又进一步美化，变成汉碑上整齐美观的“汉隶”的样子。后来又把有波势挑法的那种隶字叫作“八分”，这也只是说明它的写法与一般隶字有些差别而已，依然是隶体。汉隶的出现，表明了中国文字之脱离象形，这是一个很大的改变。

隶书再演化，就变成草书和楷书。草书大约在汉初即已产生，本来只是隶字的一种草率的写法，为了适应书写简化的需要而创造的；随后又渐渐形成一种见棱见角四四方方的草体，叫作“章草”。草书与章草，遂成两体，但基本上还没离开隶书的范围。至于后来出现的几个字连在一起，龙蛇飞舞的狂草，就与隶书已全无关系，成为一种难写难认的艺术字，失去实用的价值了。

楷书又称“正书”“真书”，也是把隶书的写法加以变化修饰而成的，较草书稍晚出，在三国魏时已经通行。像魏钟繇所写的“力命表”，形体方扁，仍具隶书的规模；晋王羲之所写的“黄庭经”，也带隶书的意味；足见早期楷书实际和隶书相去不远，所以又名“今隶”。到了唐代，楷书才变成长方形，像虞世南、颜真卿、柳公权、欧阳询等所写的那样。从此楷书算有了定型，一直被认为法定字体。另一方面，大约在东汉末，随着草书的失去作用和楷书的出现，又产生了一种调合草书、楷书两体的“行书”，其笔画或连或断，基本上还是楷书的样子，易写易学也易认，使用甚为方便。同时由于楷书写起来也并不太省事，民间还创造出了比楷书笔画少的简体字，到南北朝时进一步流行发展，异体别字也不断滋生。清赵之谦所辑《六朝别字记》，就反映了当时文字变革的现实。

以后每个朝代，都有许多新的简体字出现，从前的简字、异体也大部分被承袭下来。虽然人民群众不断在创造简体字，每个时代的文字，亦在不同程度上有所简化，但一个字有几种写法的，仍旧很多。如“亩”字就有“畂、畮、畆、畒、畞”五个异体字，“疊”字也另有“疉、曡、叠”三形。简体字的通行，并未能减少实际存在的字数。

概括说来，由于秦以来小篆的通行，就产生了东汉许慎所撰的《说文解字》，对小篆做了一番整理，使之规范化。由于魏晋以来，通行的楷书（今隶）已代替了小篆，就产生了南朝梁顾野王所撰的《玉篇》，全收楷体。由于南北朝时异体的复杂化和新字与简体的不断增加，到了唐代就产生颜师古所撰《字样》、颜元孙所撰《干禄字书》一类的字书，试图辨别正俗，考订古今字的异同。由于宋以来，出土的钟鼎等古器物较多，就产生了薛尚功所撰的《历代钟鼎彝器款识法帖》一类以解释钟鼎彝器的文字，这实际也是字书的一种。总之，历代各种字书的编撰，无一不与当时文字的演变以及文字训诂之学的研究等，有着密切的相应关系。

从总的方面谈，时代越靠后的字典收字越多。这一方面是社会进化文字发展的必然结果，一方面也是字典编者收字范围逐渐扩大所造成。《说文解字》为讲经学而编，只取经典古籍的文字，所以仅有九千三百五十三字。从南朝梁顾野王的《玉篇》起，字数就多起来。后出的字典，总在前书的基础上增加不少新字。像《玉篇》原本只有一万六千九百多字，今本就有两万二千七百多字。宋司马光的《类篇》收三万一千三百多字，明梅膺祚的《字汇》比《类篇》多出两千字以上，明张自烈的《正字通》也差不多。清张玉书等的《康熙字典》则又增了一万多，共收字四万七千有余。近代的《中华大字典》字数较《康熙字典》还多一些。其实，真正常用的字，不过五六千；即读古籍，亦用不了几万字。字书中的冷僻字，占着很大的比重。由于编者贪多好奇而滥收的根本没用的字，也有不少。

至于字书编撰的体例、方法，也是越到后来的越完善、越进步。比如字典的部首，《说文解字》分为五百四十个，实在过于复杂，多可合并；压缩为《字汇》的二百十四，再简化成现代字典的一百九十多，就是一种进步。今天的字书，除用部首排字法外，还有音序和四角号码等排字法，检查更为方便。在字形方面，《说文解字》只于小篆之下，列出古文或籀文。后来的字典，如《字汇》《康熙字典》，除去把古体、异体、俗体等，排在本字之下，使读者知其异同外，还列有难查字的“检字”表，形似字的“辨似”表，供查检之用。这也是一种进步。现在我们推行简字，整理异体；字典编者在书中的简体字后边，附列停用的繁体字；在选用的异体字后边，附列停用的异体字，亦为相应的必要措施。在字义方面，早期的字典，主要是用《说文解字》的“穴，土室也”这种“×，××也”的解释方式；后出的字典，才渐渐有了多样的解说，把一个字的本义、引义、喻义、转义等，辨析得较为精密。《字汇》和《康熙字典》已经注意到一字数义的排列顺序。今天的字书对于字词的本、引、喻、转等义，都分别举例解说，更为清楚。字典解说文字的以前用文言，现在用白话，也是发展的必然趋势。字音的标注，则《说文解字》是用“读若某”“读与某同”取声近声同的字来譬况的方式；由《玉篇》到《康熙字典》，主要是用反切、以两字相切而成一音。如“东”字注“德红切”，即以“德红”两字相切，念出“东”音。还有的注直音，如“章”音“张”、“弓”音“宫”之类。有的以平、上、去、入四声相注，如“东”字本是平声，读上声即成“董”，读去声即成“冻”，读入声即成“笃”。这些方法，全有缺点，也较难掌握，不如近代用注音字母那样方便。现在采用汉语拼音字母来拼音，就更进一步，可以使一般读者都很容易地读出正确的字音了。

古代词典的体例，比字书的简单得多；因为由汉到清的词典，主要是《尔雅》式的，都按内容分类。但这些词典分类既不够科学，每一类中的字词排列，亦无次序，查起来很不方便。直到清人编《佩文韵府》，采用“以韵统字，以字系事”的方法，在每一韵中的每一单字的下面罗列尾字和这一单字相同的词语，不再以内容分类，词书的体例才有了改变。现代词典如《辞源》《辞海》等按部首收单字，在单字下面罗列以这一单字为头的词语，又以词语的字数和第二字的笔画多少为先后次第，即承袭《佩文韵府》的办法而小加改变的。这已成为今天编语文词典的一种主要方式。

事物是不断发展的，字书自然也在日新月异。《中国字典史略》，试图溯源析流，于此作一番粗略的探讨。

第二章　字书的萌芽与奠基期　战国·秦·汉

第一节　字典的萌芽

《史籀》《苍颉》《爰历》《博学》
《急就》《元尚》《训纂》《滂喜》

中国字书的产生，应该远溯至周朝。《汉书·艺文志》小学类载有周宣王太史所作的《史籀》十五篇，乃周时史官用来教学童的，这是见于著录最早的一部字书。东汉许慎在《说文解字》叙中云“及宣王太史籀，著大篆十五篇，与古文或异”；可见此书系用大篆，与许慎所看到的“壁中书”古文不同。近人王国维认为所写是周秦间西土文字[①]，其说近理。《史籀》的成书年代，不会晚于战国初期。继此而作者，有秦丞相李斯的《苍颉》七章、车府令赵高的《爰历》六章、太史令胡母敬的《博学》七章。这大约是在当时统一文字之后，用来作为小篆字体的范本的。汉代的"闾里书师"曾把这三部书合而为一，统称《苍颉篇》，断六十字为一章，共五十五章，三千三百字。小篆的常用字，可能已略备于此。

后来至汉哀帝元寿间扬雄续《苍颉篇》而撰《训纂》，和帝永元间贾鲂又续《训纂》而撰《滂喜》。因扬雄的《训纂》终于"滂喜"二字，故贾鲂取以为篇名。晋人已以五十五章的《苍颉篇》为上卷，《训纂》为中卷，《滂喜》为下卷，合称《三苍》[②]。按《汉书·艺文志》著录的，除扬雄的《苍颉训纂》一篇外，还有杜林的《苍颉训纂》和《苍颉故》各一篇。可见扬维、杜林都为《苍颉篇》的文字，作了解说，扬雄

① 王国维谓《说文》籀训读，读训籀书；古时籀、读二字同音同义。《史籀篇》首句盖云"大史籀书"，以目下文，犹言大史读书；籀，非人名。《史籀篇》文字，即周秦间西土之文字。说详《观堂集林》卷五《史籀篇疏证序》。

② 《魏书·江式传》已有"三苍"之称。《隋书·经籍志》一著录《三苍》三卷，郭璞注。苍，亦作"仓"。可参阅清王鸣盛《蛾术编》卷十六《仓颉·爰历·博学》一节。

撰《训纂》，不仅增字而已。

《苍颉篇》原书和扬雄、杜林的训诂，均早失传。杜林的《苍颉故》亡于隋，《三苍》亡于宋。清人孙星衍从古代史传注、类书、内典等书中辑录出一些佚文，分为三卷，用《说文解字》的部首分类，多收单字，亦有复词。其中即包括扬雄、杜林的训纂、解诂，《苍颉》只收文字，原是没有解说的。

孙氏的辑本，主要是根据玄应的《一切经音义》和慧苑的《华严经音义》，兼采史书和《昭明文选》注，《太平御览》等书而成。如卷上的“稽首，顿首也”一条系引自《一切经音义》；“曶爽，早朝也，曶立昧”一条，系引《史记·索隐》；卷中的“咀，噍也”一条，系引《昭明文选》注。其中材料，大都见于其他的字书词典，所以这个辑本，作为字书而言，并没有太大的价值。但《苍颉篇》本身，在当初却还是曾经被人注意的参考书，自汉至宋，总有四五十本著作征引过它的材料。

汉人摹仿《史籀》《苍颉》这一类字书的，还有武帝时司马相如作的《凡将篇》、元帝时黄门令史游作的《急就篇》、成帝时将作大匠李长作的《元尚篇》，但除《急就篇》外，亦皆失传。

《急就篇》，《汉书·艺文志》小学家著录作《急就》一篇，后面的叙录，又称《急就篇》，《隋书·经籍志》一著录则作《急就章》一卷，皆题史游撰，实指一书。唐颜师古曾为《急就篇》作注，宋王应麟又作补注，分为四卷[①]。

《急就篇》所收，全是当时常见习用的字。文皆三、七字句。开头的几句是："急就奇觚与众异，罗列诸物名姓字，分别部居不杂厕，用日约少诚快意，勉力务之必有喜。"可见这是为了学童识字速成的常用字课本，篇名《急就》，就取的首句的两个字。这部书并不像后代字典那样的只收单字，而兼收人名、地名、杂物、词语，以类相从。如把"桐、梓、枞、窠、榆、椿、樗"等放在一起，都是木类；把"凤、爵、鸿、鹄、雁、鹜、雉"等放在一起，都是鸟类。这样按类别排在一起，不仅为的是便于认字，也为给学童一些常识；而使字句整齐，合辙押韵，则又是便于诵读和记忆的。这里摘引其卷二的两句和颜师古注如下：

梨柿柰桃待露霜

言此四果皆得霜露之气，乃能成熟。夏则待露，秋则

① 《隋书·经籍志》卷一著录的还有崔浩撰的《急就章》二卷、豆卢氏撰的《急就章》三卷。

待霜，故总云待露霜也。梨一名山樆。

枣杏瓜棣馓饴饧

因说众果，遂及口实也。棣，常棣也。其子熟时，正赤色，可啖，俗呼为山樱桃，陇西人谓之棣子。馓之言散也，熬稻米饭，使发散也。古谓之张皇，亦目其开张而大也，以糵消米，取汁而煎之，溲弱者为饴，言其形怡怡然也；厚强者为饧，饧之为言洋也，取其洋洋然也[①]。

由此可见，这只是启蒙的识字课本，加上后人的注释，才使之具有字典、词典的作用。颜师古、王应麟所注均精，为后人所称道。

《四库全书总目提要》对《急就篇》评价甚高，说“其书自始至终，无一复字，文词雅奥，亦非蒙求诸书所可及”[②]。实际其中重复的字，不在少数，清俞正燮已经指出此点[③]。四库

① 《急就篇》据商务印书馆《丛书集成》本引。此本系以《天壤阁丛书》本影印，有颜师古注、王应麟补注。

② 说见《四库全书总目提要》经部小学类二“急就章四卷”提要。

③ 俞正燮说见所著《癸巳存稿》卷十二《急就章蒙求》一节。

馆臣撰提要，往往匆遽成篇，未及细读原书，故其说时有疏误。

通过《急就篇》的内容，可以推知自《史籀》到《滂喜》，都只是编次文字，并无解说，和真正的字书，还有很大的距离。但古代的字书，实萌芽于《史籀》《苍颉》，故探溯渊源，不能不论述及之。

第二节　字典的先河——《说文解字》

超出上述的识字课本的范围，真正成为字典的第一部著作，是以小篆为主体的《说文解字》。这部书不仅对所收文字各作解说，而且有了一套相应的体例，分类归部，使秦以来通行的小篆条理化、规范化。实际在西汉，扬雄除撰《训纂》之外，还编有《方言》，这是古代第一部方言词典。第一部训诂词典《尔雅》也最后成书于汉代，比《方言》还早得多。再加上汉末刘熙的《释名》这个古代第一部音训词典，足以说明汉人继承《史籀》《苍颉》而编识字课本式的字书，是一个系统。自创新例，编撰真正的字典、词典的，另是一个系统。《说文解字》《尔雅》《方言》等，才是中国字书的先河，为后代字典、词典的编撰，奠定了基础。

（一）《说文解字》的编者——东汉许慎

《说文解字》的编者许慎，字叔重，东汉汝南郡召陵万岁里人。《后汉书》本传，只说他曾为郡功曹，举孝廉，再迁洨长，卒于家。许慎的儿子许冲在上《上〈说文解字〉表》中，还提到许做过太尉南阁祭酒。据清严可均考证，许慎大约生于明帝朝，卒于桓帝朝，年八十余[①]。

汉代儒生讲五经的，有“今文学”与“古文学”两大派，互相排斥。许慎是古文学家，曾于和帝永元八年（公元96年）贾逵做侍中骑都尉期间，从逵受业。当时即由于博通经籍而负盛名，大家常说“五经无双许叔重”，马融对他也很推崇[②]。因为他做过洨长和太尉南阁祭酒，后人有的就叫他洨长或南阁祭酒，甚至只称为许君而不呼其名。

许慎编过一部《五经异义》，已经失传。他的《说文解字》大约始撰于永元八年（公元96年），成书于永元十二年（公元100年），到安帝建光元年（公元121年）许慎病中，才派他的儿子许冲把书献给皇帝。本来他编《说文解

---

① 见严可均《说文校议》十五下《许君事迹考》。

② 参阅《后汉书》儒林列传许慎传。

字》的主要目的是在于驳斥今文学家解经的说法的，但后人对这部书却首先从它在文字学的贡献上予以评价。一直到今天，我们也还把它当作我国文字学的一部经典著作。

（二）《说文解字》对“六书”的解释及其部首分类法

《说文解字》是许慎依据古文经和《史籀篇》《苍颉篇》等书，并广泛地征引别的古书中的材料和先秦两汉许多学者的说法编成的。书中提出了战国以来流行的分析文字的理论“六书”说：“一曰指事。指事者，视而可识，察而见意，𠄞（上）𠄟（下）是也。二曰象形。象形者，画成其物，随体诘诎，日月是也。三曰形声。形声者，以事为名，取譬相成，江河是也。四曰会意。会意者，比类合谊，以见指㧑，㱏（武）信是也。五曰转注。转注者，建类一首，同意相受，考老是也。六曰假借。假借者，本无其字，依声托事。令长是也。”[①] 这里在每一名称下，先用两句话作解说，后举两字为例。

古代的文字，有很多是图画式的，对实在的物体如日、月、山、川、马、牛、羊之类，就照样儿弯弯曲曲地画下来，这叫作“象形”。对无法画出的东西，就用符号来指

---

① 见《说文解字》后叙。

示，使人根据这个符号去体会所要表达的意思：如把一短横加在一长横的上下来表示“上”和“下”的概念，就叫作“指事”。把两个以上的形体结合起来，联系着几个概念来表示某种意义，这叫作“会意”。如阻止干戈（战争）为“武”，人说的话为“信”，即是会意字。象形、指事、会意，都还没离开画画儿的范围。

另一种办法是把两个形体组成一个字，用一个形体表义，一个形体标音，如“江”“河”两字的水旁是义符，“工”“可”是声符。这叫作“形声”。此外，“转注”是两个字在意义上有相通之处，可用来互相解释的意思：如以“老”解释“考”，以“考”解释“老”，许慎认为这就是“转注”[①]。“假借”是借用声同、声近的字来表义。如古时作“短尾禽”讲的“隹”字和“唯诺”的“唯”字读音相同，就借“隹”作“唯”；“然”是“烧”的意思，“焉”是一种黄色鸟，全借用作语助词；“其”字是“箕”形，借用为代词；这四个字都只是借原字的形与声，和意义无关的[②]。

---

① 后来研究古文字学的人，对“转注”有种种不同的说法，这里不讨论它。

② 许慎所举“令、长”二字，有人说并不是假借字；假借也有有意义的，因此非本书重点，均置不论。

六书中的指事、象形是独体的“文”，形声、会意是合体的“字”，转注、假借则是同部互训和同音借用的办法。

汉人提到“六书”的还有班固和郑众两个人。班固的《汉书·艺文志》采用刘歆《七略》的说法，作象形、象事、象意、象声、转注、假借；《周礼·保氏》注引郑众说作象形、会意、转注、处事、假借、谐声。他们所谈的名称、次第，和许慎所说不同，也没有像许慎那样做出具体的解释。因此，我们可以说，古代“六书”的内容，是由许慎首先阐明的；汉代古文学家的文字学系统，也因《说文解字》的出现而明确地建立起来。

《说文解字》共分十四篇（加上“叙”即为十五篇），收字九千三百五十三个，有重文一千一百六十三个。许慎作的解说，计十三万三千四百四十一字[①]。全书分为五百四十部，使纷纭复杂的文字，初步有了门类可归，这是许慎的一个创造性的发明。他的分部是根据文字形体的。如

① 按通行的大徐本《说文解字》的正文，重文和说解的字数，与许慎在“后叙”中所说数目是不同的。清王鸣盛谓以今本考之，除去徐铉的新附字外，正文多七十三，重文多一百十二，为后人增入；胡秉虔谓今本的正文、重文较原数均溢出，惟说解止十二万二千六百九十九字，较原数为少。可参阅丁福保编《说文解字诂林》前编下第245—246页王胡两人的说法。

以“一”为部首，凡从“一”得义的字，像元、天、丕、吏等，就都收入“一”部。而五百四十部的排列顺序，也大致是“据形系联”。例如第八篇从“人”部开始，全篇三十六部，就都由“人”字连类而及，像“匕”从倒人，“匕”从反人，“从”从二人，“身”像人身，“尸”像人卧之形等，全和“人”有关系。这样排列，为的是便于寻检和记忆。

（三）《说文解字》释字的多种方式

许慎在《说文解字》中，就按照他所解释的“六书”条例来说明文字的意义，从而分析它们的形体构造。如六篇下的“束”字：

束，缚也，从口木。

“缚”是解释“束”的意义的，“从口木”是说明字的形体构造的，把一堆木头缠绕起来，就叫作“束”。这是“六书”中的“会意”字。

《说文解字》的解说，都像“束，缚也”这样以篆文作主词，下面用“×也”的形式来释义。凡说“某也，某也”，都是讲字义的；凡说“象某，从某”，都是讲字形的；而字义与字形，又是统一的关系。但其中有不少字的解说，必须承上篆文来连读，才能领会它的意义。如言部“诂”字：“诂训，故言也。从言，古声，《诗》曰：诂训。”这个字解说中的“故言”是解释“诂训”一词的意义的，所以必须把“训”字和上面篆文连起来作一读才行。其他像日部“昧”字的“昧爽，旦明也”；水部“湫”字的“湫隘，下也”；晶部“曑（参）”字的“曑商，星也”等，也都要这样承上篆文连读。后人管这叫作“连篆为句”。如果不知道这种义例，就会对《说文解字》的释义发生误解。清代大学者顾炎武即曾把“曑”字的解说读为“曑，商星也”；因而他指责许慎所说为不合天文[①]，其实是他自己弄错了句读。由此可见，使用《说文解字》，首先应该把它的一般体例了解清楚。

许慎编《说文解字》，以秦汉通行的篆书（即“小篆”）为主体。一般说来，每个字都先列篆文，加以解释；如果这个字有古文或籀文，就把古文、籀文的不同于小篆的形体，列在下面。如第一篇上的“一”字解释下面，又有一个弌字，注曰：“古文一。”这就是说明古文中还有一个异体，和小篆不同。至于小篆之未变古籀形体者，即不更列古籀。但也有一些字，以古籀为正篆，把篆书附在后面的。例如第一篇上的“上”字，就是如此：“丄，高也。此古文丄，指事也。凡

① 见清顾炎武《日知录》二十一卷《说文》。

二之属皆从二。丄篆文上。”不过，这究竟还是个别的情况。

《说文解字》中说解的体例，相当复杂，兹择要介绍如下：

（1）引用古文。（甲）除注明是古文者外，凡引用经书的也都是古文。如玉部“玭”字下面还有一个“蠙”字，说解云：“《夏书》玭从虫宾。”这个“蠙”字就是“玭”的古文。凡引先秦书的，亦为古文。如我部“义”字下面，有一个“羛”字，说解云：“墨翟书义从弗。”许慎所谓“墨翟书”就是指的《墨子》。（乙）凡是说“古文或以为某”的，都是指古文借此字作某字。如“屮”字的说解云：“古文或以为艸字。”这就是指出古文借“屮”作“艸”字。（丙）凡是说“古文某如此”的，都是只知为某字而不能解释形体的。如羊部“羌”字下面，还有一个“𦍋”字，说解云：“古文羌如此。”（丁）凡说“或曰”的，是另一种说法。如贝部“贩”字的说解云：“或曰此古货字。”这就表示是姑存异说，不能无疑。（戊）凡是说“从古文之象”或“象古文之形”的，都是说明小篆和古文的形体差不多，但已少加整齐简化。如“革”字的说解云：“象古文革之形。”这个“革”字就是按古文“𠦀”的形体简化了的。至于说“象古文某省”的，那就是省略简化的程度更大的字了。

（2）引用籀文。许慎引用籀文，有三种说法：一种是直称籀文，如二部“旁”字下面有“雱”字，说解即云“籀文”。一种是称作大篆，如艸部“蒜”篆下云：“左文五十三，重二，大篆从茻。”另一种是称作“史篇”，如皕部“奭”字的说解云：“此燕召公名，读若郝，史篇名丑。”

（3）引用经书。许慎引用经书，有的是用来证释字形。如示部“祝”字的说解云：“祭主赞词者。从示，从人口。一曰从兑省，《易》曰：兑为口为巫。”这里引《易》，是用来证释“祝”的字形的另一种说法的。还有的是用来证明字音。如走部“趚”字的说解云：“动也。从走，乐声。读若《春秋传》曰辅趚。”这是说明“趚”字应读如“辅趚”之“趚”的声音。另一种是用来证释字义。如玉部“瑱”字的说解云：“以玉充耳也。从玉，真声。《诗》曰：玉之瑱兮。”这里引《诗》，就是为了说明“瑱”字的“以玉充耳”的意义。

（4）引古语。如艸部“苿”字的说解云：“苿菉也。”这是引古语以证今言的，说明现在称为“苿”的，从前叫作“苿菉”。

（5）引方言。如隹部“雅”字的说解云：“楚乌也。一名鸒，一名卑居。秦谓之雅。”这里引秦地的方言，说明“雅”就是“乌”。

（6）引俗语。如王部“皇”字的说解云：“大也。从自。自，始也。……自读若鼻，今俗以始生子为鼻子。”这里末一句就是以民间的通用语来解释“自”的“始”义的。

（7）博采通人之说。许慎编《说文解字》，也采用先秦诸子如孔子、韩非和汉儒司马相如、董仲舒、杜林、卫宏等人的说法；这些人，他都称之为“通人”。《说文解字》叙中所说“博采通人”，就是指的这个。如“用”字的说解云：“可施行也。从卜，从中。卫宏说。”这里即用卫宏的说法来作解释。又鸟部“鵍”字下面，还有一个“䲷”字，说解云：“司马相如说鵍从赤。”这又是采用通人之说来说明“鵍”字篆书的另一种写法。

（8）引祕书说。许慎所谓祕书，是指依托经书，谈符箓瑞应之事的“纬书”如目部“瞋”字下面，还有一个“賊”字，说解云：“祕书瞋从戌。”这里就是说明祕书中“瞋”字的形体，和通行的小篆不同。

（9）引秦刻石。如攴部“攸”字下面还有一个“汥”字，说解云：“秦刻石峄山文攸字如此。”这里所说秦刻石文，也是指小篆的另一写法。

（10）从某，某声。凡说从某，某声的，都是半体取形，半体取声的形声字。如“江”字从水，工声；“河”从水，可声；“水”是这两个字的形符，由此取义；“工”和“可”是这两个字的声符，由此得声。

（11）象形，象某某之形。许慎说解，对于象形字，有的只说“象形”。如“吕”字的说解云：“脊骨也。象形。”有的还对所象之形，加以解释。如“山”字的说解云：“宣也。谓能宣散气生万物也。有石而高，象形。”这里所说“有石而高”，就是指出“山”字所象之形的。至于说“象某某之形”的，则往往是指事字。如“”字（即楷书的“欠”字）的说解云：“张口气悟也。象气从人上出之形。”这个像人打呵欠出气形状的“”，就是指事字。

（12）从某，从某；从某某。凡说“从某，从某”或“从某某”的，都是合几个形体以成一字之义的会意字。如音部“章”字从音十。因为十是数之终，奏完一个乐调叫作一章，所以这个字从音十得义。又㡀部的“敝”字，从㡀，从支，也是会意字。凡说“从某”，全是取某字的意义。

（13）从某省。凡说“从某省”，都是取某字之义而不采其全形。如“隶”字的说解云：“及也。从又，从尾（尾）省。又持尾者，从后及之也。”“又”是手，“尾”是尾巴；用手拉住尾巴，就是从后面赶上的意思。“隶”字只是采取了尾的下半截形体，所以说“从尾省”。这一类说“从某省”的，往往是会意字。

（14）从某，某省声。凡说“某省声”的，都是取某字以为声，而不采其全形。如“梓”字“从木，宰省声”，就是省去“宰”字的“宀”，只取其一半形体“辛”以标音的。《说文解字》所收“梓”字的或体不省“宀”的，即作“梓”。

（15）从某，某亦声。凡说“从某，某亦声”的，就是指出这个字既从某字形体以得义，又取其读音以象声。如女部“姓”字，从女生，生亦声。这是会意而兼形声的字。

（16）同意。凡说某与某“同意”的，都是指两个字的形体的意义有某一点相似或相同之处。如“工”字的说解云：“巧饰也。象人有规榘，与巫同意。”工有规矩，作巫也有规矩，这一点是相同的，所以说“与巫”同意，并不是说工字和巫字的意义完全相同。

（17）读若、读同。由于许慎的时候，还没有反切的方法，所以《说文解字》中凡是遇到谈字音的地方，就说“读若某”或“读与某同”，用另外一个字来说明本字的读音。这个办法有点像后来的直音法。如屮部“屮”字的读音，即说是“读若彻”；隹部“雀”字的读音，说是“读与爵同”。

（18）一曰。凡是一个字有两种不同的解释的，许慎就用“一曰”来标明第二种说法。如示部的“禋”字的说解云："絜祀也。一曰精意以享为禋。"这里"一曰"以下的话，就是"禋"字的另一解释。

（19）阙。凡说解中说"阙"的，都是表示阙疑的意思。如又部"叜"（即"叟"字）字的说解云："老也。从又灾，阙。"这是说不知道它从又灾的意义何在。又部"叚"字的说解云："借也。阙。"这是说除去从又之外，不知道其余的形体怎样解释。沝部"沝"字的说解云："二水也。阙。"这是说不知道这个字如何读音。许慎对他所不能解释的文字的形音义，全用"阙"来标明①。

（20）或体。凡是说解中说"或从某"的，都是小篆的异体。如示部"祀"字下面另有一"禩"字，说解云："祀或从异。"这就是并列小篆异体的。

《说文解字》中说解的体例，略如上述。了解这些，对于使用这部字典，是有帮助的。

（四）《说文解字》的价值影响及其缺点

《说文解字》是许慎整理、研究当时许多经学家、文字学

① 清人洪颐煊认为《说文解字》文字下面注"阙"字的，是徐铉、徐锴校订这部书时所注，并非许慎的本文。李慈铭亦主此说。可参阅《越缦堂读书记》上册第507页（商务印书馆出版）。

者的研究成果而编成的一部总结性著作；它保存了大部分的先秦字体以及汉代和以前的不少文字训诂，反映了上古汉语词汇的面貌，比较系统地提出分析文字的理论，是今天研究古文字学与古汉语的必不可少的材料。如果没有这部书的流传，我们将不能认识秦汉的篆书，更不要说辨认商代甲骨文和商周的钟鼎文与战国时的古文了。它也给后代的字典词书很大的影响，它的以偏旁分部的办法，一直成为编字典的一种主要体例。另外，我们还可以从这部书中了解一些古代的政治经济情况和民俗，等等。

但《说文解字》虽有这样的价值与影响，却也存在着相当严重的缺点，这首先表现在书中说解的内容方面。许慎编《说文解字》，本来是要纠正他所谓的“俗儒鄙夫”对文字的荒谬解释的，可是他一样相信阴阳五行，受谶纬之书的影响，在自己的著述内一样有谬说。如谓“甲象人头”“乙象人颈”等，就是无稽之谈。此外，宣扬敬天、信神、尊君以及男尊女卑的封建思想的说解，像“一贯三为王”“君，尊也”“妇，服也”之类，也到处都是。其次的缺点是对文字的解释，不免穿凿附会。例如“矢”部“躲”字（“躲”即“射”之古文）的说解云：“躲，弓弩发于身而中于远也。从矢，从身。射，篆文射，从寸。寸，法度也。亦手也。”事实上，甲骨文、钟鼎文的“射”字全写成箭搭在弓上要射出去的形状（甲骨文钟鼎文），根本不是什么“从身，从寸”，许慎的说法显然是错了。因为许慎没见过殷商的甲骨文，他在《说文解字》叙内虽然提到“郡国往往于山川得鼎彝”，但于商周鼎彝，亦很少目睹，所以发生这类的错误。书内像这样对文字形音义解释欠妥的，为数不少。还有个大缺点，就是部首分得太琐碎，编得不科学；其中只有少数的部首，我们可以看出它们是“据形系联”，安排了先后；大部分都杂乱地羼在一起，没有什么规律；同部中的字，排列亦无次第。我们查字，有时很难断定它属于哪一部。如“牧”不在“牛”部，“翼”不在“羽”部，“瓶”不在“瓦”部，“朽”“桑”不在木部，“恺”“愧”不在“心”部；只有把这部书翻熟了，才能知道它们的部首。而且即使辨明了部首，也还得在这部中一个字一个字地去找字，仍然要费很大事。从前的文人，已感到查阅《说文解字》之难而无办法，甚至连南唐有名的文字学家徐铉都说：“偏旁奥密，不可意知；寻求一字，往往终卷。”[①]可见现代读者要使用这部字典，会有很大的困难了。

① 《说文解字篆韵谱》徐铉序。

对于《说文解字》，我们须要了解它的优缺点，科学地去分析它，使用它，不应像从前某些文人那样对它盲目地崇拜。

（五）研究《说文解字》的著作

在唐代宗大历年间，李阳冰以善作篆书著称，自云“斯翁（指秦李斯）之后，直至小生”[①]，他曾刊定《说文解字》为二十卷，根据自己的意思，排斥许慎，于解说和篆法，都大加改动。从此许氏的原本即不可见，直至唐末，李阳冰的改本还在盛行。后来南唐的徐锴，撰《说文系传》，仍主许慎之说，而反对李阳冰，书中有《祛妄》一篇，即专为驳李阳冰的臆说而作。如“幺”字，《说文》云“小也，象子初生之形”；李阳冰认为“厶，不公也。重厶为幺，蒙昧之象也。会意，非象形。”徐锴驳斥说：“《尔雅》云：幺，幼也。真是幼小之形，非为蒙昧，阳冰妄矣。”[②]清人李慈铭曾称赞《说文系传》中的《祛妄》一篇最为可取[③]。到了宋太宗雍熙三年（公元986年）徐锴的哥哥徐铉奉诏和葛湍、王

---

① 李阳冰语，见《说文解字》十五下宋徐铉等的《说文解字》进上表。

② 徐锴语见《说文系传》卷三十六《祛妄》，《四部备要》本第193页下。

③ 李慈铭语，见《越缦堂读书记》上册第515页谈《说文系传》的部分。

惟恭等校订《说文解字》，不仅对原书的内容作了一番整理、审定，还把其中的文字，全用反切注音，并将经籍常见而许慎未收的字补入书内，加上解说，附于各部之后，称为“新附字”。如辵部“邂、逅、遑、逼”等十三个字，就是徐铉“新附字”。在许慎的说解内，徐铉等也有的加上了按语，以参校异同。凡是说“臣铉曰”“臣铉等曰”的，全是徐氏的按语。徐铉新附的四百多字，有不少是通用的俗字，他在校定《说文》进表中说：“复有经典相承传写及时俗要用而《说文》不载者，承诏皆堺益之。”清钱大昕曾指出如“奂”即“唤”，“眸”即“牟”，“櫂”即“擢”，“荀”即“郇”，“藏”即“臧”等，徐铉虽明知其为俗字而仍旧附入，就是因为出于宋太宗之意，不得不尔[①]。在今天看来，增入通用字以供后人参考，正是好事，不必从好古的角度，加以指责。

在二徐本通行后，李阳冰本遂废。大家都管徐铉整理的本子叫“大徐本”（即现在通行的《说文解字》）；管徐锴所撰的《说文系传》，叫作“小徐本”。二徐的本子，全把许慎原来的十五篇各分上下，为三十卷。现在除去唐写本木部

---

① 见钱大昕《潜研堂文集》卷十一“答问八”。

残卷外[①]，我们只能看到二徐本；许慎原书的本来面目，早已无法恢复了。

徐铉定《说文》，徐锴编《系传》，对保存和解释许慎原著，是有一定功绩的。但他们于古今音之异和声近之相谐，并不太通晓，所以徐铉往往有误删许书“从某，某声”的地方；徐锴也常因对许书的谐声有疑而加上按语。清人钱大昕即曾指出这点。例如“元”字“从一兀”；徐锴说：“俗本有声字，人妄加之也。”其实，“元”和“兀”的声音相近；从“兀”的字，有的也从“元”。像“髡”字从“兀”，它的或体就是从“元”作“髨”的。可见“元”为“兀”声，古音正是如此。徐锴不明古音，认为是俗本妄加“声”字。徐铉则删去“声”字，不提旧本怎样说；如果单看大徐本，就根本不知道“元”有“兀”声了。所以我们使用《说文解字》，最好参看清人的研究著作[②]。

清人研究《说文解字》的著作很多，其中成就较大的是段

---

① 清莫友芝于同治初年得到宋米友仁审定的唐写本《说文解字》木部的一半，因撰《唐写本说文解字木部笺异》一卷。近人丁福保已将这部书收入了《说文解字诂林》。

② 参阅清钱大昕《十驾斋养新录》卷四“二徐私改谐声字”一节及《说文解字》九上髟部“髡”字的段玉裁注。

玉裁的《说文解字注》、桂馥的《说文义证》、王筠的《说文释例》和《说文句读》、朱骏声的《说文通训定声》这五部书。段注在校订《说文解字》的文字，阐释许慎的说解方面，很有贡献；桂证是引古书为《说文解字》的佐证的；王筠的“释例”，详细地解说“六书”的体例，“句读”大致根据段桂两家的说法，分析文字形义，对篆体和许慎的说解，也有所改动；朱骏声的著作，则着重通过音义的关系，指出文字的通假正别，这全有助于理解《说文解字》。段注尤为必需的参考书。近人丁福保曾把研究《说文解字》的许多专著，汇为一编，叫作《说文解字诂林》（上述诸书，即都包括在内），在《说文解字》的每一单字下面，罗列诸家的说法，为读者集中了多种有关的材料。近人徐文镜辑《古籀汇编》一书，在《说文解字》的小篆后，附列甲骨文、钟鼎文等，能使读者同时见到几种文字。这又都给人很大的方便。

检查《说文解字》之难，前面已经谈到；不认识篆书的人，更不容易了解其中文字的部首，因此想使用《说文解字》，还需要借助于一些工具书。像清人黎永椿的《说文通检》、史恩緜的《说文易检》、蒋和的《说文部首表》、冯桂芬的《说文部首歌》以及近人饶炯的《说文解字部首订》、唐玉书的《说文部首讲义》等，全能对读者掌握《说文解字》的部首有些帮助。如果手边有《说文解字诂林》，查起字来就简单得多。因为这部书有一册“通检”，由子至亥，分十二集，按一般字典的部首分部收字，同部中的字，又以笔画多少为先后来排列，每字下面注有页码，一查即得。这就无须为部首而伤脑筋了。

还有一点值得注意的是，许慎编《说文解字》的目的，虽在于探讨字原，说明古人造字的本意，但他也很重视沿用已久的假借、通俗字。例如按许慎的说法，减省的“省”字本来作“渻”和“媘”，重叠的“重”字本来作“緟”；可是他在说解中提到“从某省”和“重文”时，仍然从俗写作“省”和“重”，足见他并不是主张字字都要从古的。后人研究《说文解字》，有的走了极端，专把这部书中的冷僻的“本字”，用来写在文章和书札内，以炫博骇俗。清人江艮庭（声），就是如此。据说这位先生连开药方全用小篆写，他还埋怨药铺的人不认识他的字，这是“好古”的书呆子气的具体表现。我们今天当然更不应该因为看了《说文解字》就厚古薄今，以它的解释来排斥“约定俗成”的为大家所通用的“俗字”的。

通行的《说文解字》以《四部丛刊》影印的北宋刊本和清孙星衍校刊的《平津馆丛书》本（此本又有商务印书馆《丛

书集成》影印本）为较好。黎永椿的《说文通检》按笔画排字，可据以查出每字所在的卷数和属于某部。《说文解字》的解释很简单，不易读懂；初学的人，最好看段氏《说文解字注》。这两部书除原刻本外都有影印本。

第三节　词典的先河——《尔雅》

（一）《尔雅》的编者与篇数

《尔雅》是我国古代第一部训诂书，也就是最早的一部词典。关于它的作者，说法不一：一种说法认为周公旦最初著有《尔雅》一篇；而汉魏之间通行的三篇《尔雅》，则或说为孔子所增，或说为孔子弟子子夏所益，或说为叔孙通所补，或说为沛郡梁文所考，莫衷一是，只好存疑。这种说法，见于魏张揖的《上广雅表》。另一种说法认为《尔雅》是“秦汉之间学诗者纂集说诗博士解诂之言”而成。这种说法，见于宋欧阳修《诗本义》卷十“文王”。近人罗常培同意后一说，认为《尔雅》是汉代经师解释六经训诂的汇集[①]。大

① 见周祖谟校、吴晓铃编的《方言校笺及通检》的罗常培序。

约这部书渊源甚古，在相当长的时期内，经过许多人增补，而最后成书于汉代。《四库全书总目提要》说它："大抵小学家缀辑旧文，递相增益，周公、孔子皆依托之词。"这是对的[①]。

《汉书·艺文志》著录《尔雅》三卷，二十篇。注引张晏说："尔，近也；雅，正也。"可见解释文字训诂以近于"雅正"为主，大约就是这部书命名的意思。至于《汉书·艺文志》称二十篇，而今本只存十九篇，则后人有不同的解释。清邵晋涵云《尔稚》中"释天"一篇的星名之下，附祭名、讲武、旌旗三章，乃连类而及；翟灏怀疑《尔雅》本有"释礼"一篇，与"释乐"相次，祭天、讲武、旌旗三章，盖"释礼"之残文，阑入"释天"之下者；孙志祖认为《汉志》言二十篇，盖以"释诂"分上下篇之故；李慈铭亦以祭天、讲武、旌旗三章附"释天"之后为可疑[②]。王鸣盛则谓称三卷，是因为卷帙多，分作上中下；称二十篇，是因为除自"释诂"至"释畜"这十九篇外，还另有"序篇"一篇，今已

① 引文见《四库全书总目提要》经部小学类一。

② 邵晋涵、翟灏、孙志祖、李慈铭诸人说，俱见《越缦堂读书记》上册第552页"尔雅"一节。

失传[①]。

按《隋书》和新、旧《唐书》以及《宋史》的经籍、艺文志，都只著录《尔雅》三卷，不言篇数。惟宋邢昺《尔雅》的“释诂第一”题下疏云：“《尔雅》叙篇云：‘释诂’‘释言’，通古今之字。古与今异言也。”[②]可见《尔雅》原有“叙篇”，叙述全书意旨，与他篇相合，恰足二十之数。大约宋时此篇即已亡佚，故邢本无之，此疏数语，当系据唐人所述转引。今本《尔雅》篇章之有残阙，非汉人原书面目，自不待言。

（二）《尔雅》的内容分类法

《尔雅》为我国古代词典之先河，首创了按内容性质分类释词的体例。今本三卷，即按十九类分为十九篇。其中的“释诂”“释言”“释训”三篇，解释普通词语。宋邢昺解“释诂”说：“释，解也；诂，古也；古今异言，解之使人知也。”他认为“释言”是通释古今方言的异同；“释训”是“以物之事义

① 王鸣盛说，见《蛾术编》卷八“尔雅有序篇”一节。商务印书馆1958年排印本第137—138页。

② 世界书局影印阮刻本《十三经注疏》第2567页上。叙、序，古籍中常通用。

形貌告道人”[1]。明赵宧光谓通古合今曰释诂，以今合古曰释言，释其所释曰释训[2]。邢赵二人的看法略同，惟赵氏解“释训”不免笼统。概括说来，“释诂”罗列古语，解以今言，其重点在于说古语，所以称为“释诂”。如“如、适、之、嫁、徂、逝，往也”；如、适、之、嫁、徂，是古代的一组同义词，包括方言俗语，下面的“往”是当时的通语，故用来作解释。邢昺云：“自家而出谓之嫁，犹女而出为嫁也；逝，秦晋语也；徂，齐语也；适，宋鲁语也；往，凡语也。”[3]凡语，即通语。“释言”有的是以今言释今言，有的是以古语证今言，有的是以通语释方言。如：“馈、馏，稔也”。晋郭璞注云：“今呼餈饭为馈，馈熟为馏。”馈、馏、稔，都是熟的意思，以稔释馈、馏，皆为今语。又“斯、誃，离也”。斯、誃是齐、陈间的方言，和分离的离同义，古今皆用。可见本篇的重点在于通语言的古今之变，所以称为“释言”。“释训”以解释形貌、状态为主，所收叠词较多。如“明明、斤斤，察也”，指人心性聪明，观察细致；“穆穆、肃肃，敬也”，指人仪容恭谨；“桓桓、烈

---

① 邢昺语，见《尔雅》的“释诂”“释言”“释训”题下疏。

② 赵宧光说，据清桂馥《札璞》卷三“览古”的“释诂、释言、释训”一节转引。

③ 邢昺语，见《尔雅·释诂》疏。

烈，威也”，指人神态严猛；“溞溞，淅也”，形容淘米声；“烰烰，烝也”，形容气出之盛，都是叠词。所引词语，多见于《诗经》，故郭璞作注，即以《诗》义解释。其他如“朔，北方也”“暴虎，徒搏也”；“冯河，徒涉也”，也解释一般语词，不以叠词为限。

这前三篇可以说是普通的词典。另外，如释亲、释宫、释器、释乐四篇，是解释人事的名称的；释天是解释天文的名称的；释地、释丘、释山、释水，是解释地理的名称的；释虫、释鱼、释鸟、释兽、释畜，是解释动物的名称的；释草、释木，是解释植物的名称的。这后十六篇，可以说是百科名词的词典。

（三）《尔雅》释词的体例

《尔雅》解释词义的方法，牵涉到训诂学的问题，这里不作具体讨论，只加以简单的说明。古代训诂的方法，大概分为义训、形训、音训等三种。《尔雅》用的主要是义训的方法。所谓义训，是从意义上就古今语言的不同，方言的相异和本义转义的差别等来解释词义的。《尔雅》的训诂方式，约有两类：一类是释诂、释言、释训三篇的释词方法：把许多意义相同的词放在一起，在下面作一个总括的解释；其中某些词若有异义，就再提出来另注。如《释诂》：“迄、臻、极、到、赴、来、吊、艐、格、戾、怀、摧、詹，至也。”前面并列十三个同义词，下面用“至也”来作共同的解释。又：“乔、嵩、崇，高也。崇，充也。”乔、嵩、崇，都作“高”讲，而“崇”还有“充”义；就先共释而后分释。又如《释诂》的另一组词：“诏、亮、左、右、相，导也”；诏、亮、左、右、相这五个词，都是教导的意思。“韶、相、导、左、右、助，勴也”；“亮、介、尚，右也”；“左、右，亮也”；勴是赞勉之意；右和亮都是辅佐帮助之意；或合解或分释，反覆相训，以便说得完全。另一类是释亲、释宫、释器、释乐等十六篇的释词方法：把内容有关的一类词放在一起，而分别解释。如《释亲》的“妻党”：“妻之父为外舅，妻之母为外姑。”对“外舅”“外姑”两个词分别解释。《释天》：“谷不熟为饥，蔬不熟为馑，果不熟为荒，仍饥为荐”；五谷、蔬菜、果实收成不好，各有名称，连年歉收，叫作荐饥；这也是汇集一类词语于一起，而分别解释。古人用词之丰富、准确，亦于此可见。又《释乐》：“大笙谓之巢，小者谓之和。”也是如此。这两例都把有关的词分别解释；而说解在前，本词列后：“×××为×××”或“×××谓×××”，就成了另一种解说的格式。概括说来，前一类是以当时的常用词来解释一组一组的古语或方言的同义词，如前两例中的“至”和“高”，就是当时的常用词（即所谓“通语”）；后一类则以今词、通语来解古语或方言，但却用一个词和一个词来对释。如果我们再分一下，还有以下几种情况：

（1）直言为训：对所训释之字，直接加以说明。如《释天》：“寿星，角亢也。”直接用“角亢”解释“寿星”。（2）相反为训：说明一个词和本义相反的用法。如《释诂》：“徂、在，存也。”“徂”，本作“往”讲，这里解释的是和它本义相反的用法。（3）二字互训，以两个字来互相解释。如《释宫》：“宫谓之室，室谓之宫。”这是以意义相同的两个词来互释，以说明古今用词之异的。（4）双声为训：以声母相同的字来解释一个词。如《释诂》：“卬……我也。”“我”和“卬”是双声字。（5）叠韵为训：以韵母相同的字来解释一个词。如《释言》：“谷、履，禄也。”“禄”和“谷”是叠韵字。（6）合音为训：合两个字的声音来解释一个词。如《释器》：“不律谓之笔。”“不律”是“笔”的合音，这是说明方言不同所造成的字音之变的。由此可见《尔雅》不只用义训，也用音训。

在《释亲》以下的十六篇中，《尔雅》对草木虫鱼鸟兽的解释，又和其他各篇有些差别。因为以今言释古语、以通语释方言、以俗语释雅言等办法，有时会由于古今雅俗同名或此有彼无而行不通。所以对有异名的，就用异名来解释。如《释虫》的“蜺，马蜣”，这是以“马蜣”这一俗称来说明“蜺”这一雅言为何物的；“有足谓之虫，无足谓之豸”，这是把两种东西相对地加以区分的。兽畜异名不多，没法用名称来解释，就说明它的形状、特点。如《释兽》的“貗貐，类貙，虎爪，食人，迅走”；“狒狒，如人，被发，迅走，食人”；即都以比方、描述，具体地说明其形状、特性。这也足以显示《尔雅》的贯通古今雅俗之名，是采用了各种不同的方式的。其对于事物的解释，大都很有概括性，如《释鸟》：“二足而羽谓之禽，四足而毛谓之兽”；对比鲜明，简单扼要，是值得学习的词典语言。

至于《释亲》以下十六篇的命名署题，则有的是标总类，有的是举首要。如《释宫》即举宫室以概其余，凡台榭楼阁门窗户壁以及庭院街巷等，无不包括在内。其分类归宗以排列材料的方法，为后代的词典、类书等导了先路。

（四）《尔雅》的价值与影响

《尔雅》辑录了古代大量的语词，并加以整理，做出解释；是研究先秦词汇、阅读古籍的重要参考材料。它不仅说明了许多语词的意义，还包含了各方面的广博知识。例如《释鸟》一篇，于解释各种鸟的名称之外，还谈到鸟的形状、姿态、特征以及能为人害与否，内容相当丰富。古代社会面貌以及天文、地理、生物等各方面的情况，都可以从这部书中得到一些了解，因此后人对它评价很高。魏张揖在《上广雅表》中说："夫《尔雅》之为书也，文约而义固；其陈道也，精研而无误；真七经之检度，学问之阶路，儒林之楷素也。"晋郭璞在《尔雅序》中说："夫《尔雅》者所以通诂训之指归，叙诗人之兴咏，总绝代之离词，辩同实而殊号者也。诚九流之津涉，六艺之钤键，学览者之潭奥，摛翰者之华苑也。若乃可以博物不惑多识于鸟兽草木之名，莫近于《尔雅》。"可见《尔雅》的主要作用在于它总结和整理了历代不同的语词，解释了经籍中的词语意义和诗歌中的词语的用法，并辨别了许多义同而词异的词；同时，它所保存的"鸟兽草木之名"一类的材料也很有价值。南朝宋刘义庆《世说新语·纰漏》篇记晋蔡谟在江南见到彭蜞，误当作螃蟹，烹而食之，大吐委顿。后来向谢尚提起这事，谢尚说："卿读《尔雅》不熟，几为劝学死。"这个小故事也说明了《尔雅》能给人许多常识，熟读有益。

《尔雅》这部书，《汉志·艺文志》把它附于《孝经》之后；实际已视之为儒家经典。《隋书·经籍志》把它列入经部《论语》之后，并解释说："《尔雅》诸书，解古今之意，并五经总义，附于此篇。"认为它对解经有益，与五经总义作用相同。所以到唐代，这部书就成了学馆生徒的必读书。《新唐书·选举志》上说："（学馆生徒）学书，日纸一幅。间习时务策，读《国语》《说文》《字林》《三苍》《尔雅》。"唐陆德明曾经指出"《尔雅》者所以训释五经，辩章同异，实九流之通路，百氏之指南"[①]；清钱大昕也说"夫六经皆以明道，未有不通训诂而能知道者。欲穷六经之旨，必自《尔雅》始"[②]。他们都把《尔雅》当作读经书、通训诂的阶梯。但《尔雅》并非专为解释五经而作，它汇辑诸书训诂名物之异同为一编，是一部独立的词典，不应附属于经义。清代修《四库全书》的馆臣的见解是对的[③]。现在我们当然不再把它看作什么经典，只是从它在中国语言学史和词书史中的地位与作用方面予以恰当的评价：这部书为我国词典的先河，是最早出的综合性的百科全书式的词典。它保存

① 见唐陆德明《经典释文》的"注解传达人"一节，《四部丛刊》本卷一第17页。

② 钱大昕语，见《潜研堂文集》卷三三《与晦之论尔雅书》。

③ 《四库全书总目提要》卷四十小学类一《尔雅注琉》的提要说："今观其文，大抵采诸书训诂名物之同异，以广见闻，实自为一书，不附经义。"

了相当丰富的古汉语词汇，包括了社会科学、自然科学等许多方面的常识；它有清楚的分类篇目，有完整的编撰体系，对后来的汉语词汇的研究与训诂词典的发展，都有很大的影响，起了引导和促进的作用。它是一本独立的工具书，不是经史子集任何一类的附属品。如《释草》解释“荷”的一条说：“荷，芙渠。其茎，茄；其叶，蕸；其本，蔤；其华，菡萏；其实，莲；其根，藕；其中，的；的中，薏。”由“荷”的别名芙渠到茎、叶、本、华、实、根、子、子心等，各举专名，区别精细，可见当时词汇之丰富。这些专称，直至今天，还在我们的书面或口语中应用。所以它的内容，经常被人引用，作为解释训诂名物的依据。如屈原《离骚》的“摄提贞于孟陬兮，惟庚寅吾以降”，王逸注云：“太岁在寅曰摄提格”，“正月为陬”；俱见《尔雅·释天》。经传注疏，采用《尔雅》说法的，亦多不胜举，足见此书之实用价值。至于此后《尔雅》式词书之不断出现，一脉相传，皆以《尔雅》为规范，更不待言。

《尔雅》安排所释词语的次第，有的是从内容上作过考虑的。如《释诂》的“林、烝、天、帝、皇、王、后、辟、公、侯，君也”一条，把“君”与“天”相提并论；继此是“弘、廓、宏、溥、介、纯、夏、幠、厖、坟、嘏、丕、奕、洪、诞、戎、骏、假、生、硕、濯、讦、宇、穹、壬、路、淫、甫、景、废、壮、冢、简、菿、昄、晊、将、业、蓆，大也”，把许多训“大”的词，放在“君”后来解释，次第即有寓意。清郝懿行说：“释君之后，继以大者，君亦大也；故《老子》云：天大、地大、王亦大。”①可见这反映了儒家敬天尊君、天人合一的思想。这类问题，于此无须深论。因为《尔雅》成书于封建社会，在对词义的解释上，自然难免由宣扬封建道德的角度出发，不足责怪。作为一本词典来说，它有两方面的缺欠：第一是词义的解释失于笼统，如《释诂》篇把许多古语、方言的同义词集中一起，只用一个字来说明，实在过于简单，没法使人了解其中每一个词的意义和用法的差别。第二是内容有些重复、杂乱。如《释诂》上解释“俶”说是“始也”；《释诂》下又说是“作也”；实际“作”还是“始”的意思。又《释地》《释鸟》两篇都有“鹣鹣”，解释虽一详一略，而内容相同。还有些词，归类不太恰当。至于全书前后体例不统一的毛病，则可能是因为它并非成于一时一人之手所造成。

① 郝懿行语，见《尔雅郭注义疏》上之一，《四部备要》本第5页。

（五）研究《尔雅》的著作

《尔雅》的内容，是古代的训诂名物，在今天看来，较难理解，因此要想对它研究或使用，就必须参考后人的注疏。由于这部书在汉朝即很受重视，所以汉人已有为它作注的。

据唐陆德明《经典释文》卷一《注解传述人》著录，汉武帝时待诏犍为文学（亦称“犍为舍人”）和刘歆，各有《尔雅注》三卷；后汉中散大夫樊光，有注六卷（《隋书·经籍志》一作三卷）；后汉中黄门李巡和孙炎（当为三国魏人）及晋郭璞各有注三卷。陆德明还提到梁有沈约之子沈旋，集众家之注，未言卷数；《隋书·经籍志》卷一作十卷。但现除郭璞注外，其他各家之注，均已失传。

郭璞字景纯，东晋河东闻喜人，喜好经学和古文奇字，兼通阴阳、五行、天文、卜筮之术，以博学多才著称。除《尔雅》注外，他还曾注《三苍》《方言》《穆天子传》《山海经》等。另有《尔雅音》《尔雅图》（也称《尔雅图赞》）亦出璞手，已佚。

郭璞在当时即号称“博物”，他在广采前人成说的基础上，用自己丰富的知识，以今释古，以古证今，对《尔雅》的内容作了阐说和补充。据他在《尔雅注》的自序中说：“虽注者十余，然犹未详备，竝多纷谬，有所漏略，是以复缀集异闻，会稡旧说，考方国之语，采谣俗之志，错综樊、孙，博关群言，剟其瑕砾，搴其萧稂，事有隐滞，援据征之，其所易了，阙而不论。别为音图，用祛未寤。”可见他做了三方面的工作：一、是会辑众说，去芜存精，为前人旧注，补缺纠谬；二、是博考各地的方言俗语，以印证古代的训诂名物；三、是配合注释，另撰音和图，以帮助读者理解《尔雅》的内容。对容易懂的词语，即不再作注。可惜的是他的《尔雅音》和《尔雅图》全都失传，无以见其用意之精微。但他的注释，实足成一家之言，甚至可以算是另一部《尔雅》。如《释诂》的“尸、职，主也”注：“《左传》曰：‘杀老牛，莫之敢尸’；《诗》曰：‘谁其尸之’；又曰：‘职为乱阶’”；这是引经传以释古语。《释地》的“鲁有大野”注：“今高平钜野县东北大泽是也”；这是以今址证古地。他还常常在注文中为他所举的今语标音。如《释鱼》的“鲲，小鱼”注：“今江东亦呼鱼子未成者为鲲，音绳。”江东呼鱼子之未成者如“绳”之音，本来有音无字，郭璞以今语之音，证古语之义，而古今字之音义皆通，两相融合，这正是汉郑玄等人以今语释古语的办法。对于不见于《尔雅》正文中的字，郭注有时亦标其音。如《释兽》的“鼬鼠”注：“今鼬鼠似鼦，赤黄色，大尾，啖鼠。江东呼为鼪，音性。”鼪字不见于正文，也标出其音，以保存当时的方言，和古语相印证。由此可见郭璞在注内标音，主要是为今语而作。他的各种不同形式的解说，都能使读者对《尔雅》原来很简略内容，得到较具体的认识。

不过，今天我们所看到的郭璞注，已经有被人删节之处，并不都是本来面目。如《周礼·春官·大司乐》的“四镇五岳崩”唐贾公彦疏：“《尔雅》霍山为南岳。案《尚书》及《王制》注，皆以衡山为南岳。不同者，案郭璞注云：‘霍山今在庐江潜县西南，潜水出焉，别名天柱山。武帝以衡山辽远，因谶纬皆以霍山为南岳，故移其神于此。今其土俗，人皆谓之南岳。南岳本自以两山为名，非从近来。’如郭此言，即南岳衡山自有两名。若其不然，则武帝在《尔雅》前乎，明不然也。”在这段话中，贾公彦所引郭璞注起讫显然，于霍山称南岳之说，解释较详；可是今本《尔雅·释山》的“霍山为南岳”下注“即天柱山，潜水所出”二语，与贾公彦所引不同。可见今本郭注已经后人删节，故与唐本有异[①]。

---

①《周礼·春官·大司乐》贾公彦疏，据世界书局影印阮元刻本《十三经注疏》引，第791页。关于郭璞注被删节之说，可参阅清钱大昕《潜研堂文集》三三卷《与晦之论尔雅书》，商务印书馆《四部丛刊》本二册第325—326页。清王鸣盛《蛾术编》卷八《郭注不全》一节。商务印书馆排印本上册第138页。

不过郭璞虽然渊博，他对《尔雅》中的训诂名物，也未能尽通，所注亦有不少疏漏错误之处。因此后人有的另注《尔雅》，有的从古书中辑录古注佚文，以补郭注。如宋陆佃的《尔雅新义》二十卷，即为注释《尔雅》之作。但陆佃受王安石《字说》影响很深，喜欢穿凿附会，率逞臆说。如“楹”是柱子，“棁”是梁上短柱，本不难懂，他却在《尔雅·释宫》的“其上楹谓之棁”一句下解释说：“虚空以立，故谓之楹；盈而在上，可谓拙矣；短而在上，亦可谓拙矣。”这种解释，近于谐谑，不是严肃的治学态度，故清李慈铭谓其注“小言破道，不可为训，间有佳处，亦披沙拣金，无甚益于经术”[①]；评论是中肯的。可取的是其所引证，有许多后来见不到的书；而且他根据的原文，是北宋旧本，尚能订正注疏本《尔雅》的一些错误。另外，宋郑樵也有《尔雅注》三卷，多采群经以证《尔雅》，于《尔雅》原文和郭璞注，时有辨正。清人研究《尔雅》的著作更多，最著名的是邵晋涵的《尔雅正义》和郝懿行的《尔雅义疏》各二十卷。邵书广辑汉魏六朝人旧注，博采诸经传注及先秦两汉诸子

① 李慈铭说，见《越缦堂读书记》上册第554页。

之说，以印证郭注；并推求文字之古音古义与草木虫鱼之古今异称，且据善本，订正原书文字，贡献甚大，足称《尔雅》之功臣。郝书繁征博引，后出愈精，足与邵本雁行。其每类标目之下，各有解题，分析明确，于读者了解《尔雅》的义例，颇有帮助。

此外，如：清戴蓥曾编《尔雅郭注补正》三卷；翟灏曾编《尔雅补郭》二卷；臧庸曾从唐人书中搜辑《尔雅》古注，编《尔雅汉注》三卷；刘玉麐也采集《尔雅》古注之散见于群籍者，编《尔雅补注残本》一卷，都是补正郭注之作。晚出之书，有光绪二年刊行的叶蕙心所撰《尔雅古注斠》，比臧庸所辑，材料尤多。又龙翰臣所辑《尔雅经注》（附《音释》和《集证》），大都引自习见之书，务求简明，可参照研究《尔雅》的内容。但这些补注的书，除了个别的例外，都有一个很大的缺点，就是在古书里兜圈子，作文字训诂，所以有很大的局限性。其他注释，还有钱坫的《尔雅释地四篇注》一卷，较具特色。钱坫精于地理之学，他以自己实际的阅历，就齐、鲁、燕、赵、卫、周、秦、晋各地的今昔，考证《尔雅》中的《释地》《释丘》《释山》《释水》的内容，时有独到的见解。至于讲《尔雅》体例的著作，则近人陈玉树的《尔雅释例》和饶炯的《尔雅例说》，可供参考[①]。

《尔雅正义》和《尔雅义疏》都有通行的木刻本，《尔雅义疏》还有中华书局的《四部备要》本，系据郝氏家刻足本重印的，最易找到。《十三经注疏》本《尔雅注疏》汇郭璞注、唐陆德明释文和宋邢昺疏于一编，通行甚久，亦便阅读。邢昺疏多就陆德明释文、孔颖达诸书正义钞辑，且多遗漏，甚少创见，有时只在疏中照录郭注，不加说明，故清人对之评价不高[②]。但其阐释和征引，对读者了解《尔雅》原文和郭注，皆不无裨益，参考价值，亦不容一笔抹煞。

---

① 关于《尔雅》郭璞注的评价，可参阅1956年7月号《中国语文》月刊（总第49期）所载周因梦《博闻强记的郭璞》一文。

② 说见《四库全书总目提要》经部小学类一《尔雅注疏》的提要，清钱大昕《潜研堂文集》卷三三《与晦之论尔雅书》和周中孚《郑堂读书记》补逸卷七（商务印书馆排印本下册第170页）。又王鸣盛云："唐人作诸经正义，博采群言，以释经注。至邢氏《尔雅疏》，但剿取他经正义为之。如《释天》一段，全袭（《礼记》）《月令》及（《诗经·王风》）《黍离》疏；'五岳'一段，全袭（《诗经·大雅》）《崧高》疏，此类甚多。"见《蛾术编》卷八《邢疏剿袭》。

第四节 《尔雅》的续作——《小尔雅》

随着时代的推移，生产与文化在不断发展，名物和词汇之逐渐增多，势在必然；因此继《尔雅》之后著书补充《尔雅》所无的内容，或仿《尔雅》的体例来编撰训诂词典的，就每代皆有。这些书全以“雅”字命名，一脉相传，自成系统。其中最早出的一部是《小尔雅》。

（一）《小尔雅》的编者

《汉书·艺文志》有《小尔雅》一卷，列在《尔雅》之后，没有撰人名字。《隋书·经籍志》一著录《小尔雅》一卷，李轨略解，也没载编者为谁。李轨，晋人；略解，就是简注。《旧唐书·经籍志》《新唐书·艺文志》著录和《隋志》同。宋人所编《崇文总目》、晁公武《郡斋读书志》、陈振孙《直斋书录解题》和王应麟《玉海》所引《中兴馆阁书目》，则只云《小尔雅》一卷，孔鲋撰，十三章，没提到李轨略解，可见李轨的简注，宋时已佚。大约唐以后人把当时通行的《小尔雅》，收入了旧题汉孔鲋撰的《孔丛子》，作为其中的第十一篇。今本《小尔雅》就是从《孔丛子》中抽出别行的。因为《孔丛子》是伪书，所以一般人都认为《小尔雅》也不可靠；孔鲋做过秦末农民起义领袖陈胜的博士，亦不应题作汉人。但晋杜预注《左传》已引《小尔雅》；北魏郦道元注《水经》，唐李善注《文选》，陆德明作《经典释文》，孔颖达、贾公彦作经传注疏，司马贞作《史记索隐》等所引用的《小尔雅》，也都与今本相合；大约这书是出于汉末，在魏晋之间即已流行的。虽未必即《汉书·艺文志》著录之书，总可以算是一部产生较早的词典了[①]。

《小尔雅》的书名，据宋宋咸解释说："经传字义有所未畅，绎而言之，于《尔雅》为小焉。"[②]意谓就《尔雅》所述，更加发挥，比起《尔雅》的价值要小，所以称为《小尔雅》。这是可以说得通的。

（二）《小尔雅》的内容与体例

今本《小尔雅》共十三类：广诂、广言、广训、广义、广名、广服、广器、广物、广鸟、广兽、度、量、衡，对《尔

---

① 参阅《四库全书总目提要》经部小学类存目一《小尔雅》的提要及清胡承珙《小尔雅义证》自序。

② 引文见《小尔雅》书名下的宋咸注。商务印书馆《丛书集成》本第1页。

雅》的十九类作了一些调整，有分，有合，有新增。其中的广义一类，解释一些专指的、较特殊的语词，如“凡无妻无夫，通谓之寡”“上淫曰烝，下淫曰报，旁淫曰通”之类；广名一类，多记有关疾病、丧葬、坵墓之事，皆为《尔雅》原释所无。广服一类，解释丝、麻、布、帛和服装器物等，分自《尔雅》之释器；广物一类，解释谷、禾、蔬菜等，归并了《尔雅》的释草、释木；广兽一类，亦把《尔雅》的释兽、释畜合而为一，只谈豕的种类和鸟巢，鸡窠、鱼櫭。在这十三类中，前十类都是推广《尔雅》的内容，补其所未备的，故题前均标“广”字。度、量、衡三类，为《尔雅》所无，故题前不书“广”字[①]。

《小尔雅》的说解体例，亦全仿《尔雅》，广诂、广言、广训三类，用“×者×也”的方式，解说一个词，词目列前，解说在后；或并列几个词，下面作一个总括的解说。如广诂的一条：

逼、尼、附、切、局、邻、傅、戚，近也。

① 通行的《小尔雅》宋咸注本，有的把度、量、衡三篇，也标作广度、广量、广衡，是错误的。

这和《尔雅》释词的办法是一样的。按《尔雅·释言》只有“逼，迫也”一词一义，这里则加上了七个同义词。另外像广训的一条：

遐不黄耇，言寿考也。

按《诗经·小雅·南山有台》有“乐只君子，遐不黄耇”两句，这里把所引《诗经》放在前面，后加解说，指出黄耇为寿考之义，这是一种变通的方式，为《尔雅》的释诂、释言、释训三章所未有。又广训的“绳之，誉之言”一条，是指“绳之”等于说“誉之”，指出绳训为誉；解说的“言”字，不放在中间，而倒装最后，例亦仅见。至于广义以下的八章，则多用“××谓之××”或“××曰××”的格式，说解在前，本词在后，亦同《尔雅》。

一般说来，凡《尔雅》已收的词语解说，《小尔雅》即不再列入。但广言的“走、卬，我也”的“卬，我也”与另一条的“登，升也”，俱见于《尔雅·释诂》，可能为后人所增[①]。

① 《尔雅·释诂》：“骘、假、格、陟、跻、登、陞也。”升斗之“升”，与“昇”“陞”通用。

但此书虽有个别重复之处，它究竟是在《尔雅》的基础上又作了增订，它所解释的词语事物，对研究古汉语和经籍训诂是有用的。可惜所收之字甚少，全书连解说还不足万言。

（三）研究《小尔雅》的著作

《小尔雅》也和《尔雅》一样，对许多同义词，只有一个概括的解说，缺乏具体的辨析；所举名物，后人亦难于透彻了解。宋嘉祐间宋咸曾为此书作注，但他只注了一少部分语词，而且非常简略，用处不大。所以清代有好几位学者，都为《小尔雅》重作了注疏，较著名的有王煦的《小尔雅疏》八卷、胡承珙的《小尔雅义证》十三卷、补遗一卷，宋翔凤的《小尔雅训纂》六卷、葛其仁的《小尔雅疏证》五卷、朱骏声的《小尔雅约注》一卷，邹伯奇的《补小尔雅释度量衡》一卷、王贞的《小尔雅补义》一卷，都可作研读本书的参考。其中王煦的疏，于本文逐字解说，比较详备。宋翔凤的训纂，亦号称精密，但对于习见或难通的语词，往往略去。葛其仁的疏证，对原书的每条，都有引证和解说，颇便于初学者阅读。兹引录其广诂的“颁、赋、铺、敷，布也”一条的疏证如下：

颁者，《文选·东京赋》“布教颁常”薛注：颁，布也，通作班。《周礼·大宰》“匪颁之式”郑司农云：颁读为班布之班。案《说文》：“颁，大头也。从页，分声。一曰鬓也。”叚借字。赋者，《诗·烝民》“明命使赋”传：赋，布也。《吕览·慎大篇》“赋鹿台之钱”、《淮南·时则训》“赋之牺牲”注，并训布。铺者，《左》宣十二年传“铺时绎思”注：铺，布也。敷者，《诗·小旻》“敷于下土”毛传：敷，布也。《史记·夏本纪》引《禹贡》“筱荡既敷”，作“竹箭既布”。又《晋世家》引“文侯之命，敷闻在下”，作“布闻在下”。

这一条逐字俱有引证和解说，于其音义，阐释得非常清楚，清人讲训诂态度之谨严，亦于此可见。

《小尔雅疏证》有商务印书馆《丛书集成》本，系据《咫进斋丛书》本排印；《小尔雅义证》有中华书局《四部备要》本，系据《墨庄遗书》本重印，俱较易找到。看《小尔雅》可以用这两个本子。

第五节　方言词典的先河——《方言》

（一）《方言》的编者——汉扬雄

《尔雅》是我国第一部训诂词典，最后成书于汉代。其后又出现了第一部方言词典《方言》，这是我国方言词典的先河。无论从汉语词汇史方面或中国字典史方面来说，它都可以算作划时代的巨著。

《方言》的编者是西汉的扬雄（亦作“杨雄”），字子云，蜀郡成都人。少即好学，善作辞赋，曾撰《反离骚》，以吊屈原。成帝时以大司马王音的推荐，召拜为郎，献过《甘泉赋》《河东赋》《校猎赋》（亦称《羽猎赋》）、《长杨赋》等。

扬雄博览强记，看到先秦古书不少，精于文字之学，多识古文奇字，通晓训诂，而不屑于为章句小儒。汉平帝元始年间，征集天下通小学的百余人，各令记字于庭中，扬雄亦在其内。他选取有用的文字，作《训纂篇》以续《苍颉篇》；又仿《易经》作《太玄》，仿《论语》作《法言》。当时的大儒刘歆，虽在提到《太玄》时，和他开玩笑说“吾恐后人用覆酱瓿也”，实际对他却很佩服。刘歆的儿子刘棻即曾经从他学作奇字。另一位大儒桓谭，也认为扬雄超群绝伦，和大司空王邑、纳言严尤说过扬雄所写的书，必能传于后代。

王莽时，扬雄校书天禄阁，因受刘棻事株连，治狱使者来逮捕他，他从阁上跳下，几乎摔死。

扬雄的著作，现存《太玄》《法言》和这里要讲的《方言》三部书，《训纂篇》久佚，仅有清人所辑的残文。其辞赋文章，经明张溥编为《扬侍郎集》，收入《汉魏六朝百三家集》中。

《方言》，旧本题汉扬雄撰。《汉书》扬雄传和艺文志，本来都没有关于扬雄编《方言》的记载。汉末的应劭，是最初提出《方言》为扬雄所撰的说法的。他在《风俗通义》的序中说：“周秦常以岁八月遣輶轩之使采异代方言，还奏籍之，藏于秘室。及嬴氏之亡，遗脱漏弃，无见之者。蜀人严君平，有千余言，林闾翁孺才有梗概之法。扬雄好之，天下孝廉卫卒交会，周章质问，以次注续。二十七年，尔乃治正，凡九千字。”晋常璩的《华阳国志》卷第十上《先贤士女总赞》一节中，也说林闾字公孺，知道古者天子有輶车之使。“考八方之风雅，通九州之异同，主海内之音韵，使人主居高堂，知天下风俗也。扬雄闻而师之，因此作《方言》。”[①]旧题晋葛洪集的《西京杂记》卷二亦云：“杨子云好事，常怀铅提椠，从诸计吏，访殊方绝俗四方之语，以为裨补辎轩所载，亦洪意也。”[②]这三部书所述内容略同，都提到辎轩使者采风问俗的使命以及扬雄继林闾翁孺（或公孺）作《方言》之事。《西京杂记》虽未必真是葛洪采录刘歆之语而成，但其书在南北朝已经流行，时代不会晚于东晋。可见扬雄撰《方言》之说，始于汉末，魏晋以来，转相传说，并无异词。宋人洪迈曾经怀疑《方言》非扬雄所撰，清人戴震则认为该书是出于扬雄之手。后来卢文弨、钱绎、王先谦等人亦均以戴说为是，我们也觉得应劭的话是可信的。

所谓“辎轩”，是一种轻便的车子。周秦的统治者，每到秋收以后，总派一些使者乘坐辎轩到各地去采辑民歌、童谣和方言异语等，根据这些材料以考察风俗民情。扬雄当然可能看到这些资料。应劭这段话足以说明扬雄是在前人搜集的材料和研究方法的基础上编辑《方言》的。扬雄自己虽没到各地去做实地调查，但却随时在向接触到的士人兵士等访问

① 《华阳国志》据《四部丛刊》本引，第74页上。

② 《西京杂记》据《四部丛刊》本引，第8页下。

搜集这类材料，记录下来，加以整理。经过很长时间，才编成这部书。

自隋唐以来，《方言》后面即附列刘歆与扬雄书和扬雄的答书，在扬雄集录《方言》尚未完成时，刘歆就知道这事，写信向他借看。他却坚决不肯拿出来，并给刘歆回信表示：如果刘歆“必欲胁之以威，陵之以武”；他将“缢死以从命”[①]。可见扬雄很珍视这一著作，大概是怕刘歆夺去献给皇帝，所以这样拒绝的。至于刘歆《七略》不载其目，《汉书·艺文志》亦未著录，也可能即由于刘歆没借到此书的缘故。

这部书的全称是《輶轩使者绝代语释别国方言》，《隋书·经籍志》一著录，只题《方言》；《旧唐书·经籍志》上和《新唐书·艺文志》一皆书《别国方言》。因为书名太啰唆，后来大家都简称它为《方言》。全书本为十五卷，今本只有十三卷，而字数却比应劭所说的九千，几乎多出了三千字，这大约是后人增益的。扬雄死于王莽的天凤五年（公元18年），《方言》当在公元17—18年之间脱稿，这也很可能是一部未完的书。

---

① 参阅《方言》书末所附刘歆书、扬雄答书和《四库全书总目提要》经部小学类一谈《方言》的部分。

（二）《方言》说解的专称

这部书是通过对大众语言的调查搜集而编成的一部方言词典，它包括了西汉和东汉之间许多地区的方言。其中广泛地采录了黄河流域和长江流域的绝大部分地区的方言。不仅有各地区的汉语方言，还有少数民族的语言。如秦晋北鄙的方言中即杂入“狄”语，南楚的方言中即杂入“蛮”语，西秦的方言中又杂入了“羌”语。

《方言》所记的语言包括古今的方言和通行的普通话。它的说解对这些都有专称，约分下列五种：

（1）通语、凡语、凡通语、通名、四方之通语：指不受地域限制的普通话；

（2）某地语、某地某地之间语：指因地域关系，语言发生变异的各地方言；

（3）某地某地之间通话：指通行区域较广的方言；

（4）古今语、古雅之别语：指古代不同的方言；

（5）转语、代语：指因时地迁移，声音转变而产生的语言。

（三）《方言》释词的体例

《方言》的内容和形式，都在一定程度上摹仿《尔雅》。它所收集的词，虽未明标门类，却大致是按照《尔雅》的体例，采取分类编次的办法。如卷八全收有关动物的词，像虎、貛、鸡、猪、布谷、尸鸠、蝙蝠、守宫等；卷九都释器物，像戟、矛、矜、盾、轮、辕、箱、舟等，即是一例。至于解释语词，则大约有两种方式：一种方式是先举出一个词，作为话题，然后分别说明其各地的不同称谓。如卷八释“猪”的一条说：

猪，北燕朝鲜之间谓之豭；关东西或渭之彘，或谓之豕；南楚谓之豨；其子或谓之豚，或谓之貕；吴扬之间谓之猪子；其槛及蓐曰橧。

本条在“猪”这一话题之下，由地域上分别说明许多形音不同的同义词的差别，比起《尔雅》的并列几个同义词，只下一个简单的说解而不加区指的训诂方式，是精密得多了。另一种方式是先举出一组同义词，作一个共同的解释，然后分别辨析，指出各地区用语之异。如卷一的“敦、丰、厖”等一条：

敦、丰、厖、夼、幠、般、嘏、奕、戎、京、奘、将，大也。凡物之大貌曰丰。厖，深之大也。东齐海岱之间曰夯，或曰幠。宋鲁陈卫之间谓之嘏，或曰戎。秦晋之间凡物壮大谓之嘏，或曰夏。秦晋之间凡人之大谓之奘，或谓之壮。燕之北鄙、齐楚之郊或曰京，或曰将。皆古今语也，初别国不相往来之言也，今或同。而旧书雅记故俗语，不失其方，而后人不知，故为之作释也。

这里先举出一组十二个同义词，用当时的通语“大”作一个总括的解释，然后又把其中的词，就各地方言的特殊说法，分别辨析，或语音不同，或含义微异，即音求义，以义合音，条分缕析，相当清楚。这十二个词，是从秦、晋、齐、楚、宋、鲁、陈、卫、燕等相当广泛的方言区域中，采摭记录，归纳排比，做出分析的。后面的“皆古今语也”一段话，说明了《方言》的编撰目的，指出方言本是地区隔绝所造成，古今语时或相同，古籍于此常有记载，恐后人不能通晓，故著书来解释。由此可见《方言》一方面用各地区的方言，参酌其异同；一方面以古语和今语对照，探讨其延续与变革；纵横交互，上下古今，对空间和时间的关系，两不忽略，这是《方言》的一个特点。它的编撰，有明确的目的、科学的方法，首创新例，自成系统。概括说来，这部书能把搜集来的当时方言和古代书面语比较研究，显示古今语言由于时间地点的移易而产生的交错演变的复杂关系：古代的通语，可能缩小范围，变为当时的方言；当时的通语，也可能是古代方言的扩大；所以用方言释古语，用通语释方言，就能融会贯通，义无疑滞了[①]。

（四）《方言》的价值与影响

晋郭璞对《方言》的特点及其成就，是了解得非常深刻的，他在《方言序》中说这部书“考九服之逸言，标六代之绝语，类离词之指韵，明乖途而同致，辨章风谣而区分，曲通万殊而不杂”；指出其搜辑之广泛，辨析之细微，贯串之有条理，称赞它：“真洽见之奇书，不刊之硕记也。”可算得《方言》的知己。这部书之所以能够由汉代一直传到今天，受大家的重视，确实不是偶然的。

《方言》不仅保存了两汉相当丰富的口语词汇，为我们研究汉代方言通语的异同变化，探讨古音，提供了宝贵的材料；使我们可以从它所收集的词汇里，侧面地了解当时的某些社会现实；还能让人知道在今天的口语中，有不少古代的词

---

① 周祖谟《方言校笺》自序和罗常培的序，对《方言》的内容和体例，阐释甚详，可以参阅。

汇。如现在北京话称人的聪明慧黠为“鬼”。《方言》里已这样说；北京话称人的庸劣怯懦为“鬆”（sóng），亦即渊源于《方言》的“㞞”字[①]。此外，它的编者实事求是地调查人民大众语言的精神和研究古今语言现象的进步方法，对我们也有启发。后人的注意对方言俗语的收集与整理，无疑是由于《方言》导了先路，给予了一定的影响。《方言》这部书是应该得到较高的评价的。

（五）研究《方言》的著作

由于《方言》也和《尔雅》一样不易读懂，而且今本文字错误很多，所以有不少人在注释订正方面下功夫。这里首先要提到晋人郭璞，他不仅为《尔雅》作了注，也给《方言》作了注。他精于文字训诂之学，又于晋代的方言颇有研究，因此他的注释，有很大的成就。据他自己在《方言序》中说：“余少玩雅训，旁味方言，复为之解，触事广之，演其未及，摘其谬漏。”可见郭璞对《方言》做了两方面的工作：一是解说本文的词语；二是推广内容，补缺正误。他以

① 周祖谟《方言校笺》自序和罗常培的序，对《方言》的内容和体例，阐释甚详，可以参阅。

晋代的方言为本，和扬雄所记的汉代方言参证比较，做出注释。对《方言》中解释不够清楚的，一般都作了补充说明；对语词所以如此说的意义，也往往加以解释。如《方言》卷十三："菲，薄也"，注云："谓微薄也"；这说明了《方言》之所谓"薄"，乃是"微薄"的意思。《方言》卷一解释作"老"讲的"梨"说："燕代之北鄙曰梨"，注云："言面色似冻梨"；这指出了《方言》之所以称"老"为"梨"，乃是取其"面色似冻梨"的意思。郭注凡说"谓某"的，大都是说词义；"言某"的，大都是释语词得称的缘由。

郭璞注《方言》，是音义并重的，解说词语，往往兼注其音，有时为本文的字注音，有时为注中之字注音，所注大都是今语的音。如《方言》卷一"娥，𡡉，好：也"这一话题下面"自关而东河济之间谓之媌"一句注云："今关西人亦呼好为媌，莫交反。"由此注可见汉代的关东方言"媌"，在晋代已扩大范围到关西；莫交反的音，是注晋代关西人所读媌音的，从而推及汉代关西语中媌的读音[①]。

在郭注中保存了不少晋代的语言。如《方言》卷

① 近人王国维于郭璞注《方言》标音之例，阐释最精。说见《观堂集林》第一册《书郭注方言后》一、二。1959年中华书局影印本。

十三："盂谓之柶……椀谓之梋柍"，注云："椀亦盂属。江东名盂为凯，亦曰瓯也"；这条即说明了晋代江东对于"盂"有"凯"和"瓯"两个异称。《方言》卷一解释"好"说："赵魏燕代之间曰姝"，注云："亦四方通语"；这又指出了两汉的方言，已成了晋时的通语。由此足见郭注和《方言》相得益彰，它不仅为《方言》注释音义，使人容易了解，而且它本身就也是一部很好的方言词典，可据以研究两汉魏晋语言的变迁与发展。

清人对《方言》也很重视，有好几个有名学者做了《方言》的疏证校勘工作：如戴震作有《方言疏证》；卢文弨曾根据丁杰的校本，重加校订，刊行了《重校方言》，并附以《校正补遗》；钱绎也作有《方言笺疏》；王念孙又作《方言疏证补》；这些书都是对《方言》起了校正、阐发的作用的。

戴震的《方言疏证》，为《方言》订讹补漏，逐条疏证，是研究《方言》必不可少的参考材料。这部书现有《四部备要》本，系据《戴氏遗书》本排印。卢文弨的《重校方言》也很好，有《丛书集成》本，系据《抱经堂丛书》本影印。1956年科学出版社印行的周祖谟《方言校笺》，根据宋李文授本，参酌戴震、卢文弨、刘台拱、王念孙、钱绎各本，辨析是非，加以刊定；旁征字书、类书、韵书等达三十三种，有为清人所未见者；于原书之讹文脱字，校正亦多；可算是一个集大成的善本。还有吴晓铃所作《方言校笺通检》，附于本书之后，更便于读者使用《方言》时的检查。

第六节　通俗词典的先河——《通俗文》

（一）《通俗文》的编者——东汉服虔

继扬雄《方言》之后而出现的《通俗文》，是一部值得重视的古字书，它的作者相传为东汉时服虔。按《后汉书·儒林传》下云：服虔字子慎，初名重，又名祇，后改为虔，河南荥阳人。少时清苦立志，入太学受业。后举孝廉，灵帝中平末，拜九江太守。有雅才，善著文论，作《春秋左氏传解》，又作《左传》驳何休之所驳汉事六十条，遗著有赋、碑、诔、书记、《连珠》《九愤》等十余篇。

这里并没提到服虔撰《通俗文》，北齐颜之推也对此书之称服虔撰，提出了怀疑，他在《颜氏家训》的《书证》篇中说：

> 《通俗文》，世间题云河南服虔字子慎造。虔既是汉人，其叙乃引苏林、张揖；苏张皆是魏人。且郑玄以前，全

不解反语，《通俗》反音甚为近俗，阮孝绪又云李虔所造。河北此书家藏一本，遂无作李虔者。晋《中经簿》及《七志》，并无其目，竟不得知谁制。然其文义允惬，实是高才。殷仲堪常用字训，亦引服虔《俗说》；今复无此书，未知即是《通俗文》为当有异近代，或更有服虔乎？不能知也。

颜氏怀疑《通俗文》非服虔撰，理由有三：汉人述作，不会引魏人的说法；服虔时无反切，而此书有之；书目不见于晋人的著录。这三点是很有说服力的。他在《勉学》篇内也曾谈到："世人皆以《通俗文》为服虔造，未知非服虔而轻之，犹谓是服虔而轻之。"[①]这还是对《通俗文》之出于服虔，持否定态度的。但古人著作，被后人窜改增补，乃常有之事；书出服虔，而屡经众手，失去本来面目，非无可能。至于东晋殷仲堪引过的《俗说》，是否即《通俗文》的另一种本子，颜氏亦不能知，现在更无法断定。

按《隋书·经籍志》一著录《通俗文》一卷，服虔撰；和

① 《书证》篇语，见《颜氏家训》第37页上；《勉学》篇语，见同书第18页下（《四部丛刊》本）。

一些韵书排在一起。《旧唐书·经籍志》和《新唐书·艺文志》则均无此目，只著录了李虔的《续通俗文》二卷。上面所引颜之推语，即曾提到李虔。清洪亮吉谓《通俗文》系服虔所作而李虔续之，名既相同，阮孝绪等遂混二书为一。至于反音，不妨为后人所补入或专系李虔续书中语，与《通俗文》之为服虔注无碍。洪亮吉认为古籍所引，称服虔《通俗篇》、服虔《俗说》或止言服虔者，皆指服虔的《通俗文》而言[①]。但《唐志》所录李虔《续通俗文》，究竟和题服虔撰的《通俗文》是一是二，关系如何，目前还没有什么材料可据以做出结论。

（二）《通俗文》的内容

尽管《通俗文》的作者，难以确考，而据颜之推所叙，足见这是一部较好的字书，为大家所公认。它既在南北朝时已经通行，成书年代，总不会晚于东晋。唐宋人解释训诂、名物，多采其说。如唐释玄应《一切经音义》卷十八“四楞”和“髋节”的两条注：

① 洪亮吉说，见《更生斋文甲集》卷一《复臧文学镛堂问通俗文书》，《四部备要》本第4—5页。

《通俗文》：木四方为棱，八棱为柧。

《通俗文》：烧骨以漆曰垸。

上文指出棱、柧二字的区别；下文说明烧骨灰和漆涂物叫作垸，解释都很清楚。宋人编撰的《太平御览》引此尤多，如六〇五卷“纸”和七六二卷“碾”所引两条：

服虔《通俗文》曰：方絮曰纸。

《通俗文》曰：石磑轹谷曰碾。

由此可见这是一部解释通俗用语的词典，和扬雄《方言》之考辨方言的不同。它既释义，也注音，实为以实用为主的通俗词典之先河，对后出的字书、类书，有一定的影响。《太平御览》引书目录中即列服虔《通俗文》，足征其书宋初犹存，后始失传。清人曾从各种古籍内辑录此书的佚文，尚可借以窥豹一斑。任大椿、臧庸、马国翰、黄奭、顾櫰三、顾震福等，都有《通俗文》的辑本。郝懿行在所撰《证俗文》的自序中说：“命曰《证俗文》，盖慕服子慎《通俗文》，借取《儒林传》疏通证明之意云。”亦足以说明清代学者对此书的重视。又近人龙璋，也辑有《通俗文》一卷。

第七节　音训词典的先河——《释名》

（一）《释名》的编者——汉刘熙

《释言》是汉末成书的一部有特色的词典，它的编者是刘熙（熙，或作“熹”），字成国，后汉北海人。案《后汉书·文苑·刘珍传》载刘珍字秋孙，一名宝，撰《释名》三十篇，而《三国志·吴书·韦曜传》载韦曜（即韦昭，晋人避司马昭讳，改作曜）“狱中上辞”，提到见刘熙所作《释名》，内容时有得失，所谈爵位之事，亦不免或误，于是作《官职训》和《辩释名》各一卷，要为刘熙纠谬补缺。北齐颜之推也认为《释名》是出于刘熙之手，他在《颜氏家训·音辞》中说：

> 夫九州之人，言语不同，生民以来，固常然矣。自《春秋》标齐言之传，《离骚》目楚词之经，此盖其较明之初也。后有扬雄者著《方言》，其书大备。然皆考名物之同异，不显声读之是非也。逮郑玄注六经，高诱解《吕

览》《淮南》，许慎造《说文》，刘熹制《释名》，始有譬况假借，以证音字耳[①]。

这不仅说明了《释名》为刘熙撰，还指出了这部书的“譬况假借，以证音字”的特点。刘珍、刘熙既皆有可考，今本《释名》的刘熙自序云其书二十七篇，和《后汉书·刘珍传》所载三十篇之数相差不远；所以清人毕沅推测这书可能是创始于刘珍，继成于刘熙[②]。大约在三国时刘熙的《释名》即已流传，故韦昭得见而补其缺。按《隋书·经籍志》一著录《释名》八卷，排在《方言》之后，也题刘熙撰，韦昭的《辩释名》一卷，亦与并载。足见历代相传，皆以《释名》为刘熙撰。刘珍所作，或早失传，未必即为一书。可惜韦昭所补的《官职训》和《辩释名》俱佚，仅存一些残文。

（二）《释名》的分类与解说

今本《释名》共分释天、释地、释山、释水、释丘、释道、释州国、释形体、释姿容、释长幼、释亲属、释言语、释

---

① 《颜氏家训·音辞》，《四部丛刊》本第39—40页。

② 说见毕沅《释名疏证》序。《丛书集成》本。

饮食、释采帛、释首饰、释衣服、释宫室、释床帐、释书契、释典艺、释用器、释乐器、释兵、释车、释船、释疾病、释丧制，共二十七篇，也是一部百科名词的词典，但已有残缺，并非完本。

《释名》也是根据字义编纂的，但解释词义却完全采取音训的办法。所谓音训（也称“声训”），是指以同音字或声音近似的字来解释词义的方法。这种方法的理论根据是认为凡是同音或声音近似的语词，在意义上就有互相联系的地方，因此以同声相谐来释义。音训的方法，本来是先秦古籍中早就有了的；刘熙有意识地使用这种方法来编《释名》，使音训得到了进一步的发展。

刘熙在《释名叙》中说：“夫名之与实，各有义类，百姓日称而不知其所以之意；故撰天地、阴阳、四时、邦国、都鄙、车服、丧纪，下至民庶应用之器，论叙指归，谓之释名。”这段话说明了他编这部书的目的在于探讨各种名称得名的由来，书名就表现了他的旨趣。

由于刘熙著书的目的在此，所以《释名》就不像以往的字书一样，只给字词下一个简单的定义；而在释义之后，进一步指出这个词得名的原因。如《释水》的“浍”字，注解说：

浍　注沟曰浍。浍，会也；小沟之所聚会也。

这条中的前四个字，是解释词义的。下文以“浍”的声旁“会”字说明“浍”字得名的由来；这是以声近的字来推究造这个“浍”字的缘故的。又“沦”字的注解说：

沦　水小波曰沦。沦，伦也；小文相次有伦理也。

这条以“伦”释“沦”，又是用同音字来探求词源的。这两条都解释得很自然，有道理。

（三）《释名》音训的略例

清人顾千里对《释名》音训的方式，做过一番研究，他指出其例有二，一是用本字，二是用易字；又细分为十种方式：如“冬曰上天，其气上腾，与地绝也”；以“上”释“上”，这是用本字。如“春曰苍天，阳气始发，色苍苍也”；以“苍苍”释“苍”，这是叠本字。“宿，宿也，星各止宿其处也”；以“止宿”之宿，释“星宿”之宿，这是本字而易字。如“天、显也，在上高显也”；以“显”释“天”，这是易字。如“雲犹云云，众盛意也”；以“云云”释“雲”，这是叠易字。如“腹，复也，富也”；以“复也，富也”一再释“腹”，这是再易字。如“兄，荒也；荒，大也”；以“荒”释“兄”，而以“大”转释“荒”，这是转易字。如“绨似蛦虫之色绿而泽也”；以“蛦”直接释“绨”，而省去“绨，蛦也”的解说，这是省易字。如“夏曰昊天，其气布散皓皓也”；以“皓皓”直接释“昊天”，而省去“昊，犹皓皓”的解说，这是省叠易字。如“摩娑，犹末杀也”；以“末杀”双字释“摩娑”双字，这是易双字。这十种释词方式，都由用本字、用易字二例分出[①]。

顾氏的分析，对了解《释名》释词的体例是有帮助的。但他所说，只限于形式，并没提到《释名》所解释的内容，是否恰当，这是不足之处。在我们看来，《释名》这种以声同、声近的字，解释词义，说明得名由来的办法，有很大的局限性，并不能无往不利。因为声同、声近之字，为数很多，情况复杂，彼此之间，并非都有什么意义上的联系，一律以“通假譬况”来贯串，往往容易穿凿附会，望文生义，甚至陷入主观、唯心的泥坑中去。因此我们对《释名》的解说，应该细加辨别，不应都认为正确。《释名》所举解说之字，有的与本字

① 顾千里说，见清吴志忠校订本《释名》前《释名略例》，此本尚有清王引之序。此据《丛书集成》本引。

的声音亦不相合。清人李慈铭即曾指出这一点，他说：

《释名·释采帛篇》云：白，启也，如冰启时色也。黑，晦也，如晦冥时色也。案《释名》一书，皆以声音为训。白之与启，声尤不类，当作白，判也，如冰判时色也。《诗》迨冰未泮，《毛传》泮，散也。盖泮为判之叚借[①]。

李氏之说，足资启发，我们在阅读《释名》时，必须注意这方面的问题。

（四）《释名》的价值与影响

《释名》的声训，虽然存在着一定的缺陷，但这部书却是我国音训词典之先河，对后代双声叠韵的辞书的编撰，有不小的影响，在古汉语研究方面，也颇有用处。第一是它可以帮助我们了解汉代的语音和方言；第二是它可以帮助我们了解古书中的词义和事物。如《楚辞·九歌·湘君》："薜荔拍兮蕙

① 李慈铭说，见《越缦堂读书记》上册第557页《释名》。

绸。”王逸注云：“拍，搏壁也。”我们不知“搏壁”是怎么一回事：看了《释名·释床帐》篇的“搏壁，以席搏壁也”一句，才得到具体的了解。可见它是有价值的。另外，这部书也启发了我们从语音方面去理解词义和探索义近的形声字之间的关系①。

清乾隆时，毕沅曾研究过《释名》，他认为这一著作“参校方俗，考合古今，晰名物之殊，辨典礼之异，洵为《尔雅》《说文》以后不可少之书”；同时指出这书所释名物常有与《尔雅》《说文》诸书不同的地方。例如《尔雅·释地》上说：“齐曰营州”，而《释名·释州国》上说：“古有营州，齐卫之地”，所指地域有异；《尔雅·释山》上说：“石载（戴）土谓之崔嵬，土载（戴）石为岨（砠）”，而《释名·释山》上说：“石载土曰岨……土载石曰崔嵬”，解说正好相反；《说文解字》帛部锦字注说：“锦，襄邑织文。从帛，金声”，“金”为声符，本无意义，而《释名·释采帛》上说：“锦，金也。作之用功，重其价如金，故其制字从帛与金也”，把形声字讲成了会

---

① 参阅1956年11月号《中国语文》月刊（总第53期）所载孙德宣《刘熙和他的释名》一文。

意字；《说文解字》林部林字注：“平土有丛木曰林”，而《释名·释山》上说：“山中丛木曰林”，义亦各别。《释名》所收的字，为《说文解字》未载的，也有十之二三，这一切都可以和《尔雅》《说文解字》等书参照，作为研究古代名物训诂的资料[①]。

（五）研究《释名》的著作

由于乾嘉以来，清儒多致力文字训诂的研究和古籍整理的工作，所以也有几位知名的学者，对《释名》进行疏释校辑。如毕沅撰有《释名疏证》，以阐释《释名》的内容，纠正它的缺失，并附以《续释名》和《释名补遗》二卷。《续释名》是毕沅从《太平御览·时序部》辑出的《释律吕》《释五声》部分材料，因不敢肯定是否《释名》原文，又舍不得扔掉，所以别为一卷，附于书末；《释名补遗》则是从各古书中辑出的今本《释名》所没有的文字。嘉庆年间张金吾撰《广释名》二卷，专采刘熙以前及其同时诸儒的著述，以补《释名》之遗，引逸书至一百二十种，亦颇有参考价值。清末王先谦又作《释名疏证补》，则是一部集解性的书，已包括毕沅的《释

① 说见毕沅《释名疏证》序。《丛书集成》本。

名疏证》在内，最便于研读。

明代的郎奎金曾把《释名》和《尔雅》《小尔雅》《广雅》《埤雅》刻在一起，称为《五雅》。因为那四部书都以“雅”字命名，所以把《释名》改称《逸雅》；从此《释名》又有了《逸雅》的别名。

《释名疏证》有《经训堂丛书》本，《丛书集成》本即据此影印。《释名疏证补》有长沙思贤书局刻本。

韦昭的《辩释名》，清任大椿、马国翰、黄奭、顾震福及近人龙璋，各有辑本一卷。任大椿辑本，是经过王念孙校订的。

第三章　字书的继承与演变期　魏晋·南北朝

第一节　承先启后的字书

《古今字诂》《字林》《古今文字》及其他

魏晋时期的字书，早出的还是继承《说文解字》而增加文字，补其缺漏；或推广《尔雅》，扩充其内容。这时虽不废篆隶，而其实用价值，不断削减，楷书（即今隶）取而代之的趋势，是越到后来越明显。所以冲出《说文解字》和《尔雅》的内容与形式的限制而编撰的以楷书为主的字典，或偏重于实用的词典，就在南北朝盛行一时，这种演变是符合事物发展规律的。

魏初的张揖著有《埤仓》《广雅》《古今字诂》三部字书，除《广雅》今存，留待后论外；其余二书，均已失传。《埤仓》，由书名看来，即可知为补充《三仓》之作。《古今字诂》，据江式谓："方之许慎篇，古今体用，或得或失矣。"[①]可见它的内容与《说文解字》的文字形义，时有岐异，但还是《说文解字》一类的书。《隋书·经籍志》一著录《古今字诂》三卷，《旧唐书·经籍志》上作二卷，已佚。唐人引用其书，亦简称《字诂》。如《书·泰誓》中"王乃徇师而誓"一句的陆德明《经典释文》："徇，以俊反。《字诂》云：徇，巡也。"所说《字诂》，即指张揖的这本《古今字诂》。

比张揖《古今字诂》影响大的字书，是晋吕忱的《字林》。吕忱从许多典籍中，搜求异字，以补《说文解字》之缺。江式说它"文得正隶，不差篆意"[②]，大约是以隶书为主体，而不违篆书笔势的。唐人封演谓《字林》亦依《说文解字》的五百四十个部首，编次文字，共收一万二千八百二十四字。其中凡《说文解字》所无之字，都是吕忱所增[③]。

这部书，在南北朝时即已盛行。北魏郦道元《水经注》卷三二《泄水》"肥水出九江成德县广阳乡西"注："吕

① 江式语，见《魏书·江式传》。中华本第六册第1963页。
② 同上。
③ 封演说，见《封氏闻见记》卷二《文字》。《丛书集成》本第9页。

忱《字林》曰：肥水出良余山，俗谓之连枷山，亦或以为独山也。”[①]郦道元根据《字林》，考证了肥水所出和良余山的两个异名。又北齐颜之推在《颜氏家训·勉学》篇中说：

“吾尝从齐王幸并州，自井陉关入上艾县东数十里，有猎闾村；后百官受马粮在晋阳东百余里亢仇城侧；并不识二所本是何地，博求古今，皆未能晓。及检《字林》《韵集》[②]，乃知猎闾是旧䲣余聚（䲣音猎也），亢仇旧是䅎䤐亭（上音武安反，下音仇），悉属上艾。”[③]

颜之推这段话的意思是说他“博求古今，皆未能晓”的问题，因查《字林》《韵集》而解决，弄清了两个地名的新旧异称，并知道了三个冷僻字的读音，可见《字林》是为大家所常用的一部字书，很有参考价值。颜之推对文字相当重视，他曾提到：“夫文字者，坟籍根本。世之学徒，多不晓字，读

① 《水经注》据《四部丛刊》本引，三十二卷第425页下。

② 《韵集》为吕忱之弟吕静所撰，亦已失传。

③ 《颜氏家训》据《四部丛刊》本引，上卷第18页下。括号内文字，为颜之推自注。

五经者，是徐邈而非许慎；习赋诵者，信褚诠而忽吕忱。”[①]他认为忽略字书的作用是错误的，这里所说的吕忱，还指的是《字林》。

《字林》是上承《说文》下启《玉篇》的一部承先启后的字书，《字林》之学，经魏晋南北朝至唐而极盛。在唐代它与《说文解字》同样受到重视。《新唐书·百官志》三载书学博士掌教诸生，就以石经、《说文》《字林》为专业，兼习余书[②]。吕忱生平事迹，无可考，惟《魏书·江式传》谓“晋世义阳王典祠令任城吕忱表上《字林》六卷”；《隋书·经籍志》一著录《字林》七卷，晋弦令吕忱撰。唐李贤注《后汉书》、李善注《文选》、陆德明撰《经典释文》，以及唐宋人所编字书、类书，都常征引《字林》，《经典释文》所引尤多。如《后汉书·马援传》的“缮城郭，起坞楼”李贤注引《字林》：“坞，小障也。一曰小城。”《庄子·则阳》的“而君惝然若有亡焉”。陆德明《经典释文》：“惝音敞。《字林》云：惘也，又吐荡反。”唐人以《字林》为解说文字音义的依据，亦于此可见。

---

① 亦见《颜氏家训·勉学》。

②《新唐书·百官志》据中华标点本引，第1267—1268页。

《字林》大约在南宋时尚有传本，但已不全，至明初遂全佚，故《永乐大典》广引古代字书，独无《字林》[1]。今天我们只能据清人辑本，考见其内容体例的一斑。任大椿有《字林考逸》八卷；陶方琦有《字林补逸》一卷。曾钊、钱保塘，也各有辑本。宛委山堂本《说郛》八十五卷所载《字林》一卷，亦出于辑录。任大椿所辑，按《说文》的部首编排，把《字林》因袭《说文》的字，列在每部之首，以《说文》之先后为次；《字林》增补的字，列于每部之末，以引书的先后为次，并注明征引的出处，标举异同。研读《字林》，以此本为较好。

上面提到的北魏江式，也是一位造诣很深的文字学家，他字法安，陈留济阳人，其六世祖江琼，曾受学于三国魏时以工鸟篆隶草各体书著称的卫觊，善作古篆，通晓诂训；祖父江彊，亦善古篆八体之法，曾献出藏书千余卷，拜中书博士；父江绍兴做过秘书郎，掌国史二十余年。江式少承家教，也精于书学，尤长篆体，当时洛京宫殿诸门题榜，皆出其手。

江式曾于北魏宣武帝（元恪）延昌三年上表，请求允许

---

① 参阅清周中孚《郑堂读书记》的《补逸》卷八《字林考逸》。

他编撰一部字书。这篇表文，论述了中国文字的起源发展和演变，以及秦汉以来字书的编撰与其内容体例之得失等，是一篇有关文字学和字书编撰史的重要著作。江式要把古今的文字，汇为一编，以许慎的《说文》为主，博采孔氏《尚书》《五经》音注、《籀篇》《尔雅》《三仓》《凡将》《方言》《通俗文》《祖文宗》《埤仓》《广雅》《古今字诂》《三字石经》《字林》《韵集》等书的文字训诂，兼取诸赋文字的涉及六书之义者，分类编次。其编次的体例，大致依照《说文》，上列篆文，下列隶书，凡是古籀、奇字、俗隶诸体，也都附排篆文之下，各加区分；并且逐字注音，标出方言、通语读法的不同。这部书共四十卷，书名就叫作《古今文字》。

根据这篇表文看来，江式这部《古今文字》，荟萃群书，贯串古今，内容非常丰富，以篆文和隶书相对照，广收异体，很便于读者识字；每字皆标音切，区别地方语言之异，这又兼具《方言》《说文》等许多字书之长。江式自己说他这部书“文无复言”，不取重复的字；以四十卷的鸿编巨制言，收字一定很多，这对后人研究古代的文字训诂，方言俗语，将有很大的帮助。只是其书并未完成，亦无残文流传，现在我们竟看不到《古今文字》的一个字，这是十分可惜的。

上述的《古今字诂》《字林》和《古今文字》，都是祖述《说文》而兼收篆隶的字书。此外还有北魏阳承庆撰《字统》二十卷，据封演谓其书共收字一万三千七百三十四字，亦以《说文》为本，而时有异同[①]。其他如晋葛洪的《要用字苑》（省称《字苑》）、王羲之的《小学章》、李彤的《字指》、南朝宋何承天的《纂文》、南朝梁元帝（萧绎）的《纂要》、梁阮孝绪的《文字集略》（省称《字略》）、冯幹的《括字苑》和佚名的《字书》二种等，著作尚多，不能备举。这些书均盛行于南北朝，今俱失传，但其音义训诂，常为人所引用，我们还可借以窥见一斑。如北齐颜之推《颜氏家训·书证》即提到行阵之“阵”，古本作“陈”，惟王羲之《小学章》是“独阜傍作车”用的是俗行写法；又谓葛洪《字苑》始将“景”字加“彡”作“影”；复引《要用字苑》云“敁”字音九伪反[②]。《梁书·刘杳传》记刘杳与任昉等论栺酒之“栺”，杳谓葛洪《字苑》作木旁旨。复叙沈约之语，云“何承天《纂文》奇博”[③]。可见晋与

① 封演说，见《封氏闻见记》卷二《文字》。《丛书集成》本第9页。
② 《四部丛刊》本《颜氏家训》下卷第33页下。
③ 《梁书·刘杳传》中华标点本第715—716页。

南北朝通行的字书，多收后起字和异体，不排斥通俗的用法。阮孝绪的《文字集略》，唐宋人亦多据以注释文字音义，陆德明《经典释文》征引尤夥。如《诗·周南·葛覃》的“薄汙我私”传“汙，烦也”的《释文》：“阮孝绪《字略》：烦掬，犹挼莎也”；《尔雅·释山》的“峐”字《释文》：“阮孝绪《字略》音古开反”；《文选》晋张景阳（协）《七命》的“交绮对幌”唐李善注：“《文字集略》曰：幌，以帛明牕也”；宋人所编《广韵》平声魂韵“犇”字注：“犇，牛惊。出《文字集略》”；或取义，或采音，或用来解释名物，亦足证这类字书之以今说古，逐渐切于实用，在《尔雅》《说文》的基础上，又前进了一大步。

这几种失传的古字书，清任大椿、马国翰、黄奭、顾震福等，均有辑本。

第二节　现存的第一部楷书字典——《玉篇》

（一）《玉篇》的编者——南朝梁顾野王

上节所叙各种字书，虽有残文，难窥全豹，其影响和价值是有限的。在南北朝字书中，最值得重视的为南朝梁顾野王编撰的《玉篇》，这是我国现存的第一部楷书字典。

顾野王字希冯，南朝梁吴郡吴人，幼即好学，七岁读五经，略知大意。九岁能文，长而博观经史，于天文地理、卜筮和虫篆奇字等，无所不通。梁武帝大同四年拜太学博士，又善绘画。梁宣城王做扬州刺史时，于东府起斋，曾令野王画古贤像。梁亡入陈，于文帝天嘉元年，补撰史博士，复加昭远将军衔。至孝宣帝太建六年，除太子率更令，寻领大著作，掌国史。官至黄门侍郎、光禄卿，《陈书》《南史》皆有传。所撰《玉篇》《舆地志》《符瑞图》《顾氏谱传》《分野枢要》《续洞冥记》《玄象表》等，涉及文字、天文、地理、史乘，方面甚广，可见他知识的渊博。另有文集二十卷，还曾撰《通史要略》一百卷、《国史纪传》二百卷，未能完成而卒。《续洞冥记》，当为志怪小说一类。魏晋南北朝文人，多喜记叙怪异，顾野王亦执笔为此，是很自然的。

据《梁书·萧子显传》所附的《萧恺传》云："先是时太学博士顾野王奉令撰《玉篇》，太宗嫌其详略未当，以恺博学，于文字尤善，使更与学士删改。"[1] 可见这书在当时即曾由萧恺和别人共同删改。

---

① 《梁书·萧子显传》中华标点本第513页。

《玉篇》撰于梁武帝大同九年（公元543年），那时太宗（即简文帝）还是太子。到了唐高宗上元元年（公元674年），曾经孙强修订增字；宋真宗大中祥符六年（公元1013年），又由陈彭年等重修；屡经改动，早非顾氏原书。现在通行的即陈彭年等重修的本子，叫作《大广益会玉篇》。

（二）《玉篇》的体例与内容

今本《玉篇》（即宋人重修的《大广益会玉篇》）共三十卷。书前所列字数，说是“旧一十五万八千六百四十一言，新五万一千一百二十九言，新旧总二十万九千七百七十言，注四十万七千五百有三十字”。案书中的某些解释如卷一玉部“盏”字引《说文》云：“玉爵也。夏曰盏，殷曰斝，周曰爵”；卷三人部“侲”字引《说文》云：“僮子也”；这都是徐铉所加“新坿字”的注。而且全书所收的字，正文实只二万二千余字。可见这不仅已非顾野王的原本，也不是孙强增字本的本来面目了。

这部书基本上采用《说文解字》的部首，但多出二部，共为五百四十二部；删去了《说文解字》的“哭”“㢟”“教”“眉”“白”（“白”是“自”字，不是黑白的“白”字）、“𨛜”“㱃”“后”“弦”等部，新增了“父”“喿”“处”“兆”“磐”“索”“㳄”“单”“丈”等部,并改《说文解字》的“畫”部为“書”部。部首排列的顺序,也和《说文解字》不同,大部分都做了改动,经过整理。例如卷三收“人、儿、父、臣、男、民、夫、予、我、身、兄、弟、女”等十三部,即不是像《说文解字》那样根据六书的说法,以“据形系联”的原则来排列;而是把和人有关的名称排在了一起的。这种改法,虽不能说好,但对不懂六书的读者来说,检查起来,显然是有了一些方便。

《玉篇》释字,以音义为主,不再如《说文解字》的用六书条例分析形体。它在每个字的下面,先以反切来注音,然后解释字义。有的做了解释,还引书来证明,有的直接引书来作解释;文字有古写和异体的,也列在后面。例如今本卷二土部的“堆”字一条云:“堆,都回切,聚土也。《楚辞》云:陵魁堆以蔽视。”这就是以《楚辞》证释了“聚土”的字义的。又“垂”字一条云:“垂,时规切。《说文》云:远边也。”这是因为《说文》的解释已很明白,所以不再加说明。另外如“壡”字解释的后面,注明“古睿字”;“堂”字的下面,还列有“坣”“臺”两字,注云:“并古文”;“垝”字的字义后面,指出“亦作陒”;这也都能使读者明了文字形体之变,同时多认识几个字。还有的字,不用反切,只注直音，如示部“䄄”字即注云：“音因”，而没有反切，但这样的为数很少。

今本《玉篇》卷首列有顾野王的一篇序言，指出编书的目的在于考证古今文字形体训诂的异同，为读者释疑解惑；他要“总会众篇，校雠群籍，以成一家之制”；但书中对于文字的解释，大部分都很简单，说不上“精博”；这种情况，可能是后人删节所造成。按《隋书·经籍志》一著录陈左将军顾野王撰《玉篇》三十一卷。较今本多一卷，也可能把顾野王的序启计算在内，当作一卷的。

（三）今本《玉篇》与《玉篇零卷》

清光绪时黎庶昌出使日本，在东京从日本人柏木探古处看到了《玉篇零卷》，计由言部至幸部共二十三部为一卷，即原书的第九卷；由放部至方部共十二部为一卷，即原书的第十八卷之后一部分；缺首尾的水部为一卷，即原书的第十九卷；由糸部至索部共七部为一卷，即原书的第二十七卷。黎庶昌觉得这四卷书很可宝贵，即把它翻印。后来日本西京知恩院方丈彻定又代为借来高山寺东大寺崇兰馆和佐佐木宗四郎所藏的两卷：一卷由册部至欠部共五部，即黎氏前印原书第九卷中之部分阙文；一卷由山部至厽部共十四部，即原书的第二十二卷；黎庶昌就将这两卷也继续印出。这些零卷，注文很详，引证很多，还有顾野王的按语。黎庶昌、杨守敬、李慈铭都认为这正是顾野王《玉篇》的原本。唐以前反切皆作××反，唐末避讳始改为××切。《玉篇零卷》皆作××反，可见至少是唐代的东西；即使不是原本，也是较为接近的。可惜所存太少，不过原书的十之一二而已[①]。

这里把清人《小学汇函》本的《大广益会玉篇》和日本《玉篇零卷》中“言”部“谦”字的说解原文抄在下面，对照看一下：

谦　苦嫌切。轻也，让也，敬也。（《大广益会玉篇》）

谦　去兼反。《周易》：“谦，轻也。天道亏盈而益谦，地道变盈而流谦，鬼神害盈而福谦，人道恶盈而好谦。谦，尊而光；卑而不可踰。”野王案：谦，犹冲让也。《尚书》：“满招损，谦受益”，是也。《国语》：“谦谦之德。”贾逵曰：“谦谦，犹小小也。”《说

① 日本所存《玉篇零卷》，见黎庶昌所刻《古逸丛书》。现有商务印书馆《丛书集成》本。

文》："谦，敬也。"《苍颉篇》："谦，虚也。"（日本《玉篇零卷》）

上一条今本《玉篇》，除去反切，只有三个字的解释。下一条《玉篇》零卷，则先用《周易》说明"谦"作轻讲，后加案语，指出"冲让"之义，并引书以为佐证；辨析较细，内容比今本充实得多。这大约还保留着原著的本来面目，而今本删节之多，亦于此可见了。

今本《玉篇》卷末还附有《分毫字样》，共收形体近似容易混淆的字二百四十八个，如"刀、刁""袖、柚""闼、闷""打、杍"等；对于防止写错别字，也很有用处。这部书的部首目录，分见于各卷之前；每十卷的开端还有一个总目；但却没有把全书的总目列在卷首，这对于读者的检查，是不太方便的。

总起来说，今本《玉篇》，虽非顾野王原著的本来面目，但尚不失为一部古代较好的工具书。它的注释，对我们研究古代的文字训诂，特别是唐宋的字音，有一定的参考价值。其中引证，还保存了一些失传的古籍的残文。如"瑓"字注："《埤苍》云：垂瑓，地名，出美玉"；"䕸"字注："胡觥切，《字书》藤属，以织也"；即保存了《埤苍》

和《字书》两部古字典的一些内容，清人辑录古书佚文，亦往往取材于此。

顾野王的《玉篇》可以说是《说文解字》的增订本，也是我国第一部用楷书字编的字典，它对后代的字书，有较大的影响。如宋人的《集韵》《类篇》，明人的《字汇》《正字通》以及清人的《康熙字典》，都是继承《玉篇》的传统而编撰的。

不过黎庶昌所刊日本《玉篇零卷》，虽出于顾野王原本，而经过多次传抄翻刻，错字脱文亦多，清人李慈铭即曾指出此点。李氏又谓黎氏所刻“糸”字下半部终于“绥”字，而今本《玉篇》的“绥”字下有“绒”至“缵”共八十三字，为宋陈彭年等重修此书者所附杂字，其称“大广益会”者，就是说补充了内容①，这是我们在对照研究《玉篇零卷》和今本《玉篇》时，应该注意的。

《大广益会玉篇》，除去前面提到的《小学汇函》本外，常见的还有“泽存堂”本和曹寅的《楝亭五种》本。商务印书馆《业书集成》本的《大广益会玉篇》和《玉篇零卷》，即分别据《小学汇函》《古逸丛书》本影印。

---

① 李慈铭说，见《越缦堂读书记》卷上第537—540页谈《玉篇》的部分。

第三节　第一部值得重视的《尔雅》式词典——《广雅》

（一）《广雅》的编者——魏张揖

继《尔雅》后出的训诂词典，以旧题汉孔鲋撰的《小尔雅》为最早，但收字甚少，增广未多。在“雅书”中首先值得重视的是三国魏张揖所编的《广雅》。

张揖自己没有传记，据《魏书·江式传》载江式所上表文中说：“魏初博士清河张揖著《埤仓》《广雅》《古今字诂》。”《隋书·经籍志》一著录《广雅》三卷，亦题作“魏博士张揖撰”。唐颜师古在《汉书叙例》中列举汉魏以来的注家，提到张揖时说：“张揖字稚让，清河人（一云河间人）。魏太和中为博士（止解《司马相如传》一卷）。”[①] 由此可约略知道张揖的生平，他在魏明帝（曹叡）时做过博士，是当时的文字学专家。他所撰字书，除《广雅》外，均久失传，在本章第一节内已经谈过。

① 《汉书叙例》见中华标点本《汉书》一册。

（二）《广雅》的内容和体例

张揖在他的《上广雅表》中对《尔雅》颇致推崇，同时也指出了它的不足，认为《尔雅》包罗的训诂、事物，未能完备，所以他博采群书，以补《尔雅》之缺。他的《广雅》，于汉儒的笺注以及许多古字书，繁征博引；对“文同义异、音转失读、八方殊语、庶物易名”，广泛辑录；凡《尔雅》所未载的，他都列入。书名《广雅》，即取推广《尔雅》之意；其内容材料，确实足为《尔雅》之续。其中有的是古代的训诂，《尔雅》漏列；有的是后出的词语，张揖所增。由于生产的发展，社会的进化，在一定的经济基础上，文教昌明，语词、名物，随着丰富起来。张揖之能够补充《尔雅》，是和社会的前进分不开的。

《上广雅表》说《广雅》本分上中下三卷，“文凡万八千一百五十”；后来因辗转传写，被分为四卷，又析为十卷，文字也不足原数了。隋时的曹宪曾为《广雅》作音释，因为避隋炀帝（杨广）的讳，把书名改为《博雅》；从此《广雅》就有了《博雅》这个名称，曹宪音释之本就被称为《博雅音》。《旧唐书·经籍志》上著录张揖撰《广雅》四卷，曹宪撰《博雅》十卷，是把原书和音释分列的。宋时曹宪音，亦曾单行。现在通行的十卷本，音释皆附于原文之下，是后人所合并。

《广雅》也按照《尔雅》的篇目，分为十九类；解说的方式，亦和《尔雅》相同。释诂、释言、释训三篇，解说一般的词语；释亲以下十六篇，杂释百科名词。各类都补充了《尔雅》所没有的内容。如释诂的两条：

> 古、昔、先、创、方、作、造、朔、萌、芽、本、根、櫱、鼃、䏂、昌、孟、鼻、业，始也。
>
> 休、祥、叀、佳、忏、禄、吉、庆、良、犨、时、竫、党、适、赖、忞、愿、𢻹、温、长、嫥、婡、䙽、驯、孎、睩、戾、灵，善也。

前一条所举“始”的十九个同义词，即为《尔雅》所未备；第二条，除去“祥”字之外，其余二十七个作“善”解的词，亦不见于《尔雅》；可见《广雅》在语词方面，增广不少。又《广雅·释器》收录的有关骨骼、肌肤、脏腑以及饮食等的词语，皆《尔雅》所无。如“百叶谓之膍胵”。按《说文》云：“膍，牛百叶也。”清王筠谓“牛羊食艸入胃，复吐而嚼之，再咽则由胃而入百叶。百叶生胃之后，短肠连之。其外光滑，其内遍生肉刺，纤如铖，比如栉，其状折叠如梵夹，故以百叶名，至今沿之不改也。”[①]由《广雅》对百叶的解释、联系《说文》，可知此词，在汉魏间通用，由来已久。现在我们还以牛羊百叶为食品，称谓未改。研究古今语词的变迁沿袭，《广雅》是有参考价值的。

《广雅》一方面对《尔雅》未收的语词名物，作了增广；一方面又对其已有的解释，补充说明。如《尔雅·释山》：“泰山为东岳，华山为西岳，霍山为南岳，恒山为北岳，嵩高为中岳。”《广雅·释山》则说：“岱宗谓之泰山，天柱谓之霍山，华山谓之大华，常山谓之恒山。”于四座大山，各举异名，以补《尔雅》所未及。按晋郭璞在《尔雅》的“霍山为南岳”一句下注云：“即天柱山，潜水所出。”可见霍山之别名天柱，魏晋习称。

清人王念孙在所撰《广雅疏证序》中评论《广雅》说：“其自《易》《书》《诗》《三礼》《三传》经师之训，《论语》《孟子》《鸿烈》《法言》之注，楚辞、汉赋之解、谶纬之记，《仓颉》《训纂》《滂喜》《方言》《说文》之说，靡不兼载。盖周、秦、两汉古义之存者，可据以证

① 王筠语，见《说文解字诂林》第1788页《说文释例》。

其得失；其散逸不传者，可借以阙其端绪；则其书之为功于训诂也大矣。”[①]足见《广雅》取材范围相当广泛，它在保存周秦两汉古训诂方面，是很有功绩的。这是在《尔雅》后出现的“雅”书中最值得重视的一部古训诂词典。

（三）研究《广雅》的著作

《广雅》的缺点，也和《尔雅》一样，解说过于简略，后人不易清楚地了解它所谈的词义的同异、事物的内容以及文字的读音等。如上一节所举的作“始”和“善”讲的两组许多同义词，都只以一个字，作概括的解释，不像扬雄撰《方言》那样，于古今异词，方俗殊语，皆分别区域，辨析异同；这就给后人的阅读造成了很大的困难。隋曹宪为《广雅》作音释，就是要弥补《广雅》这方面的缺陷的。如在《广雅·释诂》的“里、[illegible]、闾、衖、[illegible]、闬、圹、宇、愿、廛、在、于、处、所、丘、墟、亩、鄙、聚、落，凥也”一条下，曹宪注云：“上古鱼反。凥，案《说文》从尸、几声。今居字，乃箕居字也，古虑反。”他指出了“凥”“居”古今字的音义之不同。但曹宪的音释，或有或无，并非逐条逐字

① 王念孙语，见《丛书集成》本《广雅疏证》第1页。

皆加标注；而且自隋以来，通行的《广雅》已多讹脱舛乱之处，曹宪注音时所用之本即有错误，所以他常据错字注音。因此，我们现在要研究《广雅》，必须使用经过校勘注释的本子。

清人王念孙长于文字训诂之学，他以十年之功，编撰《广雅疏证》一书，他指出："今本《广雅》凡万六千九百一十三文，删衍文九十六，补脱文五百九，共文万七千三百二十六，较表内原数少八百二十四。"[①]他一方面旁考诸书，校订曹本，对讹字、衍文、脱落以及文字先后错乱的、正文误入音释的、音释误入正文的，都"随条补正，详举所由"。计正讹字五百八十、补脱落四百九十、删衍文三十九；改正先后错乱的一百二十三、正文误入音释的十九、音释误入正文的五十七；尽力使《广雅》的文字，合于原著。另一方面，他繁征博引地阐释了《广雅》的内容。他认为"诂训之旨，本于声音；故有声同字异，声近义同；虽或类聚群分，实亦同条共贯"；因此"就古音以求古义，引伸触类，不限形体"[②]；注意因声求义，不拘于字形。

---

① 见《广雅疏证》的张揖《上广雅表》附注。
② 见《广雅疏证》序。

大致说来，王念孙研究《广雅》，做了三点工作：一、广采古籍，辨析文字的音义，对原书的各条，都有较详细的解说。一条解说，往往即洋洋数千言，内容相当丰富。二、对张揖和先儒的误说，进行了驳正。三、对原书的正文和曹宪的音释，做了认真的校订。这里摘引释诂和释鸟的两条原文及疏证如下：

迟、晏、后、旰、稺，晚也。（释诂）〔疏证〕：旰，亦晏也。《说文》：旰，日晚也。襄十四年《左传》：日旰不召。《史记·卫世家》集解引服虔注云：旰，晏也。稺，亦迟也。《说文》：稺，幼禾也。晚种后孰者。

鸊鸠、鵧鸠、鹛鸠、鹁鸠、鸫鸠也。（释鸟）

〔疏证〕：鹁，各本作鹁，此因曹宪音内浮字而误。《集韵》《类篇》鹁或作𪃑，又因误本《广雅》而误。考《说文》《玉篇》《广韵》，皆无𪃑字，今订正。

上一条的旰与晏、稺与迟，都是叠韵字。王念孙根据就音求义的训诂方法，把它们并列解说，并引字书史传以印证其义。下一条根据《说文》《玉篇》等，订正《广雅》旧本的文字之误，并具体说明了致误的原因。可见王念孙作疏证，是以谨严的治学态度进行，颇有参考价值的。

王念孙对《广雅》的订正，虽不能完全妥当；但由于他的努力，使《广雅》有了较好的定本，为后人提供了明确的解说与丰富的资料，便于我们进一步去研究《广雅》，成绩还是不小。无怪近人王树枏称赞他说："非惟张氏之功臣，抑亦曹君之诤友"了[①]。

《广雅疏证》，有《四部备要》本，系以王氏家刻本排印；有《丛书集成》本，乃据《畿辅丛书》本影印。

总起来说，魏晋南北朝是字书的继承与演变时期，接续着先秦、两汉的字书传统而发展。增补《说文》的字典，如《字林》；推广《尔雅》的词典，如《广雅》，都在这时产生。从篆书而隶楷的使用文字的趋势，直接影响到了字书的编撰；由讲六书而转向于实用，也始于此时；这都以顾野王《玉篇》的出现而显示出来。承先启后，开始变革，这是古代字书的一个转折阶段。失传的字书如《字统》《要用字苑》《纂文》等的一些残文，亦足说明此点。这一演变，对后出字书的发展，是有一定的促进作用的。

---

① 见《畿辅丛书》本《博雅音》后附王树枏跋文。

第四章　字书的建设与发展期　唐·宋·元

第一节　唐代的“字样”和宋元辨形的字书

（一）《干禄字书》《五经文字》《新加九经字样》

由唐至宋元，可以概括称为字书的建设与发展期。在唐初即出现了大部头的字书，显示字书的编撰，在继承魏晋南北朝字书的基础上，又有了新的发展。新、旧《唐书》经籍、艺文志载有隋诸葛颖《桂苑珠丛》一百卷、天圣太后（即武后）《字海》一百卷。自古以来的字书，从未有篇幅如此之多者，其包罗丰富、内容详备，可以想见。《新唐书·艺文志》还著录颜真卿《韵海镜源》三百六十卷，书稍后出，而卷帙之数，更为惊人。这是一部分韵编撰的字书（其体例在本书第五章第五节中论及）。可惜它和以上的两部书，今俱不传，即其一鳞半爪，亦无法见到。最值得称道的为注释经典文字音义的《经典释文》和注释佛经文字音义的《一切经音义》，应该算作创新的划时代的著作。虽然在唐代，除了李阳冰曾刊定《说文》外，并没有继《说文》而起专讲六书的字书，但当时的各种字书，仍皆以《说文》为辨别文字形义的依据，《说文》的系统，实际是一直未断。就魏晋南北朝以来文字演变的情况和中国字书发展的过程说，这里首先要谈到唐人的“字样”。

魏晋南北朝时期，由于地方割据、南北阻隔以及使用文字趋于简易等多方面的原因，造成了如北魏江式所说“世易风移，文字改变，篆形谬错，隶体失真”[1]的状况，打破了秦汉以来文字统一的局面，异体别字，逐渐增多。北齐颜之推于此曾做过一些分析，他说：

> 晋宋以来，多能书者，故其时俗，递相染尚，所有部帙，楷正可观；不无俗字，非为大损。至梁天监之间，斯风未变；大同之末，讹替滋生；萧子云改易字体，邵陵王颇行伪字，前上为草，能傍作长之类是也。朝野翕然，以为

---

① 江式语，见《魏书·江式传》，中华书局本六册第1963页。

楷式；画虎不成，多所伤败；至为一字，唯见数点；或妄斟酌，遂便转移；尔后坟籍，略不可看。北朝丧乱之际，书迹鄙陋，加以专辄造字，猥拙甚于江南；乃以百念为忧，言反为变，不用为罢，追来为归，更生为苏，先人为老。如此非一，遍满经传[①]。

颜之推认为由于南北朝士大夫作书妄改笔画，或自造简字，于是俗讹、异体不断滋生，成为风气，以致经籍的文字，都不能入目。他还举出许多俗字为例。如把“能”字写成“能”，右侧作“长”；是减少笔画，改换了偏旁，这是简化之一法。如把“歸”字写成“逨”，把“蘇”字写成“甦”，这是新造的简体。清人李调元也说：

自字变而楷，古体已失，而钟、王（指魏钟繇、晋王羲之）等，以善楷名家，又各逞笔姿，任意增减，沿习既久，笔画多讹，遂至弄麞伏猎，贻笑士林，未必非俗书阶厉之也[②]。

① 见《颜氏家训·杂艺》，《四部丛刊》本第42页。

② 李调元语，见《丛书集成》本《六书分毫》叙。

魏晋南北朝简字、俗体之盛行，可能和书法家写字，为了美观而故意变易字形、增减笔画有关，但不能以此归罪于书家。因为简字、俗体的产生，除了当时政治、经济的原因而外，大家为了使用方便而共同创造，恐怕还是主要的。实际自六朝以来，每个朝代都出现不少简字、异体，旧有的也大部分被承袭下来，继续通行。即唐宋以来流行的“帖体”，也就是颜之推、李调元所说的俗字。

但由于魏晋南北朝异体、俗字的纷繁，使经典文字也失去了统一的规范，对士人学习经典，国家颁布政令，都有一定的不便，所以在唐统一之后，就有了整理异体、辨别俗讹，首先是订正经典中文字的需要，专讲“字样”的字书，于是产生。像颜师古的《字样》、杜延业的《群书新定字样》、颜元孙的《干禄字书》、欧阳融的《经典分毫正字》、唐玄宗的《开元文字音义》、张参的《五经文字》、唐玄度的《新加九经字样》等，都是订正点画俗讹、推行标准“字样”的字书。这里就《干禄字书》《五经文字》《新加九经字样》三书来谈一下这类字书的内容、体例及其作用。

《干禄字书》一卷，唐颜元孙撰。元孙的侄子颜真卿在唐大历九年（公元774年）到湖州做官时，曾手写这部书刻在石头上，所以现在通行本子的卷首还有“鲁郡开国公真卿书”的字样。

这部书中的字，都按平上去入四声分部，又依偏旁来排列。如“平声”中的“龍、龓、龍、従、従、從”就是以声分部，又按偏旁排在一起的。《干禄字书》所收之字，一般的全分通、俗、正三体（但并不是说每个字都有三体），卷首所附颜元孙的自序，对此解释说：“所谓俗者，例皆浅近，惟籍帐、文案、券契、药方，非涉雅言，用亦无爽；……所谓通者，相承久远，可以施表、奏、笺、尺牍、判状，固免诋诃；所谓正者，并有凭据，可以施著述文章对策碑碣，将为允当。”从这段话里，可以看出他是从字的早出后起以及使用范围上来区分这三种字的：在日常生活中大家共同使用的后起字叫作俗字；沿用已久，常见于公文的，叫作通字；有来历可以垂之久远、写入著作中的，叫作正字。他最重视的是正字，其次是通用字，不大看得起俗字，但他倒并不反对俗字的使用（事实上，大家通用的俗字，也不会因为少数人的反对而废弃），所以把它们的用途画出一个范围；而他编书的意图，主要还是为了使做官的人注意辨别写章、奏、书、判等公文的文字，因此把这部书叫作《干禄字书》。

《干禄字书》着重分别俗、通、正三体，并不逐字都解说字义。如平声“聪、聦、聰”三个字下面注云：“上中通、下正，诸从忩者并同”；只是指出前面两个字通用，后一个是正字。又“切、功”两字下注云：“上俗下正”，也不谈文字的音训。偶有解说，也非常简单；如“彫、凋”两字下注云：“上彫饰，下凋落。”因此，严格点说，这部书不能算作正式的字典，而且内容也不免错误；如“商”与“啇”本为两字，书中却说是“上俗下正”。又“皀”字见于《说文解字》，像穀实在裹中之形，“皃”是“貌”的古文；《干禄字书》却把“皀、皃、貌”三个字排在一起，说是“上俗、中通、下正”；足征编者亦不免粗疏，失于考校。但这部书虽无字典之实用，还可以当作一个异体字表来供一般读者的检查。

据宋陈振孙《直斋书录解题》卷三著录，宋娄机撰有《广干禄字书》五卷，为续颜元孙的《干禄字书》而作。但今已失传。

《五经文字》唐张参撰，三卷。张参在唐代宗（李豫）大历中做国子司业，曾考订五经中的文字，写在屋壁上，其后易以木版，到了文宗（李昂）开成年间才改为石刻。因为后汉灵帝（刘宏）在熹平四年（公元175年）曾命令诸儒校正五经文字，刻石立于太学门外，所以张参编书，即以此命名。

这部书是为了考证五经中文字形体的变化（如篆、籀、隶体之变等）和音义而作。在卷首的“序例”中，张参说明他校正文字，首先依据许慎的《说文解字》，其次是吕忱的《字林》；《说文解字》没有的字，像“祧、祢、逍遥”之类，即取于《字林》；对当时不通用的古体，如“亙、晉”等，则采用《汉石经》内的“宜、晋”来代替；但《石经》残缺，存字无多；于是对《石经》没有的字，就又以经书和陆德明的《经典释文》相承使用的隶体省文来引申参证。（像“㮚”为“栗”之类，即采取经书和《经典释文》相承使用的隶字省体“栗”）张参的目的是要使一般人明了经书中的文义，并把他所考证的文字形体统一固定下来，而不是要编字书。

《五经文字》参照《说文解字》和《字林》的部首，分为一百六十部，以类相从。如木部“樓、楼”二字，注云：“上《说文》，下《石经》”；手部“搖、揺”二字，注云：“上《说文》，从肉，从缶。下经典相承隶省”：这两条只是考订文字形体的变化，并没有注释音义。也有的字，只注音义，不考形体异同。如冃部的“冒”字，注云：“莫到反，凡赗赠之类皆从冒。”

全书所收共三千二百三十五个字，都是单字。

《新加九经字样》，唐唐玄度撰，一卷。唐玄度在唐文宗（李昂）太和七年（公元833年）奉命复定九经字体，主要以张参的《五经文字》为依据。同时，他也参照字书，纠正了《五经文字》由于传写相承而产生的形体讹误；并从经书中采取张参所未收的一些字，另编成《新加九经字样》一书。这部书实际就是《五经文字》的补编，在当时，这两部书是相辅而行的。

据本书卷首所载唐玄度的牒文说，他编这部书，虽亦依据《说文》，但恐怕古体难于通行，故并不完全采用《说文》的写法；又以近代通行的文字，不免传写的乖讹；因此，也不完全采用俗体；而“与校勘官同商较是非，取其适中”。可见他是希望他所勘定的字体切实可行的。

这部书共分七十六部，考定形体，注释音义，体例都和《五经文字》相同，惟注音不用反切，只取直音，没有同音字可注的，即以平上去入四声之转来标音；这是异于《五经文字》的地方。如手部的“掼贯”，注云：“关去，传曰：掼渎鬼神。上《说文》，下经典相承隶省。”这里的“关去”，就是说明“掼”字应读作“关”字的去声。

《新加九经字样》共收四百二十一字，都是《五经文字》所没有的。它的主要作用，也和《五经文字》一样，在于辨析经书中文字的形体，使读者明了古今写法的差异；其次是也保留了一部分文字的古音古训，可作为研究经书的参考资料。

因为在唐代，篆书已不通行，失去了实用价值，只有少数人从书法的角度，学写篆字；所以整理六朝以来形体复杂的楷隶，使之规范化，就很有必要。唐人校正字样，刊定石经，确实取得了成效，作为规范的楷体，从此固定下来，一直沿用到现在。虽然这些讲字样的书，不能算作真正的字典，但还是起过一定的作用的，中国字典史，应该论述及之。

（二）《佩觿》《复古编》《字通》《龙龛手鉴》《字鉴》及其他

在篆书不用，隶楷通行以后，古今文字的形体，既有了较大的差别；而由形声以孳乳的新字和习用的俗体，也日益增多；于是就有人注意考订古今文字的同异：或仿唐人"字样"的体例，着重于正字俗体的辨析；或致力文字的形声讹变和字划疑似的研究；或本《说文解字》以推求隶楷的变化。因此自宋以来，就产生了一些不同于《说文解字》的另一类型的字书。像《佩觿》《复古编》《字通》《龙龛手鉴》《字鑑》等，就都是这类的著作。它们和《干禄字书》实际属于同一系统。

《佩觿》宋郭忠恕撰，三卷。上卷阐述他对文字变迁的看法，附带说明编书的意旨。这一部分的主要内容分为三项：第一项谈造字，说明造字始于象形，而古文、籀文写法既有差别；篆演为隶，形体更多变化；加上后人对字形解释的穿凿附会和读音的彼此乖违，以及避讳、妄改而随意增减笔画，于是文字的讹变繁芜，就有增无已。第二项讨论四声，指出四声之作，始于譬况，随着产生反切；由于时代变迁，“音讹字替”和南北各地方言的不同，以致“同言异字，同字异言”；甚至音义皆同，而字体不一，于是文字的四声既难分辨，读音亦极为复杂。第三项说明文字传写的差误，如把“虙”写成“宓”，将“颇”误为“陂”，以“鍚”当作“錫”之类。这就是他所举的“三科”。

这部书的中下两卷，把形体、声音相似，容易混淆的字，按平上去入四声分为十部，一对对地排在一起，注明它们音义的不同。第一部是“平声自相对”的，如“僮、徸”，注云：“上音童，僮仆；下昌容翻，行貌”；第二部是“平声上声相对”的，如“揩、楷”，注云：“上口皆翻，揩摩；下口骇翻，楷式”；第三部是“平声去声相对”的，如“杭、抗”，注云：“上户刚翻，杭州；下苦浪翻，抗举”；第四部是“平声入声相对”的，如“戈、弋”，注云：“上古禾翻，干戈；下与力翻，弋射”；第五部是“上声自相对”的，如“朽、扝”，注云：“上休九翻，败也；下古巧字”；第六部是“上声去声相对”的，如“拄、柱”，注云："上知庚翻，指拄；下直主翻，梁柱"；第七部是"上声入声相对"的，如"豕、豖"，注云："上施是翻，猪也；下丑足翻，绊豕之足"；第八部是"去声自相对"的，如"挂、桂"，注云："上古卖翻，悬挂；下古惠翻，木名"；第九部是"去声入声相对"的，如"帨、悦"，注云："上音税，手巾；下弋雪翻，喜悦"；第十部是"入声自相对"的，如"柏、拍"，注云："上卜陌翻，松柏；下溥陌翻，打也"。这就是他所说的"十段"。

《佩觿》的十部中的文字，一般的都是两个排在一起，也有个别的，并排三四个字。如"平声去声相对"部内的"疵、庛、庇"和"肝、盱、肝、旴"二例，就是如此。除去这十部外，卷末还附有辨证舛误的一百十九个字。不知出于谁手。

郭忠恕对文字之学很有研究，书中所论，大都相当精确，但也不免有偶疏之处，如说牛车之"车"本无"居"音，即失于考订；写"棗"作"枣"，也不免穿凿。不过，总的说来，这部字书，对于辨别一般形音义相近的字，还是有用处的。除去《佩觿》之外，郭忠恕还辑有《汗简》三卷，乃是古文字的汇编，并非字典，所以这里不谈它。

《复古编》宋张有撰，二卷。张有字谦中，宋吴兴人，后来作了道士。他的《复古编》主要是为了匡正王安石的《字说》而撰。全书按平上去入四声分录文字，根据《说文解字》以辨明正、俗、讹各体。于正体用篆书，别体俗字，就都载于注内。下卷入声后附录辨证六篇：一、联绵字；二、形声相类；三、形相类；四、声相类；五、笔迹小异；六、上正下讹。

《复古编》对文字的辨正，非常严格，笔画稍为差异的，就认为是俗字，有时失之太拘。如说“劈历”不作“霹雳”；“伏羲”必须写作“虙羲”，不能通作“伏犧”；“琵琶”必须写作“枇杷”，不能作“琵琶”。清李慈铭已指出其非，认为“伏犧”本无定字，历举古籍作“虙戲”“虙羲”“伏戲”“宓戲”，都是古字；张有谓必作“虙羲”，不知何据。至于琵琶，本为胡乐，起于汉代，其字为篆文所无，不能以从木的枇杷当之[①]。这种说法，是很中肯的。

《复古编》对于我们研究古代文字的形体之变，有一定的参考价值；编撰辞书，可从其中找到一些解说形义的依据，但于其过于好古的说法，须加辨析，未可轻从。

元曹本撰有《续复古编》四卷，今有清光绪十二年归安姚

① 李慈铭说，见《越缦堂读书记》上册第540—541页《复古编》。

氏思进斋刊本。

《字通》宋李从周撰，一卷。卷首有作者的简短序言说：“字而有隶，盖已降矣。每降而辄下，不可不推本之也。此编依世俗笔势，质之以《说文解字》。作楷隶者，于此而推之，思过半矣。”可见他编书的目的，还在于推究字源，所以根据《说文解字》来解说通用的楷书偏旁。但他并不用《说文解字》的部首，而按楷书的点画，分为八十九部（如“上四点类”收“米、采、炎、乖、㢆”等字，“中四点类”收“率、兆、雨、羽、卤”等字，“三画类”收“三、彡、川、小、气、彳”等字，“又字类”收“又、支、殳、攴”等字之类）；全书共收六百零一字，每个字又全以篆体大书于上，下面以楷书夹注；这都不免非古非今，显得很不协调。而且有不少字，见于好几部，如“一”字既见于“上一点类”，又收入“一画类”；“水”“火”二字，既见于“上两点类”，又收入“下三点”“旁三点”“下四点”类，体例颇为杂乱。“一”字何以归入“上一点类”，更使人莫名其妙。另外像把“回”字收入“中日字类”，“東”字收入“里字类”等，则于篆于楷，两俱不合，只是以意为之，并无根据；使读者简直无法掌握这部书分部的原则。

《字通》注释文字，也是先注音，后言义，义训都用《说文解字》的说法，有的还指出某字从此。如“上四点类”的“釆”字注云：“釆，蒲苋切，辨别也。象兽指爪分别也。番、卷、奥、悉等字从此。”这里对字义的解释即采自《说文解字》；但“卷”“奥”两字，《说文解字》一在“卩”部，一在“宀”部，并不在“釆”部。《字通》说这两字从“釆”，虽然指出了这两个字中的“釆”，并不是“釆”字；但既云“从某”而不依《说文解字》的部首，和后来《字汇》《正字通》《康熙字典》等书的分部又不相同；可见这是既不能“于古有征”，也不适宜于通俗使用的。这部书卷末另附有纠正俗字错误的八十二个字，是后人所加的。其中如说“衣裳”的“裳”应作“常”，“从容”的“容”应作“颂”，“规矩”的“矩”应作“巨”之类；亦不免泥古太甚，不能通行。不过这书虽非实用的字典，却还可以作为研究文字形体变化的参考材料来看。

《龙龛手鉴》辽时僧人行均撰，四卷。据清代修《四库全书》的馆臣说四库著录之本是影抄辽刻；清人钱大昕则说他见到的本子，是影南宋的钞本[①]。

---

① 说详《四库全书总目提要》经部小学类二及清钱大昕《十驾斋养新录》卷十三《龙龛手鉴》。

本书卷首有沙门智光（字法炬）的一篇序，作于辽圣宗统和十五年七月，即宋太宗至道三年（公元997年）。这部书大约就在和这差不多的时间内完成。序中提到行均姓于，字广济，擅长音韵，精于字书；他编这部书主要还是为了使佛徒通解文字，以便于领悟释典。智光认为有了这部书，“犹手持于鸾镜，形容斯鉴，妍丑是分”，书名即取义于此。原书本名《龙龛手镜》，宋人重刻，因“镜”字和宋太祖的祖父赵敬的“敬”声音相同，为了避“嫌讳”，才改“镜”为“鑑（鉴）”。

这部书完全改变了《说文解字》的部首的次第，凡是部首字和各部中的文字，都以平上去入四声为排列顺序，第一二三四卷分收四声之字。如第一卷平声“人”部先列“俳、优、僚、僧”等平声字，然后再排“俭、偶、偻、俛”等上声字，“倦、傲、伺、备”等去声字，“倏、僻、仆、佚”等入声字。其二三四卷的部首虽系上去入三声之字，而各部文字的排列，仍依平上去入为序。全书计平声九十七部，上声六十部，去声二十六部，入声五十九部。始于“金部”，终于“杂”部，共二百四十二部。收二万六千四百三十余字，注一十六万三千一百七十余字，连注总为一十八万九千六百一十余字[①]。

《龙龛手鉴》也仿照《干禄字书》的体例，在每个字下面详列正、俗、今、古及或作诸体，不同的是文字下面都加注音和释义。注音有的用反切，有的注直音，并不一致；而注释则都很简单。如卷二上声手部的“攜”字，注云“今”，下面又列“擕”字，注云：“正，户圭反，持也，提也。”有时它还把两个字排在一起，共加注释，如卷一平声车部的“轸轪”两字，注云：“上苦海反，下徒亥反。轸轪，不平皃也。”这又不是释字而是解词了。

这部书多引佛书来证释音义，钱大昕即曾指出所引有“旧藏、新藏、随文、随函、江西随函、西川随函”诸名以及“应法师音、郭迻音、琳法师说”等；《四库全书总目提要》也说它“每引《中阿含经》《贤愚经》中诸字，以补六书所未备”[②]；认为它引证的材料可取。但也举例说明了它分部的混乱和标音的错误。如“攵”“攴”不分，“臼”“臼”莫辨；“耑”“甾”入于“山”部，“鬬”“鬧”入于“門”部；“滴”音商而又音都历反，

① 见《龙龛手鉴》的智光序。

② 见《十驾斋养新录》卷十三《龙龛手鉴》。

把“商”“啇”两字相混等；这都切中此书之弊。钱氏还对它的收入“𠈃”“歪”“甭”“孬”等俗字，表示不满[①]。这在今天看来，倒并无坏处，借此可以了解宋辽之间这类俗字已经通行。

《龙龛手鉴》虽然体例未善，于文字形声，有的辨析不清；可是它并不是专为解释释典而作；除收入佛经中文字外，还补充了《说文》和《玉篇》一些未收的字，内容尚有足取，可以当作一部古代普通字典来参考。

《字鉴》元李文仲撰，五卷。这也是一部根据《说文解字》来“辨正点画，刊除俗谬”、纠举历来使用文字的错误的字书。[②]但却较《字通》为体例谨严，切合实用。

这部书卷首有颜尧焕、干文傅、张楧、唐咏涯、黄溍等五人的叙文，说明李文仲的伯父李伯英因为经书中用字颇多假借，每字不只一音，所以在读经史子集百家之书的时候，遇有字同而音异的，就深究博采，远引旁证，以求其音义的明确，用了十年的工夫，编成《类韵》三十卷，在元英

① 钱大昕这段话，见《四部丛刊》本《潜研堂文集》卷二十七《跋龙龛手鉴》。

② 引文见《字鉴》卷首的张楧叙文。

宗（硕德八剌）至治元年（公元1321年）脱稿。不久李伯英逝世，而《类韵》内的文字点画，尚多有未校正的，于是李文仲续编《字鉴》一书，来补正《类韵》的文字。李文仲对《说文解字》非常推崇，他在自序中指出许慎的著作是："体包古今，首得六书之要；其于字学，处《说文》之先者，非《说文》无以明；处《说文》之后者，非《说文》无以法。"他认为绍兴（宋高宗赵构年号）年间毛晃增注的《礼部韵略》虽然很好，但也不免于玉石杂糅，尚有错误，所以用《说文解字》为根据，并参照诸家的字书，撰成《字鉴》，来纠正毛晃的《礼部韵略》和其他诸家之失。这又说明了李文仲编写这部书，并非专为增补校正他伯父的《类韵》而作。

《字鉴》按平上去入四声和二百六部之韵来编次文字，一般的都在注音释义之后，指出俗体之讹。如平声上三锺的"尨"字注云："莫江切，《说文》犬之多毛者。从犬从彡。俗又加犬作狵，非。"另外像辨析"文辞"之"辞"和"辤让"之"辤"不同；"驮"字不应从犬作"驮"；"别"字不应从力作"别"等，全是就通用易误的字加以区别。但编者并不强调要从古写，如他说明"饿莩"之"莩"，本来作"莩"，而"莩"作草讲：可是他也认为“经史承讹日久，难遽罄改俗”（见上声三十小）。足见他尚非泥古不化，知道大家相沿通借的字，并不是一下子就能改掉的。

这部书对以前的字书如唐颜元孙的《干禄字书》、张参的《五经文字》以及宋毛晃增注的《礼部韵略》等书中的错误，都有所纠正。如“隙”字从阜，从𡭴，俗作“隟”，而颜元孙说作“隟”（见入声二十二昔“隙”字注）；“肇”字本有“肈”“肇”二体，见于《说文解字》，而张参以为“肇”是讹字（见上声三十小“肇”字注）；又“屯”字本作“难”讲，借为屯聚之义，而郭忠恕以“屯”音迍，别出屯为屯聚字（见平声上二十三魂“屯”字注）；这些错误粗疏之处，李文通都已举出，对《增韵》（即毛晃增注的《礼部韵略》）之讹，尤多订正。像“袁”字从衣，叀省声，而《增韵》从口作“袁”；“謚”言益，笑貌，“諡”作“行之迹也”讲，而《增韵》以“謚”为“諡”等（见平声上二十二元“袁”字注和去声六至“諡”字注）；《字通》即都予以辨明。

继《字鉴》之后来编撰这类字书的，还有很多，如明赵㧑谦的《六书本义》、焦竑的《俗书刊误》、叶秉敬的《字孪》以及清李调元的《六书分毫》等都是，这里就不一一介绍了[①]。

《干禄字书》以《夷门广牍》本为完全无缺，《五经文字》和《新加九经字样》均以《后知不足斋丛书》的覆刻唐石本为字大清晰，《佩觿》和《字鉴》以《铁华馆丛书》本为刊印较精，《字通》以《知不足斋丛书》本为较常见；商务印书馆《丛书集成》所收这五部字书，即据以上的版本影印。《复古编》有清乾隆间安邑葛鸣阳刻本，为丁小雅等所校，号称善本；《龙龛手鉴》现有上海涵芬楼影印江安傅氏双鉴楼所藏宋刊本，亦精。

除去上述的以校正俗讹为主的字书外，宋人所编，还有专辨古史文字的，如《班马字类》，亦可说明我国古字书中曾经有此一格。

《班马字类》宋娄机撰，五卷。本书卷首载有宋孝宗（赵昚）淳熙辛丑年（公元1181年）娄机的自序和淳熙壬寅年（公元1182年）楼钥序，淳熙甲辰年（公元1184年）洪迈序，大概这部书即在1181年间完成。这是采取汉司马迁的《史

① 本章第一节所举《干禄字书》《佩觿》《复古编》《字通》《龙龛手鉴》《字鉴》这六部书，大都是根据《说文解字》来推究隶楷形体的变化，以订正俗字的错误的，目的在于探讨字源；和我们今天为了人民大众便于掌握文字而推行简化字，不是一回事情，不应相提并论。

记》，班固的《汉书》内的古字、僻字编成的，所以叫作《班马字类》。

《班马字类》按平上去入四声分部来编次文字，于所收之字，都考证意义，辨别声音；对假借通用的字，罗列得尤其详备。《史记》《汉书》文字的差异，亦予指出。如卷二下平声“三萧四宵”韵内的“嵺”字，注云：“《汉书》司马相如传：上嵺廓而无天。音辽。《史记》作寥。”这里即参校了两书的异同。

这部书不仅可以作为阅读《史记》《汉书》的参考材料，对了解一般古书的训诂，亦有帮助。不过，其中也不免于错误，未可尽信。宋人袁文即曾指出本书上声寝韵的“禀”字引《史记》礼书的“不禀京师”的“禀”，应从“示”作“禀”，不当从“禾”；这还只是个别的由于没有辨清文字偏旁而发生的错误；其实即引《史记》《汉书》本文，脱落错误，失去本来面目的也不在少数。如卷一上平声“寒欢”韵内的“玩”字，注云：“《史记》郦生传：项王为人刻印刓而不能授。正义作玩，五官反，与刓同。《汉书》作玩。瓒云：项羽悉于爵赏，玩惜侯印，不能以封人。”按《史记》郦食其传“为人刻印刓而不能授”一句下面，只有“集解”“索隐”，并无“正义”；今录原文如下：《集解》：“孟康曰：刓断无复廉锷也。瓒曰：项羽吝于爵赏，玩惜侯印，不能以封其人也。”《索隐》：“刓音五官反。案郭象注《庄子》云：立法而刓断，无圭角。《汉书》作玩，言玩惜不忍授人。”以这两段文字和《班马字类》所引对照来看，可见娄机不只把“索隐”误为“正义”，而且把“集解”里面的话也混在一起，没有交代清楚。另外上平声“灰咍”韵内的“裁”字，注云：“《汉书》王贡两龚鲍传：严君平日裁阅数人。与才同。”按“裁阅数人”，原文作“裁日阅数人”。这条只引用一句话，就颠倒了一个字；也足以说明他编书的粗疏了。至于引书，任意删节原文，更是古人的通病。

《班马字类》全书共收一千八百余字，包括重文在内。宋理宗（赵昀）景定五年（公元1264年）李曾伯又增补了一千二百三十九字，附于原来各部之后，标明“补遗”。

《班马字类》有《涉闻梓旧》的覆刻元本，附李曾伯补遗，为《后知不足斋丛书》本所无，《丛书集成》本即据此影印。

第二节　唐代集释诸书文字音义的字书
——《经典释文》

（一）《经典释文》的编者——唐陆德明

注释经传，始于汉人，当初对文字注音，只用“读某”“读若某”“读与某同”的直音法。至汉末而有反切，迄魏晋而音韵之学兴。魏孙炎注《尔雅》，即用反切标音。魏李登的《声类》和晋吕静的《韵集》，亦先后出现。但由于魏晋南北朝以来的篆隶之变，方音之异，大量的异体字和简体字的产生以及古籍经辗转传写而笔形讹谬等，造成了阅读古籍时读音、识字的困难，却并不是只靠韵书就能解除的，还需要一部供查音义、辨字形的字书来辅助阅读，《经典释文》就是为了适应这种需要而编撰的。

《经典释文》，唐陆德明撰，三十卷。陆德明，苏州吴人，本名元朗，以字行。历仕陈、隋，以文学知名。在陈曾任始兴王国左常侍，迁国子助教。入隋，先任秘书学士，后亦授国子助教。唐高祖称帝后，德明被征为秦王府文学馆学士，贞观初，拜国子博士，封吴县男，不久即卒。所著除《经典释文》外，还有《老子疏》十五卷、《易疏》二十卷。新旧《唐书》都把他列入儒学传。

据陆德明在《经典释文》的自序中说，这部书乃是他在“癸卯之岁，承乏上庠”时所撰。据清钱大昕推算，陆德明所说癸卯，当指陈后主至德元年的癸卯（公元583年），而不是唐太宗贞观十七年的癸卯（公元643年）。因其卒年，约在贞观之初，若至贞观癸卯犹在，年近九旬，恐已不能著书；且《经典释文》所引先儒之说，亦到梁陈而止，不及周、隋，可证其著述必在陈时[①]。按《旧唐书·陆德明传》谓在陆德明死后，唐太宗看到《经典释文》，颇为嘉许，赐其家束帛二百段。可见其书在唐初即已流行，亦足证钱大昕之说可信。

（二）《经典释文》的内容和体例

陆德明因为经书中的文字，读音的变化最多，所以平日就注意研究诸家注释，采择不同的说法，并参考《苍颉篇》和《尔雅》等古字书，编成这部《经典释文》。他的主要目

---

① 钱大昕说，见《四部丛刊》本《潜研堂文集》卷二十七《跋经典释文》之二。

的，在于考证字音，但也兼及字义的辨释。所注经书为《周易》一卷，《古文尚书》二卷，《毛诗》三卷，《周礼》二卷，《仪礼》一卷，《礼记》四卷，《春秋左氏》（即《左传》）六卷，《春秋公羊》（即《公羊传》）一卷，《春秋穀梁》（即《穀梁传》）一卷，《孝经》一卷，《论语》一卷，《老子》一卷，《庄子》三卷，《尔雅》二卷，再加上第一卷《序录》，共为三十卷。至于他把《老子》《庄子》列入经书之内，而不取《孟子》，则大约是因为陆德明生于陈代，还受着魏晋以来推崇老庄之书的影响；而在北宋以前，《孟子》不列于经书中的缘故。

有人说，因为陆德明是吴人，故所注多吴音，实际并非如此[①]。陆德明编《经典释文》，对诸经本文或注文读音有异的，广采汉魏六朝二百三十余家的音切来注音，博取隋唐以前诸儒的训诂，并考证各本文字的异同；有的参酌自己的意见，加上按语；有的字下面，也列出异体。所取音义，采自某家，一一用姓氏标明。各卷皆摘录单字、单词或一个句子来注释音义。如下列四例：

---

① 说见宋陈振孙《直斋书录解题》卷三。《丛书集成》本44册第76—77页。

卷五《毛诗音义》上《邶风·北门》中“终窭且贫”一句的“窭”字《释文》云：“其矩反，无礼也。《尔雅》云：‘贫也’。按谓贫无可为礼。”

卷六《毛诗音义》中《小雅·宾之初筵》中“威仪反反”一句的“反反”《释文》云：“如字，重慎也。《韩诗》作昄昄，音蒲板反，善貌。”

卷二十六《庄子音义》上《齐物论》中“厉与西施”一句的“厉”字《释文》云：“如字，恶也。李音赖。司马云：病癞。”

卷二《周易音义》的《大有》卦的“亏盈”二字《释文》云：“亏盈，马本作毁盈。”（叶秋按：马本，指马融作传的本子。）

这里第一条先以反切注音，后解字义；又引《尔雅》的“贫也”的训诂，加按语作说明。第二条的“如字”，是说“反反”仍照“反”的原字读音，“重慎”是释义；在解释了《毛诗》的音义之后，又引《韩诗》不同的文字和音义，以供参考。第三条说明“厉”字念原音，作“恶”讲，这是陆德明所取的第一音义；下引李轨的音，司马彪的义，是第二音义。第四条不注音义，乃说明另一种本子文字的异同。

由此可见《经典释文》于经书中的文字，有的只注音，不释义；有的只释义，不注音；有的音义都不注，只是考订、校勘，标明版本的异同；根据每个字的具体情况而异其详略，和普通字书的体例不同。一般地说来，陆德明对较为普通的字，读音没有问题的，即只释其义，不再标音。如卷二十八《庄子音义》下“老聃之役”一句，释文云：“司马云：役，学徒弟子也。《广雅》云：役，使也。”这条就是只列出了两项对字义的解释，未附音切。对意义没有异同的字，就只标音切，不再释义。如卷三十《尔雅音义》下《释虫》的“蟠”字，释文云：“音烦，字或作蠜。”这条于标音之外，仅列出了一个或体，并无字义的解说。至于对文字的注音，则有的用反切，有的标直音，也不一样。

《经典释文》的主要价值在于保存了唐以前经书中文字的音读，为研究古音，提供了一些材料。它所采取诸家的注释，如《庄子》的向秀和司马彪的注，《尔雅》的刘歆、樊光和孙炎等人的注，都已亡佚，由于《经典释文》引用而传下来的一部分，也很可宝贵。今天我们阅读古书，应该重视这一部书而好好地利用。例如读到《诗经·大雅·假乐》的“假乐君子，显显令德”这两句，不知“假”字的音义，查一下《经典释文》，就可以了解“假”音“暇”，作“嘉”讲：这是一般的字书所不载的。

《经典释文》第一卷的《序录》，载陆德明的自序和《条例》《次第》《注解传述人》的说明以及全书的总目。在《条例》中，陆德明指出他对于诸经都是采摘单字来注音，只有《孝经》由于是学童开蒙的书，《老子》又各本不同，所以都特抄全句；又因《老子》和《庄子》研读者少，摘引和注释亦较为详细。在《次第》中，陆德明指出本书排列诸经，以著述的时代早晚为先后次序。在《注解传述人》中，他又把作注解传述诸经的各家一一加以介绍；他注释各书音义，都采用了哪些人的说法，也于此交代清楚。尤其是自序和《条例》，谈到有关文字、音韵的问题，足供参考；《次第》和《注解传述人》两项叙述，涉及经学源流，为研究古代学术史的重要资料，更值得重视。

但《经典释文》虽然很有价值，而且具备字典的效用，却不像一般字典那样便于检查。因为这部书大都从各书的正文或注文中摘取一个或两三个字，列出音义，并非逐字逐句全加注解，也很少抄录全句，看起来不醒目；同时又不依字书的部首、类别或韵部等排列文字，而按各书原篇分别作注；这样，查起来就较为费事了。比如我们要查《诗经·周南·关雎》中的"左右芼之"的"芼"字的读音，应先看《经典释文》卷一的总目，查明第五、六、七卷是“毛诗音义”；根据《诗经》篇目次第，在第五卷卷首找到《周南》的《关雎》篇；再按“左右芼之”这句诗在《关雎》内的先后去查，即可找到“芼”字的注音。

《经典释文》的注解，都据原书的篇目和字句的先后顺序排列；所以要查其他各书的文字，也用同查《诗经》一样的办法。另外，陆德明在注解中还常常指出采用的是哪一家的读音或释义。如《尚书·洛诰》中的“颁”字注云：“音班。徐甫云反；马云犹也。”要是不知道徐、马是谁，查一下卷一《注解传述人》项内《尚书》部分最后的说明，就了解徐是徐邈、马是马融了。陆德明对其他各书，均有这样的说明，查阅时可以类推。

清代修四库全书的馆臣，对《经典释文》是很推崇的。他们评论这部书说：“所采汉魏六朝音切凡二百三十余家，又兼载诸儒之训诂，证各本之异同；后来得以考见古义者，注疏之外，惟赖此书之存；真所谓残膏剩馥，沾溉无穷者也。”[①]清人卢文弨对此亦极力赞扬，他认为这部书是：“辟经训之菑畲，导后人以涂径；洗专己守残之陋，汇博学详说之资；先

① 见《四库全书总目提要》经部五经总义类《经典释文》。

儒之精蕴赖以留，俗本之讹文赖以正；实天地间不可无之书也。”[①]这里的评语，虽都有些揄扬过分，但可见这书是很值得重视的。不过，其中也不免有个别的错误。例如卷六《毛诗音义》中《陈风·墓门》的“讯之”，释文云：“本又作谇，音信。徐息悴反，告也。《韩诗》：讯，谏也。”实际“谇”当“告”讲，“讯”作“问”讲；两个字的形义声音完全不同，并无可通之理。因为六朝人喜欢写草字，把“卒”写成“卆”，就和“卂”字相混。陆德明没有深考细辨，竟以“讯”“谇”为一字，是错误的。又卷十一《礼记音义》一《曲礼》上的“三饭”，释文云：“符晚反，……依字书，食旁作卞，扶万反；食旁作反，符晚反；二字不同，今则混之，故随俗而音此字。”实际“飰”是“饭”的俗体，本为一字，并无两音，陆德明不了解这一点，遂分为二音，并以“饭”字为俗体了[②]。

陆德明在本书的条例中说：“先儒旧音，多不音注。然注既释经，经由注显。若读注不晓，则经义难明。”所以他不仅

① 见抱经堂本《经典释文》第一卷所载卢文弨《重雕经典释文缘起》一文。

② 参考清钱大昕《十驾斋养新录》卷一《陆氏释文谇讯不辨》和卷三的《陆氏释文多俗字》两条。

为经文标音，也为注文标音。他还述及标音的原则，谓：“若典籍常用，会理合时，便即遵承，标之于首。其音堪互用，义可并行；或字有多音，众家别读，苟有所取，靡不毕书。”可见他列在最前面的音切，是他认为常用而正确的音；但他列为首音的，却并不都很恰当。如《周礼·冬官·考工记》：“搏埴之工二。”郑玄注：“搏之言拍也。”释文：“搏，李音团，刘音博。”李轨音团，刘昌宗音博。如读团音，则“搏”右旁从“尃”为是；如读博音，则“搏”字右旁，应从“尃”作“搏”。按郑注“搏之言拍也”，“搏”与“拍”声义近同，字应作“搏”。释文和唐石经“搏”字误作“搏”，陆德明因把团列为第一音，是错的。清儒戴震、钱大昕、阮元，均已指出此点①。

《经典释文》原本，注经文音的，用墨笔写；标注文音的，用朱笔写，以示区别。自刻版印行，只能经注一律，无法分别朱墨。从宋时监本诸经注疏，就把《经典释文》的文字，分附在诸经之末，后来又散附在诸经的注疏之中，往往和注文相混，不易辨别。清乾隆间卢文弨得影宋钞本的《经典释

① 见钱大昕《潜研堂文集》卷二十七《跋经典释文》、阮元《十三经校勘记》的《周礼·冬官·考工记》校勘记。

文》，校勘重刻，收入《抱经堂丛书》，这是《经典释文》单行本最好的本子。商务印书馆《丛书集成》本，即据卢本影印，并附卢氏所作的《考证》三十卷。研究《经典释文》，可用此本。现在通行的注疏本《十三经》，注文后一个圆圈下面所附注的音义，就是陆德明的《经典释文》。

第三节　唐代注释佛经音义的字书及其续作

（一）唐释玄应《一切经音义》

据《魏书·释老志》云汉武帝时张骞通西域，已经听说天竺有浮屠之教。哀帝元寿元年，博士弟子秦景宪曾受大月氏王的使者伊存口授浮屠经[①]。佛教之正式传入我国，则始于东汉，至魏晋南北朝，已经相当兴盛。不仅东晋文人喜谈佛法，南北朝皇帝、贵族，亦多信奉佛教。如南朝梁武帝（萧衍）即以佞佛著称。北魏的太武帝（拓跋焘）最初也曾“归宗佛法，敬重沙门”，嗣因沙门有非法事，而杀僧人，禁佛

① 《魏书·释老志》语，见中华书局本《魏书》第3025、3033页。

法，毁佛寺，但其后佛教仍盛[1]。随着佛教的传播与佛经翻译的增加，在南北朝时，已有了注释佛经音义的著作。如《大唐内典录》著录北齐僧人道慧所撰的《一切经音》，就是这类的书。但此书久已亡佚，不知内容如何。到了唐代，佛教传播更广，如唐高祖（李渊）在亲临太学行释奠礼时，曾听徐文远讲《孝经》；沙门惠乘讲《波若经》；道士刘进喜讲《老子》[2]。释教已与儒、道鼎足而三，僧人作经音的，也就更多起来。像窥基（亦称大乘基）的《妙法莲华经音义》八卷、慧苑的《华严经音义》二卷、云公的《大般涅槃经音义》二卷，是只注释一部经的书；像玄应的《一切经音义》和慧琳的《一切经音义》，是广释群经的书。这后两部书价值较高，应该重视。

按唐释道宣所撰《续高僧传》卷三十《智果传》曾提到有沙门智骞，精通文字，当时的秘书、正字等官员，雠校著作，遇到文义不通时，就向他请教。他曾撰《众经音》，“家藏一本，以为珍璧”[3]。可惜书亦不传。在《智果传》介绍智骞之后，附载数语：“京师沙门玄应者，亦以字学之富，皂素

---

① 《魏书·释老志》语，见中华书局本《魏书》第3025、3033页。

② 见《旧唐书》一八九卷《陆德明传》。

③ 《续高僧传》，据日本大藏经50册引，第704页中下。

所推，通造经音，甚有科据矣。”[①]玄应撰音义，很可能是参考过智骞的《众经音》的。

玄应是唐贞观末长安大慈恩寺的翻经僧，他的《一切经音义》，《新唐书·艺文志》三著录作《大唐众经音义》二十五卷，与今本卷数相同，简称《玄应音义》。书前有终南太一山释氏（即释广宣）序，谓玄应“以贞观末历，勅召参传，综经正纬，资为实录。因译寻阅，捃拾藏经，为之音义。注释训解，援引群籍，证据卓明，焕然可领，结成三袠。”[②]可见此书大约完成于唐太宗贞观之末，是现存的佛经音义中一部最早出的书[③]。

玄应从《华严经》以至《顺正理论》共四百五十四部大小乘经律论中选取词语，加以注释。所选除梵文音译或义译的佛教专门词语之难懂者外，亦取一般的文字音义和较冷僻的字词；因此它兼有佛学词典和普通词典的作用。

全书每卷前，先列本卷注释各经的名目，然后按该经卷次

---

① 《续高僧传》，据日本大藏经50册引，第704页中下。

② 据清庄炘刻本《一切经音义》引。

③ 《一切经音义》之类著作，所收全系词语，而所释不乏单字；既是词典，也是字典。兹因其编制体例略同《经典释文》，故列于《经典释文》之后，未收入词典一章内。古代字书，本不严于字词之分。本书此处归类，即只取一端，为论述之便而安排。

顺序解说；卷中无可注的，即隔过此卷，更注其后卷。注释体例，大约分为三种：第一种是注释词语下一字或上一字的音义，一般都是先标音，后释义；第二种是兼注两字的音义，或对解说中的字，亦标其声；第三种对字词的写法有异的，先辨形体，然后再注音义。这里各举一例如下：

㈠本书卷一　《大方广佛华严经》第五十卷的音义。

船舶　音白。《埤苍》：舶，大船也。《通俗文》：吴船曰艑，晋船曰舶。长二十丈，载六七百人者是也。艑音蒲殄反。

㈡本书卷二　《大般涅槃经》第二十卷的音义。

奎星　口攜反。《尔雅》降娄，奎娄也。李巡曰：降娄，白虎宿也。经文有作金星、太白星，宜从字读。

㈢本书卷四　《观佛三昧海经》第四卷的音义。

疼痹　又作痋、胗二形，同。徒冬反。《广雅》：疼，痛也。下併利反。《说文》：湿痛也。痹不能行也。

这里第一条注释的是所取词语下一字的音义。因为注中的艑字，也较冷僻，故另标其音。第二条注释的是所取词语的下一字的音义。第三条因词语的第一字“疼”有两个异体，故先列举，然后注其音义；对“痹”字的音义，亦一并说明。这三条都各引古籍训诂，以相印证，并加案语，可见它正和古代一般的字书相同。其中大部分以单字释单字，同于《尔雅》《说文》的“×者，×也”的方式。有时单字难于解释，即用复词来说明。如本书卷四《观佛三昧海经》第五卷音义的“捋身”一条云：“力没反。捋，谓揩捋也。”力没，是“捋”的音切，其义一字难明，故说“揩捋也”；“揩”是当时的通语，与“捋”结成复词，较易理解。

《玄应音义》的编次体例，和《经典释文》相似，但音义的注解比《经典释文》详细，正确可取的很多。所引的书，除佛经梵音外，像郑玄的《尚书注》《论语注》，贾逵、服虔的《春秋传注》，李巡、孙炎的《尔雅注》、三家《诗》和《苍颉》《三苍》《通俗文》《声类》《字林》《字苑》等，全是失传的古书；由于玄应的征引，而保存了一部分佚文，为后人研究训诂，考证典籍，提供了宝贵的材料。如清任大椿撰《字林考逸》，孙星衍辑《苍颉篇》，即主要根据玄应这部《一切经音义》而成书。上面所举的“船舶”“奎星”两条，引了服虔的《通俗文》、李巡的《尔雅注》和张揖的《埤苍》，亦足以显示此书引证的一斑。

玄应此书，虽为佛教徒学习释典而编撰，所录一般的文字训诂，却几乎占着全书的一半；而且由于多年来，佛教的词语，如色相、色空、三昧、三界、众生、华鬘、精蓝、浮屠、涅槃、维摩诘等不能备举的许多语词，已经和我们的语言，融合为一，常常用于口头或形诸文字。若干有关佛教的传说故事，也在文学作品中，被当成典故来用。所以翻开这部音义，并不会感到有什么浓厚的宗教色彩。如本书卷二《大般涅槃经》第一卷的音义，有“颇梨”一条，可借以考知今文所说“玻璃”，古时写作“颇梨”；亦足以说明其能作为一部普通古汉语词典来查阅。清末张之洞编《书目答问》，即在经部小学类后，附列本书和慧苑的《华严经音义》，注云：“二书所引古书及字书古本甚多，可资考证。”这也是把《玄应音义》，视为有用的工具书的。

这部书的不足之处是：所注音义，详略不均，有的过于简单；各卷之间，收词失于参照，常常重复。如“囹圄”一词，本书卷一《华严经》五十五卷的音义中已收，卷二《涅槃经》二卷的音义中又出；“贫窭”一词，本书卷一《华严经》十二卷的音义中已收，卷十二《达摩多罗禅经》上卷音义中又出；音义都大致相同。可见其编撰之粗疏，体例之未善；和正规的字典、词典比，还有较大的距离。

《玄应音义》较好的本子是清乾隆年间武进庄炘据南藏本

刊行的一部，注内有庄炘、钱坫、洪亮吉、孙星衍等人的校语。如前面所举“擎彼”一例后面括号内“亮吉曰”以下的文字，就是洪亮吉的校语。道光末年刊行的《海山仙馆丛书》本，系据庄本覆刻，而有脱误。如卷一的《华严经》部分，即脱落了庄本的五十四、五十五、五十六、五十八共四卷的音义。另外，孙星衍还撰有《一切经音义校正》一书，考订《玄应音义》中的错误，可以参阅。

（二）唐释慧琳《一切经音义》

唐释慧琳《一切经音义》，一名《大藏音义》，简称《慧琳音义》，一百卷。本书卷首有唐处士顾齐之和试太常寺奉礼郎景审的序各一篇，其中叙述慧琳的生平，与宋释赞宁等所撰《宋高僧传》卷五《唐京师西明寺慧琳传》内容略同。慧琳姓裴，西域疏勒国人，是印度不空法师的弟子，兼精印度和中国的文字声韵之学，景审说他：“内精密教，入于总持之门；外究墨流，研乎文字之粹。印度声明之妙，支那音韵之精，既瓶受于先师，亦泉泻于后学。”[①]即指出了他贯通儒

① 景审语，见日本大藏经五十四册第311—312页慧琳《一切经音义》卷一的《一切经音义序》。顾齐之序，同见此页。

释，与文字音韵的师承授受关系。只是景审称慧琳为大兴善寺慧琳法师，《宋高僧传》则称唐京师西明寺慧琳；是否因先后驻锡之地不同而异其称，不得而知。又据景审序云慧琳从唐德宗建中末年（公元783年）开始编撰这部音义，到宪宗元和二年（公元807年）编完；《宋高僧传》则谓慧琳从德宗贞元四年（公元788年）动笔，至元和五年（公元810年）脱稿；成书年代，亦有出入，不过都足以说明这书是慧琳费了二十余年的工夫才编成的。

玄应的《一切经音义》、慧苑的《华严经音义》，都编入了《开元释教录》。慧琳的音义，主要是为了补充这两部书而作。他选释词语的佛经，从《大般若经》到《护命放生法》共一千三百部，五千七百余卷，约六十万言。其中的《楞伽阿跋多罗宝经》《大灌顶经》《法华论》三部经的音义，系就玄应所撰重订；《大般涅槃经》音义，为云公音义之删补；《妙法莲华经》音义，乃窥基解释之加工；《大方广佛华严经》音义，即慧苑原作之转录。另有三百多部经，仍录玄应的音义；一百多部经，只有书名而无音义。此外诸经的音义，即皆为慧琳所撰。这部书包罗甚广，是现存的佛经音义中一部集大成的内容最丰富的著作。

慧琳编这部音义，主要根据《说文》《字林》《玉篇》《字统》《古今正字》《文字典说》《开元文字音义》这七部字书来释义；参照《韵诠》《韵英》《考声切韵》等书来取音；并常于解说之末，辨释文字形体。字书、韵书所未备的，即广泛地征引经传为证；有时还结合当时的语言来说明，如下例：

卷八十二，《西域记》第三卷的音义。

确不从命　上苦角反，《易·系辞》：确，坚也。《埤苍》从土作塙。《文字典说》从石，从搉省声。搉音角。

卷七十三，《舍利弗阿毗昙论》第十四卷的音义。

癣疱　又作𤺿，同；私浅反。《字林》；干疡也。案有干湿两种。《释名》：癣，徙也。移徙渐大也。故青、徐谓癣为徙也。

这两条都是先注音切，然后引书来证释字义，和《玄应音义》体例相同。上一条末尾以《文字典说》对“确”字形体的解说，指出它是形声字；下一条后面用青、徐一带通用语指出“癣”与“徙”为一音之转，对文字音义的解说是非常精密的。

《慧琳音义》不仅包括并补充了以前各家佛经音义的内容，而且更广泛地征引了各种古籍。许多失传的古字书、韵书，因此而保存下一些材料。如引《说文》，往往是声义兼载，有的字为今本所无，足以补缺纠谬；引《玉篇》多取顾野王案语，可和今本参校异同。像秦李斯的《苍颉篇》、汉人所编《三苍》、服虔的《通俗文》、魏张揖的《埤苍》与《古今字诂》、李登的《声类》、晋葛洪的《字苑》、吕静的《韵集》、南朝宋何承天的《纂文》、梁阮孝绪的《文字集略》、北魏阳承庆的《字统》、北齐颜之推的《证俗音》、佚名的《字书》等，亦常为慧琳用作注音释义和辨别字形的依据。如本书卷二十《宝星经》第四卷的音义“一磔手”一条引《古今正字》；同卷“有匲”一条引《人伦龟镜》；两书之名，隋唐经籍、艺文志皆不载。本书卷二《大般若波罗蜜多经》第一百八十一卷的音义“风狂”一条引阳承庆《字统序》云：“虫因风生，故风字有虫。”《字统序》引者亦少。又本书二十五卷《大般涅槃经》第八卷的音义“金篦”一条据荀楷《诰幼文》以订正“篦”的字形。按《隋书·经籍志》一著录《证俗音字略》六卷，下有小注云：“梁有《诂幼》六卷，颜延之撰；《广诂幼》一卷，宋给事中荀楷撰，亡。”《慧琳音义》所引荀楷《诰幼文》，当即《隋书》所载之《广诂幼》。诰幼、诂幼，虽皆可通；作为启蒙之意，似诰幼更恰当一些。

此外，《慧琳音义》所引，如汉包咸的《论语》注、郑众的《考工记》注、贾逵和服虔的《春秋传》注、许慎的《淮南子》注、贾逵的《国语》注、李巡和三国魏孙炎的《尔雅》注、晋司马彪的《庄子》注等已佚的古书注释，也很可宝贵。如本书卷一《大唐三教圣教序》音义的"东域"一条，即引刘熙的《孟子注》；同卷同篇的"波涛"一条，即引许慎的《淮南子注》。在古代辞书中，征引古籍的种类之多，保存佚文的内容之丰富，是没有超过这部《慧琳音义》的了。所以景审称赞它说："浩然如海，吞众流以成深；皎兮若镜，照群物以无倦。"[①]即指其包举广泛、解说完备而言。近人杨守敬认为这部书"诚小学之渊薮，艺林之鸿宝"[②]；则是从它阐释古书文字音读、训诂的作用和保存旧籍佚文这两方面来说的。近人丁福保编《佛学大辞典》，解说多据此书，亦足以见其功用。

---

① 景审语，见日本大藏经五十四册第311—312页慧琳《一切经音义》卷一的《一切经音义序》。顾齐之序，同见此页。

② 杨守敬语，见《日本访书志》。

继《玄应音义》和《慧琳音义》这两部书之后编撰的佛经音义，是辽时成书的《续一切经音义》。

（三）辽释希麟《续一切经音义》

《续一切经音义》十卷，辽释希麟撰，为增补《慧琳音义》而作。本书卷首有希麟的自序，题燕京崇仁寺沙门希麟集。大约撰于宋太宗雍熙年间。所选词语的佛经，从《大乘理趣六波罗蜜多经》到《续开元释教录》，共二百六十六卷。

本书解释文字，先音后义；先引字书、韵书，后征经史与其他古籍，体制全仿《慧琳音义》。从下列一例中，即可看出。

卷二，《新华严经》第二十二卷的音义。

> 惛寐　上呼昆反；《考声》云：不明也。《字林》又音呼困反，昧也。经文单作昏。《尔雅》云：昏，强也；《切韵》曰：暮也；非此用。下民致反。《玉篇》：寝卧也。《孝经》曰：夙兴夜寐。《说文》从㝱省声也。（叶秋案今本《说文》作“从㝱省，未声。”）

这一条对于“惛”字，除说明其音义外，还列有经文的借字“晉”，指出它和《尔雅》《切韵》等书用法的不同；这可以见到这部书在解释佛经、辨析文字训诂方面的作用。至于所引《考声》《字林》等书的佚文，则也和前面两部音义书中的许多引证一样，是辑补失传古籍的重要材料。

慧琳的《一切经音义》在晚唐五代之间曾一度失传，宋初北方尚有其书，故希麟能在辽的燕京见到而据以增补音义。明天顺年间高丽人曾在我国得到这部书和希麟的《续一切经音义》而刻版，清乾隆初年日本也有了翻刻本，但当时清人并没见到。如庄炘在玄应的《一切经音义》的序言中提到《慧琳音义》，即认为已经失传。直到光绪初中日通使时，高丽和日本的刻本流传到中国来，大家才知道有这一部书。

这部书，现在通行的是日本的《大正新修大藏经》本（见五十四卷，后列《续一切经音义》）和单行本，还有近人丁福保的排印本。

陆德明的《经典释文》和玄应、慧琳、希麟等的三种《一切经音义》全是对研究古文字训诂，很有参考价值的书；就性质说，可以属于字典（或词典）一类；但从形式看，却不能算作字典（或词典）。因为它们的以书为单位来收辑字词的办法，造成了共同的缺点；把它们当作字典来用，非常不便于检查。1936年，北京大学研究院文史部曾在沈兼士的指导下编印过一部《慧琳一切经音义引用书索引》共五册，由商务印书馆出版。这部书把《慧琳音义》和希麟续作中所引各种书说分别汇列其目，按笔画多少为先后次第，并注出音义内的条目、卷数、页数和众经的卷数。如果我们想查这两部书中所引的某书材料，利用这个索引，就能很容易地一一找到。可是要想像查字典一样地查找字词，这种引书索引，还是不能适用；必须根据字头，按音序、部首、笔画或四角号码等另编新的索引，附于每书之后，才能使这几部古音义书更好地为现代的读者服务。

第四节　宋元《说文解字》派字典的发展与演变

（一）《说文解字》的发展——《类篇》

宋代的字典，大致可分为三种：第一种是楷书字典，沿用《说文解字》的部首而小加改变的，如《类篇》；实际是继承《玉篇》的传统，以讲音义为主。第二种是篆书字典，打破《说文解字》的部首，而另立门类的，如《六书故》，虽讲六书，却取钟鼎文字，不再以小篆为主。第三种是标新立异，专门以义释字的，如《字说》；附托经义，不顾六书，异于一般的字典。这里的第一种，最切实用，后代的字典，多继此而发展。第三种不过昙花一现，随时势的变迁而瞬即消亡。元代几部较著名的字典，如《六书统》《六书正讹》等，则也像《六书故》一样，是《说文解字》革新派的著作。这些字典的出现，显示了宋元以来六书学的演变。

《类篇》旧题为司马光撰，书中说解内，也有司马光的案语。如“鸟”部“凤”字的说解中，即有“臣光按”的字样。但据书后面的跋语看，实际是王洙、胡宿、张次立、范镇等人相继修纂的。后来因范镇去陈州做官，于是又由司马光接替了这个工作。当时书已完成，不过由司马光整理，然后献给皇帝而已。书从宋仁宗宝元二年（公元1039年）开始修纂，至宋英宗治平三年（公元1066年）方才完成。因为丁度等编撰《集韵》，增字很多，与《玉篇》不相参协，所以分出一部分韵字，另编《类篇》。虽然《集韵》是韵书，《类篇》是字书；但《类篇》和《集韵》却是相辅而行的。

《类篇》本为十四篇，加目录一篇，共十五篇；由于每篇各分上中下，故亦称四十五卷。它的分部，以及各部的排列顺序，完全依照《说文解字》，仅第八卷中“重”字以下次序小变，把“卧”“身”“**月**”三个和“人”有关的字排在一起，把“衣”“裘”两字也集于一处；是不同于《说文解字》

的地方。此外，由于“艸”“食”“木”“水”四部各分上下，所以比《说文解字》多出四部。但部首仍为五百四十，并未增加。又全书总目附于卷末，亦系仿许慎之体例。

《类篇》卷首有一篇序言，指出了它编辑的凡例一共是九项：（1）凡是同音而异形的字，分别收入两部。如“㕯”和“呐”虽都作说话困难讲，但形体不同，所以“呐”入口部，而把“㕯”另作一个部首。（2）凡是同意而异声的字，则只收入一部。如“天”字一音他年切，一音铁因切，不在一个韵部，也只收入“一”部，不再两见。（3）凡是分部的意义不可知的字，即仍《说文解字》之旧，不加改动。如“莊”字的古文作“𦾏”，不知形体作何解释，即仍附在“艸”部“莊”字的下面。（4）凡是今字改变了《说文解字》的部首而另有意义的，即按今字部首分部，不从许慎。如“雰”字本是“氛”的另一种写法，《说文解字》收入“气”部的“氛”字下面，只当“祥气”讲；《类篇》因为《诗传》还有“雪皃”的解释，就从今字偏旁，收入“雨”部。（5）凡是今字改变《说文解字》的部首，而丧失了原来形体的意义的，即仍从《说文解字》。如“無”字本在“林”部，《说文解字》作“丰”讲，是树木蕃茂的意思，这并不是有無的“無”字，所以《类篇》仍把这字收入“林”部，写作“橆”，而另把有無的“[illegible]”字收入“亼”部。（6）凡是后出的异体字，没有根据的，即附在本字之下，不另行标出。如“兲”是“天”的异体，《说文解字》不载，《类篇》即附之于“一”部“天”字之下。（7）凡是假借甲字作乙字，形体传写讹误的，都加以说明。如“鸟”部“[illegible]”字是“凤”字的古文，很早就引申假借作朋党的“朋”字，“朋”就是“[illegible]”的形体的传写之误。（8）凡《集韵》所遗漏的字，全都收入。如把“邑”加上“𨙨”，另立“𨛜”部，即为《集韵》所未有。（9）凡是無部可归的，就以类相聚放在一起。如“[illegible]”是桑实，形体并不从“叒”，但却和“桑”有关，因此收入“叒”部。

由以上的条例看，《类篇》编者的态度是比较慎重的，并不故意标新立异，自己不能解释，也就不强作解释；而且相当重视文字的通行的用法，并不一味泥古；一般说来，它的体例也比较谨严，像《集韵》所收的杂滥的重文就都没收入，这是可取的。它一方面继承《说文解字》和《玉篇》的系统，着重于探讨字原，讲古音古训，阐明古今文字形体之变，为研究文字的人提供参考资料；一方面也相当丰富地吸收了由于时代社会的发展而孳乳产生的新字，这又是对一般读者很有用处的。它的全部字数是三万一千三百一十九字，增加的新字，约为《玉篇》的二分之一。

《类篇》在每个部首之前，都先排列《说文解字》对这个部首的全部解释，然后再对本部中的文字，加以解说。每个字全先用反切注音，随后释义。它像《玉篇》一样，以音义为重，并不逐字都分析形体构造；但文字有异体的，还都注在本字下面，有时亦附列篆文；文字的异义和异读，则在解字义之后再作说明。例如“口”部的“吝”字下面即列有“吆巛”“𠮙”“咯”“啫”四个异体；“君”字下面，列有两个篆文。又“蹻”字的说解云：

> 蹻　牵幺切，举足。又渠嬌切，又丘妖切，又举夭切。《尔雅》：蹻蹻，憍也。又拘玉切，山行所乘，以铁如椎，施之履下。又迄却切，《方言》：踫也。山之车曰蹻。一曰燥踫皃。又讫约切，《说文》：举足行高也。引《诗》小子蹻蹻。又极虐切。

这里列出好几个异音异义，补充了《说文解字》和《玉篇》所无的内容，对读者是有帮助的，引证也不失为简明。

但这部书虽有一定的实用价值，却仍然不能算是一部通俗的字典。像“蚆”之类冷僻的字，实际没有什么必要收入书内，“無”从“林”作“丰”解，也早已不适用，无须再去辨别它。

《类篇》通行的是《楝亭五种》本和姚觐元据楝亭本重刻的“姚刊三韵”本。

（二）《说文解字》的演变——《六书故》及其他

《六书故》宋戴侗撰。侗字仲达，永嘉人，是宋理宗淳祐年间的进士，由国子监簿，守台州。在宋恭帝德祐初年，由秘书郎迁军器少监，称病未到官，不知所终[①]，但看今本《六书故》卷首的赵凤仪序言，可以知道这部书刻于元仁宗延祐七年（公元1320年）。以此清儒辑《元艺文志》，即把《六书故》列入。其实即使戴侗元初尚存，也还是应该算作宋人的。

《六书故》共三十三卷，分为“数”“天文”“地理”“人”“动物”“植物”“工事”“杂”“疑”等九部，又分为四百七十九个细目。前七部收和这几项事物有关的字；不能收入这七部内的，就归于“杂”部；“疑”部所收是对形体有所怀疑的字。每部中文字，复按指事、象形、会意、转注、谐声、假借等六书分别排列；对有所怀疑的字，即标出“某之疑”。《六书故》的分部，完全打破了《说文解字》的部首和“据形系联”的排列顺序，倒有些像类书的分部

① 见《四库全书总目提要》经部小学类二《六书故》。

办法。戴侗编这部书的意图，主要是要以六书来阐释字义。他认为只要明了字义，就能贯通群籍，甚至对于天地间的一切事物，亦可无不通晓。他把六书和字义的作用如此夸大，正显示出他的迂腐。因此，他编的这部字典，存在着牵强附会、厚古薄今的毛病。

本来《玉篇》《类篇》的编辑方法，较《说文解字》已有了一些改进，以楷书代替小篆，更是符合时代的要求的。但戴侗却说《说文解字》“部居杂淆”“本末离散”；攻击许慎采用小篆作本字是只求笔势整齐，增损点画，移易位置，使人不知制字之本；于是他编字典不用楷体为本字，也不用小篆，而用钟鼎文字。可是钟鼎文字，并非字字都有，没有的字，还得以小篆补足，这已自乱其例。同时，他虽自负研究六书有三十年的功力，实际正如元吾丘衍在《学古编》中所说：“不能精究经典古字，乃以近世差误等字，引作正据。”[①]这种错误，确实是书中所存在的。他对于文字的说解，既用楷书，却偏偏以篆书的笔画来写，如把“四”写作“亖”，“卷”写作“𢍏”，“借”写作“㫺”，弄得成了四不像。所以《四库全书总目提要》也指出这是“非今非古，颇

① 《学古编》据《学津讨原》第十五集所收本引。

碍施行”[①]。再加上这种带篆意的楷书字经过辗转传刻，更容易产生错误，所以书中就有不少笔画讹脱不好辨认的字。这也增加了一般读者查阅的困难。

戴侗很自负，他觉得自己的《六书故》的分部办法，是做到了“方以类聚，物以群分”，引证注释也能够“简而不遗，繁而不乱”。实际是不按部首分部，检查之际，更加费事，必须一个字一个字地去找；而他的说解，有时亦不免芜杂。但总的说来，戴侗于文字训诂之学，还是有些独到的见解的。本书卷首的《六书通释》、自序和目录后面的说明，都表现了他对六书的看法。他很重视文字的声音，他说：“夫文生于声者也，有声而后形之以文；义与声俱立，非生于文也。”他认为“文字之用，莫博于谐声”，研究文字，也应该“因声以求义”。他论假借之义，说前人以“令”“长”为假借，而不知两字皆由本义而生，并非外假；像“韦”本为违背之意，借为韦革之韦；“豆”本为俎豆，借为豆麦之豆，这才是假借字。他指出：“所谓假借者，义无所因，特借其声，然后谓之假借。”这些见解，都很有道理，说得相当透辟。书中对文字的注释，有的也考证精详，为以前的字书所未

① 见《四库全书总目提要》经部小学类二《六书故》。

有。如“工事”部五“干”字的说解云：

干𢆉，古寒切。𢆉，盾也。所用以扞御兵刃也。象形。（《说文》曰：犯也。从反入，从一。）《书》曰：称尔戈，比尔干。战者执干自蔽以前犯敌，故因之为干冒、干犯。《书》曰：干先王之诛。《传》曰：干国之纪；曰：天为刚德，犹不干旹；曰：弗能教训，使干天命。（后人不晓此义，加女为奸。《传》曰：子父不奸之谓礼；曰：事不奸矣；曰：奸先王之礼；曰：奸绝我好。陆氏皆音干。奸乃姦之别文。）《孟子》曰：以食牛干秦穆公。亦缘此义。（今人缘此有干求、干请之语。）又借为河干、江干之干。《易》曰：鸿渐于干。（陆氏曰：水畔也。郑氏曰：水旁故停水处。）《诗》云：置之河之干。（毛氏曰：厓也。）又曰：秩秩斯干。（毛氏曰：涧也。按干，厈也。以为涧者非。）干，所以扞也。故扞御亦单作干，户旰切。《诗》云：公侯干城。《传》曰：扞城其民，通作扞。（又作䩐）[1]

---

[1] 《六书故》此段文中所谓《传》，是指《左传》；又其中加括号的，系原文用双行小字夹注者。

这里引证古书，对“干”字的本义和引伸用法，都解释得很完备，是可取的。因此，我们说这部书虽有缺点，但它的价值也不应一笔抹煞。作为研究古代文字训诂的工具，它还是有一定的用处的。

《六书故》有明刻本、清乾隆时李鼎元刻本、同治时《小学汇函》本等。

除去戴侗的《六书故》外，这类著作还有元杨桓的《六书统》和《六书溯源》、周伯琦的《说文字原》和《六书正讹》、元明间赵㧑谦的《六书本义》以及明人魏校的《六书精蕴》等，都是试图变革《说文解字》的字书。《六书统》的编撰宗旨，是要以六书统帅文字，以古文大篆和钟鼎文字，校正小篆的传写之讹；所以先列古文大篆，次列钟鼎文，而以小篆附后。它用六书解说文字，变例甚多，不免纷纭杂乱；而且据篆法来要求隶楷行草的形体，也行不通。《六书溯源》则专收《说文解字》所无之字或附见于重文的字，以意为篆，改动甚多，不免穿凿附会。《说文字原》意在推究造字的本义，把《说文解字》的五百四十部首，增删各十七部，改字四部，变更其点画音训甚多，不免武断牵强。《六书正讹》仍以小篆为主，注明隶作某，俗作某，以辨是非；重点亦在校正传写的谬误，有的仍本《说文解字》，有的出于己说；往往优劣互见。《六书本义》于象形、指事、会意、形声、转注、假借六书外，复列形兼意、形兼声、事兼声、声兼义四种，以推究文字的孳乳、六书的本原，训释引证，尚称周密，是这类字书较好的一部。至于《六书精蕴》，则标新立异，发展得更为严重，自郐以下，愈少可取。清代修《四库全书》的馆臣，在论及杨桓的《六书溯源》时说："盖字学至元明诸人，多改汉以来所传篆书，使就己见，几于人人可以造字。戴侗导其流，周伯琦扬其波，犹间有可采，未为太甚。至桓与魏校，而横溢旁决，矫诬尤甚，是固宜宣诸戒律，以杜变乱之源者矣。"①这里的后两句话，说得似稍过头，前面的评论，还是中肯的。因为《六书故》这类书，虽似革新，实为复古；就文字学的研究说，徒增纷乱，没有多大的学术价值，和后来据出土的实物如甲骨、钟鼎等的文字以校正《说文解字》形义的，不是一回事。就字书的编撰说，不从楷体，仍录篆书，不适于读书查字的实用，只能表明在中国字书发展史中，有此一支流而已。

---

① 见《四库全书总目提要》经部小学类存目一《六书溯源》。

（三）宋代标新的字书——《字说》及其他

在宋代字书中，不顾《说文》《尔雅》的传统，随意释字的著作是《字说》，这部书出于北宋的大政治家和大文学家王安石之手。据宋章如愚《山堂考索》所引宋淳熙间成书的《中兴馆阁书目》和元人所编《宋史·艺文志》一经部小学类，皆著录王安石《字说》二十四卷①。宋晁公武《郡斋读书志》和马端临《文献通考》则都说《字说》是二十卷，与马端临所引王安石自序中述及之卷数相同②。

《字说》是王安石晚年闲居金陵时所作，他要把天地万物之理，寓于此书，和《易》理相阐发。自序谓文者奇耦刚柔杂比以相承，如天地之文，故谓之文；字者始于一，一而生于无穷，如母之字子，故谓之字。他认为文字的声音、形体都有意义，出于自然，与伏羲八卦，经周文王演为六十四，是异用而

---

① 见商务印书馆1957年排印本《宋史·艺文志·补·附编》第32页和第503页。

② 晁公武《昭德先生郡斋读书志》卷一下《字说》二十卷："右皇朝王安石介甫撰。蔡卞谓介甫晚年闲居金陵，以天地万物之理，著为此书，与《易》相表里云。而元祐中言者指其杂糅释老，穿凿破碎，聋瞽学者，特禁绝之。"《四部丛刊》三编本卷一下第16页。马端临《文献通考》卷一百九十《经籍》十七。商务印书馆《十通》本第1613—1614页。

同制；许慎《说文》于书意时有所悟，而记叙不完备，又多舛误，故撰《字说》二十卷，附经义以推论之①。

王安石从他释字的原则出发，对于文字，不管其原来取形还是取声，皆就义立说，遂多主观唯心之论。所以宋人于《字说》颇有微词，如叶梦得即曾指出王氏见字有多义，因一概以义释之，不问六书，每至于穿凿附会②。王安石的学生陆佃撰《尔雅新义》和《埤雅》，常引《字说》。如《埤雅·释鱼》的“蟾蜍”一条：

> 又俗说蝦蟆怀土，虽取以置远郊，一夕复还其所。《字说》云：“虽或遐之，常慕而反。”③

陆佃用《字说》的“虽或遐之，常慕而反”，作为“蝦蟆怀土”的依据。王氏以“遐”说“蝦”，当系取其同音为训，实在牵强。陈振孙在其《直斋书录解题》中评论《尔雅新义》，谓陆佃此作大率不出王氏之学（即指《字说》），等

---

① 王安石自序，见《文献通考》卷一百九十《经籍》十七《字说》的提要。

② 叶梦得说，亦据《文献通考》引，卷数同本书第170页注②。

③ 据《丛书集成》本《埤雅》引，1171册第35页。

于戏笑之语，是玩物丧志[①]。可见他对《字说》也是很不满的。

《字说》在宋代，曾流行一时。哲宗元祐中废新政，这部书也遭到非议而被禁绝。绍圣间又用以程试诸生，不久复废，书已不传。宋唐耜尝集诸家对《字说》的解释，撰《字说解》（亦称《字说集解》《唐氏字说解》）一百二十卷，于书中的用事，注明了出处。另有不著撰人的《字说偏旁音释》一卷，《字说叠解备检》一卷，皆为《字说》而作，与唐耜之书，亦俱久佚。但《文献通考》既引《字说》的王安石自序，足证其书在宋末元初犹存，后始散失。

宋代的字书，大致如上述三种。像郭忠恕的《汗简》，为古文字的汇编；薛尚功的《历代钟鼎彝器款识法帖》，应属于金石著录一类，都不能算作字典，故不置论。

---

① 陈振孙语，见《直斋书录解题》卷三小学类《尔雅新义》。《丛书集成》44册第83页。

第五节　宋代《尔雅》派词典的发展

（一）陆佃《埤雅》

宋代的词典，仍沿《尔雅》的系统，补充内容，增详解释。随着时代文化的发展，自然是词语名物较前益多。其特点是除去谈训诂、考故实之外，还常常结合常识，加上实地调查，来对事物做出说明。陆佃的《埤雅》和罗愿的《尔雅翼》于此有共同之处，也各具所长。

《埤雅》，陆佃撰，二十卷。佃字农师，宋越州山阴人，家贫而能苦学，夜无灯火，映月光读书，受经学于王安石，擢熙宁甲科，补国子监直讲，而不附安石的新法。学识渊博，所著除《埤雅》和《尔雅新义》外，还有《礼象》《春秋后传》《鹖冠子注》《陶山集》等。

《埤雅》卷首，有陆佃的儿子陆宰于宣和七年（公元1125年）写的序文，说陆佃对于鸟兽草木虫鱼，有丰富的知识，作过《诗讲义》和《尔雅注》。此书本称《物性门类》，曾先以释鱼、释木二篇，献给神宗皇帝，未及完成再上而神宗死，陆佃也去做外官。在注毕《尔雅》之后，续撰此书，更名《埤雅》，取为《尔雅》之辅的意思。陆宰提到陆佃在编《埤雅》时，除去博考群书之外，曾向“严父、牧夫、百工技艺下至舆台皂隶”，多方面地访问考察，“苟有所闻，必加试验，然后记录”的；可见他对所释的鸟兽虫鱼草木等，还做过一些调查研究工作，这部书是他费了许多年的工夫才编好的。现在《诗讲义》和《尔雅注》等都已亡佚。陆佃的书，只《尔雅新义》和《埤雅》流传下来。《陶山集》有清人的辑本。

今本《埤雅》分释鱼二卷、三十章，释兽三卷、四十四章，释鸟四卷、六十章，释虫二卷、四十章，释马一卷、十五章，释木二卷、三十一章，释草四卷、六十四章，释天二卷、十三章。共为八类、二十卷、二百九十七章。释天之末注“后缺”二字，知已有脱佚，并非完书。书中对所举各种动植物的形状、特点、性能都有很具体的解释，除去引书考证之外，还参以通俗的说法，并且也像《释名》一样，注意探求其得名的所以然。如《释兽》卷三的“豺”字，注解说：

《释兽》曰：豺，狗足。豺似狗而长尾白颊，高前广后，其色黄。季秋取兽，四面陈之，以祀其先。世谓之豺祭兽。故先王候之以田。《礼记》所谓豺祭兽然后田猎是也。《诗》曰：取彼谮人，投畀豺虎……汉律：捕虎一，购钱三千；捕豺一，购钱百。豺虎皆害物之尤者，故《诗》并言之。俗云：豺群噬虎，言其健猛且众，可以窘虎也。又曰：瘦如豺。豺，柴也。豺体细瘦，故谓之豺。棘人骨立，谓之柴。毁义取诸此……

这一条先由豺的形状、习性，谈到古代和豺有关的田猎制度；然后引《诗》《礼》与汉律，说明豺与虎都是“害物之尤者”，并述俗说以证之；后面又以“柴”字来解释“豺”得名的由来。“柴”和“豺”是同音字，这也是用“音训”的方法来说词义的。又《释兽》卷五的“羝”字，注解说：“羝性好觝突，故从抵省。字从抵省，音从低者，以低其角，然后能觝突故也。”这又是从文字形体和声音两方面来解释“羝”得名的所以然的。

陆佃因受王安石学术的影响，不仅在《埤雅》中常常引用王安石的《字说》，他自己的解释，也有时不免于穿凿附会。如《释鱼》内说“龙”的一条云：“今相家说龙，人臣得其一体，当至公相。曾公亮得龙之脊，王安石得龙之睛。”这更是迷信荒唐之言。引书不说出处，也是一个缺点。但这书征引甚博，不仅保存了宋以前的许多文字古义；而且解释诸物，能结合旧说，参以作者自己目睹的经验之谈；可当作阅读经书的参考材料，也可以当作古代的一部动植物词典看。

《埤雅》通行的是明郎奎金《五雅全书》本，商务印书馆《丛书集成》本，即据此影印。

（二）罗愿《尔雅翼》

《尔雅翼》，罗愿撰，三十二卷。罗愿字端良，宋徽州歙县人，是罗汝楫的第五子，孝宗乾道二年（公元1166年）进士，曾做过鄂州知州，博学好古，为文宗法秦汉，高雅精练，为朱熹所推重。所著除《尔雅翼》外，有小集七卷。事迹附见《宋史·罗汝楫传》。

这部书的卷首，有罗愿的自序，用韵语写成。王应麟也仿照他的体裁，作序一篇列后。卷末还有方回和元延祐七年（公元1320年）洪焱祖的跋语各一篇。根据自序中的“惟宋十一世淳熙改元，罗子次《尔雅翼》，定著五万余言”这两句话和方回的跋语，知本书于宋孝宗淳熙元年（公元1174年）完成。但当时并未刊行，到宋度宗咸淳六年（公元1270年）王应麟做徽州郡守时，才刻版行世。至元初，版已散失。嗣徽州郡守朱霁寻得墨本重刊，因为书中难字很多，就请洪焱祖为作音释，附于每卷之末。旧本的讹误，也得到了校正。现在的通行本《尔雅翼》，就附有洪焱祖的音释。

《尔雅翼》命名的意思是作《尔雅》的羽翼，与《尔雅》并行于世。全书共有释草八卷，释木四卷，释鸟五卷，释兽六卷，释虫四卷，释鱼五卷。对所举之物，大都证释甚详；所以王应麟为这书作序，称赞它："即物精思，体用相涵，本末靡遗"；《四库全书总目提要》也说："其书考据精博，而体例谨严，在陆佃《埤雅》之上。"这些话倒还不是溢美之词。书中各条，一般都谈得源源本本，一方面征引古书、故实；一方面结合文字训诂和常识加以阐释；如《释草》的"黍""稷""稻""粱"等条，内容就都很充实。但这几条，原文过长，不便移录；兹另抄《释木》的"荼"字一条于下：

茶　今人饮茶，未知所始。《释木》云："槚，苦荼。"郭璞云："树小似栀子，冬生叶，可煮作羹饮。今呼早采者为荼，晚采者为茗，一名荈。蜀人名之苦荼。"然则古盖用之矣。《埤苍》作搽，今通谓之茶，荼、茶声近。（《春秋》齐君荼，《汉·地理志》荼陵，陆、颜皆入茶音。）《茶经》曰："茶者，南方嘉木，木如瓜芦，叶如栀子，花如白蔷薇，实如栟榈，蒂如丁香，根如胡桃。其名一曰茶、二曰檟、三曰蔎、四曰茗、五曰荈。”又曰：茶之别者有枳壳、枸杞、枇杷、皂荚、槐、柳、芽，上春摘其芽和茶作之。故今南人输官茶，往往杂以众叶。（山中草木芽叶皆可入，椿、柿尤奇。《唐风》：“山有栲。”陆玑疏云：“山樗，吴人以其叶为茗。”《南越志》：“龙川县有皋芦，叶似茗，南人煮为饮。一名瓜芦。”）

这条既引书证，从文字音义方面说明了“荼”与“茶”的关系，介绍了“茶”的形状、名称、别种等；又结合常识，作了补充解释。可见这部书不仅对研究古书训诂有用，而且还能给人以多方面的知识。

总起来说，《尔稚翼》和《埤雅》，显示《尔雅》派词书的进化之处，主要在于：一、解释详明，不再像《尔雅》《广雅》那样简略；二、古今互用，名实结合，虽有引证，亦谈经验。它们之所以不再罗列古籍训诂，以解说一般的语词，如《尔雅》的释诂、释言、释训那样；而只谈鸟兽、虫鱼、草木，亦表明其偏重于考释生活中常见的东西。不过《尔雅翼》的内容，亦往往真伪参半，言出无稽。如关于“猩猩”“狒狒”的解释，即多采传说，不合实际。至于“穷奇”“梼杌”“饕餮”等，不过见于《山海经》等古书，语涉神怪，更非实有之物。列入这类名目，不免降低了本书的征实价值。

《尔雅翼》通行的是《学津讨原》本、洪氏《晦木斋丛书》本、《格致丛书》本等。商务印书馆《丛书集成》本，系据《学津讨原》排印。

在中国字书发展史中，唐代是一个建设开创时期，不仅有了百卷的《字海》和三百六十卷的《韵海镜源》，篇幅空前巨大；而且适应时势的需要，编出《经典释文》和《一切经音义》这样专门集释经典的字书，开创新例，为后人导了先路。“字样”书之辨正文字形体，对六朝以来复杂的异体、别字，也起了一番整理统一的作用，带有总结的性质。宋元以降，发展相承，除去沿《说文》《尔雅》的系统，继续编撰字典、词典，而在内容与体例方面有所改进外，还出现了多种多样的著作，显示了中国字书的发展；而《类篇》这种渐重实用的字典，对后来的影响较大，明人的《字汇》就是由此演进而产生的。

第五章　字书的进化与兴盛期　明·清

第一节　《说文解字》派字典的进化

（一）明梅膺祚《字汇》

明清两代，是我国字书的进化与兴盛期。明代的字书，从实用方面说，比以前的字书，有了较大的进步：一般字典的编排体例，显见革新，尤以《字汇》为具有独创性的成就。方言俗语词典，扩大了采辑的范围，亦具特色。至清代的二百余年间，字书的编撰，又不断地向前发展：首先应该提到《康熙字典》，它继承旧传统，而改善体例，充实内容，为几个朝代的《说文解字》派字典，作了一个总结。其次是《经籍籑诂》，集经典文字训诂之大成；《助字辨略》，开虚词字典之先例；汇编词藻典故的词典，如《佩文韵府》和《骈字类编》，也在前人同类撰著的基础上，大有提高。《尔雅》派词典，如《别雅》《叠雅》等，趋向专门，亦见变化。总之，清人的字典和词典，品种益多，空前兴旺，蔚为一代之盛。清儒之讲文字训诂之学，无疑是对各种字书的发展起了不小的促进作用的。

综括一下本书前四章所谈的各种字书，我们大致可以看出古代字典的内容、体例及其演变的概况。周代的《史籀篇》、秦人的《苍颉篇》以及汉人的《急就篇》等，实际只是一种识字课本，并非字书，从清孙星衍所辑的《苍颉篇》佚文看，其中汉儒的解诂，也很简单。东汉许慎的《说文解字》，是第一部真正的字典，它以篆书为主体，兼收古文、籀文，按照"六书"的说法，从形体上解释文字，奠定了字典的"主形派"的基础，给后来按部首编次文字的字典导了先路；它的内容常常被后人用来作为探讨字原和解释古书中文字训诂的依据。后来梁顾野王的《玉篇》、宋司马光的《类篇》，虽然都是继承《说文解字》的系统而编撰，但却全用楷体为本字，不再以辨析文字形体为主。《玉篇》改变了《说文解字》部首的次第，重新整理，把内容有关的部首排在一起；《类篇》则袭用许慎的部首，而增收了不少新字。但这两部书，尽管全较《说文解字》在编纂和注释方面有了一些改进，依然不适于一般人的查阅。直到明人的《字汇》出来，中国的字典才进一步走上了通俗化重实用的道路。

《字汇》，明梅膺祚撰。卷首有梅膺祚之兄鼎祚的一篇序，是明神宗万历乙卯年（公元1615年）写的，这部字典当即完成于此时。全书正文以子丑寅卯辰巳午未申酉戌亥等地支字标分十二集，连首卷及末卷的附录，共为十四卷，收字三万三千一百七十九个。

这部字典的编排，有不少创造性的发明：第一是简化了从《说文解字》以来的字典的部首，共分二百十四部，纠正了分部过于繁琐的毛病，把可以合并为一部的字都合在了一起；减并的部首，差不多等于《说文解字》的二分之一；第二是凡部首的排列和各部中文字的排列都按笔画多少为先后，不像从前的字典那样漫无秩序；第三是首卷后附“检字”，排列不容易辨明部首的难查字，使读者可以按照笔画在这里寻检；每卷卷首，还都有一个表，载明该卷所有各部首及每部所在的页数。这都是新颖首创的办法，很便于读者的检查，为本书的最大的特点。

《字汇》的首卷，载梅鼎祚的序文和全书的凡例及总目，还有“运笔”“从古”“遵时”“古今通用”等附录。“运笔”排列各种形体的字七十余个。分别说明每字的落笔先后。如“川”字先中丨，次刂；“止”字先⺊，次⺌；“變”字先言，次絲，次攵等，希望读者以此类推，掌握各字书写时落笔的顺序；“从古”列古字当从者一百六十余字，加以解说，以明六书之义。如说“凡，俗作凢”，“匈，俗作匃”，“冈，俗作岗”等，告诉读者这类字应该按古体写；“遵时”采当时通用的字一百二十余个与古体并列，如说“力，古作力”，“冰，古作仌”，“之，古作㞢”等，告诉读者应该按通用的写法写；“古今通用”列一百三十余字，注明古今字体的不同，如“厺（古），去（今）”“卯（古）、如卯（今）”，“叐（古）、友（今）”等，告诉读者这些字古今通用，写哪个可以随便。末卷还有“辨似”“醒误”“韵法”等附录。“辨似”列有笔画形体差别很小的字五百余个，加以分辨。如辨“刃、刅”之别说：“刃，忍去声，锋刃。刅与创同，伤也”；辨“无、旡”之别说：“无，無同，《易》皆从无。旡与既同。”“醒误”排列坊间书本上经常刻错的字四十余个，指出其误。如指明“本”字之误说：“本，本末之本，从木从一，今误作夲。夲音叨，进趋也。又往来见貌，从大，从十”；又指明“盼”字之误说：“盼，匹裥切，《诗》美目盼兮。盻音系，恨视也。”这都是有助于减少错别字的。“韵法”一项则为帮助读者辨别四声和掌握反切方法等而作。这些附录，对读者都很有用处。

这部书的减并部首是一个很大的进步，它的按笔画多少为先后的排字方法，更给后来字典的编者导了先路，一直成为字典排字的一种主要方法。像明张自烈的《正字通》、清人编的《康熙字典》以及近代许多字典，都是依例编制。梅鼎祚在序言中曾说：“《说文》《玉篇》皆立耑于一，毕终于亥；是后或次以四声，或系以六书，权以母子，类族别生，固未有颛言数者。《篇海》从母以辨音，亦尝从数以析类，惜乎其本末衡决，缁拾棘薿也。”这也是着重说明其他字书编排未善，查字不便，《字汇》的按笔画排字法，为前所未有。

《字汇》的注音方法是先列反切，后加直音。如“力”字：“郎狄切、音历”；直音中有声无字的，则以平上去入四声互证之，如“勥”字：“巨两切，强上声。”一般的都是先注本音，后谈转音。如中间之“中”本为平声，转为射中之中，则读去声。至于音近而未确的，就说“音近某”。对于叶音字则除引用五经文字证明外，还援引诸子及诗赋，并将上下文抄下，以使其叶音显明。

这部书所收的字，除去经史常用的外，还有很多通俗字；怪僻不常见的字如蠹、𠃊、圡之类，一律不录。对古文俗字，皆加说明，如分两之“两”古作“网”，就注曰：“古两字”；全備之“備”俗作“俻”，就注曰：“俗備字”。在通用字下面，也列有古文或异体。如又部“友”下又有“叒”字，注云：“同上。”对于每个字都是先注音，后释义，有时还在注释末尾，采录《说文解字》的说法，以指出造字之旨；但许慎解说的迂泛不切的，就不采录。以上各点，都足以说明编者曾为普通读者着想；这部书是比较通俗适用的。

《字汇》对字义的解释，一般说来，是清楚的。如刀部“刈”字注云：“刈，倪制切，音艺，割也。《离骚》：愿俟时乎吾将刈。又姓。”这条的解释引证，均不失为简明。又“刊”字一条云：

> 刊　丘寒切，看平声，削也，剟也，又槎木也。《禹贡》：随山刊木。〇又叶丘虔切，音牵。曹子建《怨歌行》，周旦佐文武，金縢功不刊。推心辅王室，二叔反流言。〇又叶丘谏切，牵去声。班孟坚《南宫侯赞》：横耻愧景，刎颈自猷。金紫褒表，万世不刊。〇从干戈之干。杨升菴曰：刘歆《答扬雄》：悬诸日月不刊之书。言不可削除也。今俗误作刻梓之用，各处乡试序多云刊其文之佳者若干篇。读者因之。学之不讲，一至此乎！张睿甫

曰：刊字亦可用，刊其字外之余木而后字成，故刻字而谓之刊，犹迁官而谓之除也。

这条对“刊”字的每一读音，均引书证明；录曹子建诗、班孟坚赞，都各取四句，是为了指出上下文的叶音；最后还说明了这个字的通俗用法；解释是相当完备的。叶音亦称叶（音协）韵，大致说来，是指牵合古今音读，改变原字读音，以求韵文的和谐。如把班孟坚赞中“万世不刊”的“刊”读作“牵”的去声qiàn，就是为了与“刎颈自献”的“献”字读音和谐。《字汇》列入叶音，反映了当时读音的一种客观存在，未可厚非。但引文只写篇名，不注书名，如单说《禹贡》，而不提《书》；只说“杨升菴曰”，而不注明出处；则是古人引书的通病。此外，全书释字，也不免错误。如又部七画“叛”字下面列有一个“叜”字，注云：“俗叟字”；实际这是“叟”字的古文（见《说文解字》），应该列入八画“叟”字的下面。又大部“奄”字注把“奄”当作姓，引《左传》秦奄息。按《左传》文公六年：“秦伯任好卒，以子车氏之三子奄息、仲行、鍼虎为殉。”奄息是名字，子车氏才是姓，奄并不是姓。还有口部的“嚬”字注云：“笑貌。梁王筠诗：含娇起斜盼，敛笑动微嚬。”按“嚬”与“顰”“矉”通用，是蹙额的意思。这条所引王筠诗，正好证明此义，梅氏却相反地把它解释为笑貌。由此可见，他编撰这部字典时的粗疏大意。

但这部书虽有错误，却适宜于一般人的查字之用，能够解决问题。它在明末便风行一时，就可以说明这一点。后来给这部书作补编或袭用其书名的字书也很多。像《字汇补》《会海字汇》《同文字汇》《玉堂字汇》《文成字汇》以及《正字通》等都是。其中《会海字汇》照录《字汇》的原文，把所补入的字，标出“补”字，附列各部之后，实际为《字汇》的增订本。《字汇补》一书，内容较为详备，可补《字汇》之缺。清人编《康熙字典》即多征引此书，并在“凡例”中称赞说：“《字汇补》一书，考校各书，补诸家之所未载，颇称博雅。”同时也指出了它收字稍滥的缺点。

这些续补或袭用《字汇》书名的字典，除《正字通》流通较广外，其他皆不常见。通行的《字汇》，是清刻本，康熙、雍正、乾隆、嘉庆、同治各朝，均有人翻刻，现在已难找到。

（二）明张自烈《正字通》

《正字通》旧本或题明张自烈撰，或题清廖文英撰，或题张自烈、廖文英同撰，诸本互异。清钮琇说这部书本是张自烈所编，被廖文英买来，就掩为已有[①]。现在通行的廖文英本《正字通》，卷首有康熙庚戌年（公元1670年）的张贞生序和康熙辛亥年（公元1671年）的黎元宽序，这个本子大约即在这两年间刻成；前面所列满文十二字母，当系廖文英所加。根据它的凡例看来，这部字典是为了补正《字汇》的缺漏和错误而作的；所以分部、排字等体例，全照《字汇》之旧，并把《字汇》首末卷的各种附录，都排在正文之前，只取消了原来的"韵法"一项和每部前面的目次表。凡例中所谓"旧本"，即指《字汇》而言。

《正字通》的编排注释，有些地方改变了《字汇》的办法。约略说来，可分为以下几点：

（1）《字汇》按分部分画的原则，把一个字的古、籀、讹、俗各体分入各部；《正字通》虽也用这个办法，但将散见各部的异体都注于本字之后，使读者查到本字，即同时认识了它的异体，较为方便。如又部八画"叟"字下面，即列有"叜""姿""変"诸异体，而这几个异体字的注释，则仍分见于本部各画之下。

（2）引用经史子集的原文，注意了上下文的连贯；并引

---

① 见清钮琇《觚剩》的《粤觚》内"著书三家"一条。

用原注来说明所引的书，有时还对所引之注又加解释。如人部“传”字说解内一条云：“又《内则》：‘父母舅姑之衣衾、簟、席、枕，凡不传。’注：‘传，移也。’谓此数者每日置之有常处，子与妇不得移置他所也。”其中“注”后面的话，即编者对此注所作的解释；这使注的意思更加明白，对读者是有帮助的。

（3）《字汇》各部对一些复音词，如鹦䳇、狻猊、蟋蟀、蓓蕾等往往是前后两见，注释重复；《正字通》则删去重复，只叫它见于一处。如“狻猊”即在七画“狻”字下解释，八画“猊”字只注音切，说明“见前狻注”。

（4）《字汇》对不同部而相通的字，如口部的“呐”与言部的“讷”字注释彼此杂见；《正字通》则于口部“呐”字下解释两字的异同，在言部“讷”字下即说“详见口部呐注”。这和上述的第三项，都是比较简便的办法。

（5）《字汇》引《周易》《礼记》《释名》《白虎通》之类的书，常常强叶其音。《正字通》则除诗歌、铭赞、谣谚叶韵外，其他一律不载叶音。这也比较切合实际。

（6）《字汇》同字同音，有时采用诸家之说，分注几个反切，反倒使读者无所适从；《正字通》则对一个字的一个音读，只注一个反切，以减少纠纷。

我们由下面两条对“候”的解说中，可以看出《正字通》的一些优点。

> 候　胡茂切，音后，访也。又气候、证候、同候。又候人，道路迎送宾客之官。《诗·曹风》：“彼候人兮，何戈与祋。”又姓。〇又叶后五切，户上声。杨泉《蚕赋》：“爰求柔桑，切若细缕。起止得时，燥湿是候。”〇又叶洪孤切，音胡。《易林》：“升高登虚，欲有望候。驾之北邑，与喜相扶。”〇又叶胡故切，音互。《释名》：“候，护也；司护诸事也。”《素问》：“从而察之，一部九候。卒然逢之，早遏其路。”（《字汇》）
>
> 候　呼扣切，音后，伺望也。《释名》：“候，护也；司护诸事也。”又候人，道路迎送宾客之官。《诗·曹风》：“彼候人兮，何戈与祋。”又斥候。斥，度也；候，望也；所以望烽燧。孙奕《示儿编》曰：“斥候，谓检行险阻，伺候盗贼。”俗作堠。又姥韵，音祜。杨泉《蚕赋》：“爰求柔桑，切若细缕。起止得时，燥湿是候。”又暮韵，音互。《素问》：“从而察之，一部九候。卒然逢之，早遏其路。”又模韵，音壶。《易林》：“升高登虚，欲声望候。驾之北邑，与喜相扶。”通作矦。《说

文》有“傢”无“候”。（《正字通》）

《正字通》调整了《字汇》解释字义、安排书证的顺序，改“访”为“伺望”，并补充了解说，确实恰当、清楚一些；叶音异读，先仄后平；这都比《字汇》的科学性强；删去“姓”也是对的；后注“互见前‘侯’字注”，避免“候”“侯”两字内容的重复，体例亦较为谨严。

此外，《正字通》还对《字汇》注释的错误，做了一些订正；把《字汇》涉及州郡沿革、古今姓氏诸字的缺漏或未详的做了补充；并扩大采注书籍的范围，增引了佛道两教的书籍和医药、方伎等书中的文字。

比起《字汇》来，《正字通》虽然有了改进，但也存在着不少缺点。《四库全书总目提要》曾经指出它“征引繁芜，颇多舛驳；又喜排斥许慎《说文》，尤不免穿凿附会”[①]。例如“主”字的解说，竟有九百多字，“传”的注释的字数，亦超过六百，实在失之太繁。且基本内容同于《字汇》，只是增加了引证和解说而已。贪多炫博，而不善于归纳概括，使字书有如论文，这不能不说是一个大缺点。又《字

① 见《四库全书总目提要》经部小学类存目一。

汇》引书不注书名、篇名的毛病，亦同样见于《正字通》。如一部“一”字注引《礼运》《乐记》，都不提《礼记》；人部“偲”字引《诗·齐风》，不注篇名。至于匕部“北”字注内所说“汉志”，是指《汉书》还是《后汉书》，是其中的哪一种“志”，全没交代清楚；这就更加含糊笼统，使读者找不着头绪。因此，我们说，这部书尽管流通较广，究竟不能算是一部体例完善的字典；不过它也给后人改编新字典提供了材料，使之有所借鉴；像清代的《康熙字典》，即是以《字汇》和《正字通》为基础编成的。

《正字通》通行的是清康熙时秀水王氏芥子园重刻本。

（三）清张玉书等《康熙字典》

《康熙字典》为清圣祖（玄烨）于康熙四十九年（公元1710年）命张玉书、陈廷敬等三十人编撰的，前后经过六年，至康熙五十五年（公元1716年）成书。这是中国现存的第一部官修的字典。

《康熙字典》完全仿照梅膺祚《字汇》、张自烈《正字通》的体例，沿用其二百一十四个部首[①]，以子丑寅卯等十二

① 按今本《康熙字典》分部二百一十四，系依《字汇》之旧。而《四库全书总目提要》谓分一百一十九部。

辰标分十二集，每集分上中下三卷；首列总目，等韵、检字、辨似等附录，末附补遗、备考；在前两书的基础上，集其大成，又作了一些改进。它的部首和部中各字，亦依笔画多少顺序排列；释字也是先音后义，在每个字下先列《唐韵》《广韵》《集韵》《韵会》等书的反切，然后解说字的本义。随着再列这个字的别音、别义和古音，一般的都引古书来证释。有所考辨，即附于注末，并加“按”字来标明。每个字有古体的，俱列在本字之下；重文、别体、俗书、讹字，则附于注后。如土部十三画的“墺”字：

> 墺　古文垗、垞、圫、埆，《广韵》乌到切；《集韵》《韵会》《正韵》于到切，并音奥，四方土可居也。又水厓曰墺。又《广韵》于六切、《集韵》乙六切，并音郁，义同。《书·禹贡》作“隩”。《前汉·地理志》作“奥”。

这一条在“墺”的字头下，列四个古文异体，下面注音释义，集中了四部韵书的反切，不同的单载，相同的合列，有异读的另外标明，末尾还附注两部古书中的别体和通用字。一般的字典，词书对一个字形音义的注释，是没有这样详备的。此外如女部的“姐”字，《康熙字典》的音义，约分四组，大意是：（一）《唐韵》兹也切（jiě），蜀人呼母，俗呼女兄都叫姐。（二）《集韵》臻鱼切，音菹（zū）。㜎姐，态也。（三）又蒋氏切，音紫，西羌地名。（四）《集韵》将豫切，音怚（jù），《说文》骄也[①]。嵇康《幽愤》诗：“恃爱肆姐，不训不师。”

这四项解释，条理清楚，不像《正字通》那样征引繁芜，辨析琐碎，使人难于看明白。此字字头下附列“她”“毑”二形，“毑”字少见。“她”字，现在我们用作女性的“他”，实际皆为“姐”的古文。一般字典，对这类古文异体，亦不录入。

采辑各韵书的反切来注音，分合异同，以供参考，这是《康熙字典》首创，为以前的字书所未有。其中解说，俱先注本音本义，后注异音异义，由引伸以及通假，一一用“又”字标明；所采字形异体，范围很广；列举书证，多具篇名，依时代先后为次。如又部二画的“反”字：

① 《说文》：“㜘，骄也。从女。虘声。”姐为“㜘”的假借。《康熙字典》于此未作说明。

反　古文反。《唐韵》府远切；《集韵》《韵会》甫远切；并音返。《说文》：覆也。从又厂。《诗·周颂》：福禄来反。〔注〕：言福禄之来，反覆不厌也。又《前汉·陈胜传》：使者五反。〔注〕：师古曰：反，谓回还也。又《唐韵》《集韵》《韵会》孚袁切；《正韵》孚艰切；并音幡。《广韵》：断狱平反。《韵会》：录囚平反之，谓举活罪人也。《增韵》：理正幽枉也。《前汉·食货志》：杜周治之，狱少反者。〔注〕：反音幡。又通作翻。《前汉·张安世传》：反水浆。又《集韵》《韵会》并部版切，翻上声。《集韵》：难也。《诗·小雅》：威仪反反。沈重读。又《集韵》：方愿切，音贩，难也。《诗·小雅》：威仪反反。毛苌说，一曰顺习貌。又《正韵》：贩亦作反。《荀子·儒效篇》：积反货而为商贾。又《集韵》孚万切，音娩，覆也。

这条先注"反"字的本音本义，后注异音异义，由引伸以及通假，一一都用"又"字标明。在字头下附列古文"反"；在本部三画字内还另列出"反"字，注云："《集韵》：反，古作反。注见二画。"这样，为的是查"反"或"反"，全能找到相同的解释，使读者知道二字实为一字。

《字汇》《正字通》以楷书为本字，减并《说文解字》的部首，本来是为了便于检查的。《康熙字典》虽沿用二书部首，但对某些字的分部，却作了一些改动。如颍、颎、颖、颕四字，《正字通》都在页部，《康熙字典》分入水火禾木四部；这样改动，目的是以偏旁阐明字义，可是对一般读者的检查，并不方便。至于《正字通》的两部互见的字，像“垔”字的襾、土两部兼收，“罢”字的网、火两部互见，《康熙字典》则归并到一处，把“垔”字只收土部，“罢”字只入网部；对《正字通》音训的重复繁冗，《康熙字典》也作了一些简化工作，于音义相同之字，止说“注见某字”，不载音义，这又是较为进步的办法。如上面所举“反”字的古文“反”字下面，不注音义，即表明它在体例方面有了改进。此外，它对《字汇》的简略缺漏，作了充实增补。对《字汇》和《正字通》的字形讹谬，作了订正；笔画的误算，作了改动。如《字汇》的臼部“舁”字，误入五画，《康熙字典》改列四画，并加按语，说明《字汇》之误。

总起来说，《康熙字典》的内容和形式，都比《字汇》《正字通》丰富、谨严。在字义的解说内还常常附释一些词语，又兼有词典的作用。如土部“壎”字，亦作“埙”，《康熙字典》按语说：“按埙乃土器不坚之物，故时俗指人惯弄虚浇者曰弄堹。”这项解释，《字汇》《正字通》未载。弄堹，就是要花招，故弄玄虚之意。也说“弄喧”。《西游记》第六回孙大圣变成一座土地庙，二郎神说“断是这畜生弄喧”，即此。

《康熙字典》共收四万七千零三十五字[①]，比《字汇》《正字通》又多出一万余字，凡不见于以前字书的字，大都可以由此查到。所增之字，前面皆标出“增”字。如口部的“𠻛”字，就是所增“嚴”字的古文。

除正文外，《康熙字典》还附刊“补遗”一卷，收有音有义可入正集而未经增入之字。如人部的“优”字音“尤”，是五穀精白之意，现在我们把它当作“优”的简体字。“备考”一卷，收有音无义或音义全无的字，如“一”部的“丨”字，音思，无义；“乙”部的“乣”字，音义皆无；“巾”部的“币”字，据《龙龛手鉴》说同“印”，现在我们把它当“幣”的简体字。凡在正集中找不到的冷僻字，不妨试

---

① 清汪汲撰《字典纪字》一卷，于《康熙字典》的字数，曾作详细的统计。见《古愚老人消夏录》。又清陆以湉《冷庐杂识》卷二“字典”云：“字典十二集，二百十四部，旁及备考、补遗，合四万七千三十五字。（古文字一千九百九十五，不在此数。）”陆所说“字典”，即指《康熙字典》；括号内文字，乃原书以双行小字夹注者。

查“补遗”和“备考”。

《康熙字典》实际就是《字汇》和《正字通》的增订本。康熙即曾说明：“《字汇》失之简略，《正字通》涉于泛滥”；所以他叫手下的文臣“增《字汇》之阙疑，删《正字通》之繁冗”，来编这部《康熙字典》[①]。他还指出以往的字书，“或所收之字，繁省失中；或所引之书，滥疏无准；或字有数义而不详，或音有数切而不备；曾无善兼美具，可奉为典常而不易者”[②]。他隐然自负《康熙字典》为“善兼美具，可以奉为典常而不易者”，因此，命名为“字典”。

《康熙字典》自刊行以来二百余年，影响很大，清人所说“字典”，专指此书。其文字音义和书证，广泛地为人引用，后出的字书编者，多奉之为圭臬。清周中孚称赞它：“集古今小学之大成，垂昭代同文之至治，后之言声音文字者，莫能出其范围已。”[③]虽揄扬不免过分，亦足以显示大家对这部书的重视。

《康熙字典》增入了《正字通》许多未收的字，它的主要用处也就在于以前字典所没有的字，在这里可以查到。但

---

① 引文见《康熙字典》卷首所列康熙四十九年三月初九日的“上谕”。
② 见《康熙字典》序。
③ 周中孚语，见《郑堂读书记》下册补逸八。

这部书虽然引证较多，对文字的解释，却往往不够确切，或者失于简略；而且于文字的通俗用法，多未说明。加上编撰潦草，时有疵漏。尽管“凡例”中夸耀它的引书确实，说是：“今俱穷流溯源，备载某书某篇，根据确凿”；事实上即引书的错误，亦举不胜举。不过，在清代，因为这部书出于“御定”，大家都有所顾忌，不敢批评；即如修四库全书的馆臣，在作书目提要时，对每部书都兼谈优缺点，而于《康熙字典》，则不敢加一贬词，只是恭维它说：“无一义之不详，无一言之不备；信乎六书之渊海，七音之准绳也。”[①]尤其是在乾隆年间王锡侯《字贯》之祸发生以后[②]，更无人敢于加以批评。直到道光七年（公元1827年），王引之才奉道光的命令，作《字典考证》十二卷，纠正了《康熙字典》引书的错误2588条。但王引之所查出的，也不过是一部分，全书错误，实不止此。约略说来，其误可分为以下几种：

① 见《四库全书总目提要》经部小学类二。

② 清乾隆年间王锡侯编《字贯》一书，共六十卷，以天文、地理等分类，颇有纠正《康熙字典》的地方。后来由于这部书的序言中“穿贯之难”一句话，有讥讽《康熙字典》之嫌；且因书中直书玄烨（康熙名）、胤祯（雍正名）、弘历（乾隆名）等字样，没有“避讳”，被统治者认为大逆不道，把王锡侯全家杀死，并将《字贯》的书版和王锡侯的其他著作一齐销毁。解放前，故宫博物院文献馆曾把当时军机处关于这一事件的档案辑入《掌故丛编》一二三辑。《字贯》有光绪八年日本重刊本。

（1）书名、篇名错误或妄改：如虍部“處”字注：“《诗·王风》：其后也處”，应作“《召南·江有汜》”，误为“《王风》”，也没注篇名；心部“悟”字注：“《史记·项羽传》赞：尚不觉悟”，应作“《史记·项羽本纪》论”；广部“庸”字注；“《史记·周勃传》：才能不过凡庸”，应作“《史记·绛侯周勃世家》”；韦部“韩”字注：“又三韩，国名，辰韩、示韩、马韩也。见《后汉·光武纪》”，应作“见《后汉书·东夷传》”，“示韩”则为“弁韩”之误。

（2）引文错误或脱落：如刀部“刁”字注：“《前汉·李广传》：不击刁斗。注：孟康曰：以铜作鐎，受一斗，昼炊饮食，夕击夜行。”这里“夕击夜行”一句，《汉书·李广传》“不击刁斗自卫”一句的注原作“夜击持行”；《康熙字典》错误得简直不通了。又王部“玉”字注：“《尔雅·释天》：时和谓之玉烛”；“时”字上面脱落了一个“四”字。应作“四时和谓之玉烛”，还有巾部“帑”字注引《后汉书·郑弘传》：“人食不足而帑藏金币”，原文“金币”作“殷积”；这又是因记忆不清而任意改字了。

（3）引书错乱或与注疏相混：如目部“督”字注，“《史记·项羽纪》：闻大王有意督过之。注：督，责也。”按“《项羽纪》”此句下面无注，这是把《汉书·高帝纪》中“闻将军有意督过之”一句下的颜师古注“督谓视责也”误移作《史记》注，而且落去了“谓视”两个字的。邑部“都”字注：“《左传》隐元年：大都不过三国之一。注：凡邑有先君之庙曰都，无曰邑。”这条所说“注”，实际是庄公二十八年的传文，原文作：“凡邑有宗庙先君之主曰都，无曰邑。”又艸部“菼”字注引《诗·王风》“毳衣如菼”：“传曰：郭璞曰：菼，草色如雏，在青白之间。”这里把孔颖达的疏，当作了毛公的传，更是粗疏到不可原谅的程度了。

（4）删节失当：如肉部“胁”字注：“《晋语》：重耳过曹，闻其骈胁，欲视其状。”按《国语·晋语》，在“重耳过曹”下面，有“曹共公亦不礼焉”一语。《康熙字典》的编者删去此句，使“闻其骈胁”以下八字没有了主语，会让人误解为重耳欲观他人之裸了。

（5）断句错误：如言部“诒”字注：“《庄子·达生篇》：诶诒为病数日。”原文本作“诶诒为病，数日不出”；这里把下句的前两个字截开，属了上文。

（6）错字：如人部“儓”字注：“扬子《方言》：儓西服，农夫之丑称也。”按《方言》卷三的原文是：“儓䑺，农夫之丑称也。”《康熙字典》把“䑺”字拆作“西服”两个字，简直成了笑话！

除去上述几点外，像把经传的注疏当作正文，引书任意增减改动文字，或者张冠李戴以及其他的疏漏错误之处，仍然不少。如车部“轈”字注：“《左传》成十六年楚子登巢车以望晋军。注：巢本作轈。”按巢车，陆德明《经典释文》云：“《说文》作轈。”此处误为杜预注。又心部“惝”字注“与懒”下落去“同”字，应作“与懒同”。书中解释不够确切的尤多。有的书证与解释不相适应，有的漏列了常用的音义，于文字的通俗用法，亦很少提及。如人部“僣”字，先引《说文》解释为“终也”，后列《荀子·富国》的“僣然要时务民”一句书证；实际《荀子》的“僣然”作“纷杂”讲，和“终”的意思并非一回事。又如刀部“判”字有平声pān一读，为“不顾，豁出去”之意，唐杜甫《曲江值雨》诗“纵饮久判人共弃，懒朝真与世相违”，音义甚明，为常见的用法，《康熙字典》不应漏列。另外如“㚘”字，即“竝”“並”的异体，时见于小注，而未列字头，亦可见其编撰之粗疏。

不过，总的说来，《康熙字典》缺点虽然不少，作用也不容抹煞。在中国字典史中，它还是占有一定位置的。收字多，音义详，至今亦不失其参考价值[①]。

《康熙字典》除清刻本外，常见的有上海鸿宝斋的石印本，书眉上附列篆体；商务印书馆铜板印本，书后附王引之《字典考证》；中华书局的影印本，兼有篆文和《考证》，最便读者。

第二节　《尔雅》派词典的进化

（一）明朱谋玮《骈雅》

继《尔雅》而起的训诂词典，自魏张揖的《广雅》到宋陆佃的《埤雅》、罗愿的《尔雅翼》等，或充实词语，补释前书；或解说训诂，稍标新义；大都踵事增华，后出转详。时代越后，收词越多，这是社会发展的必然趋势。金元两代，此类

---

① 上面谈《康熙字典》引书错误这一部分，曾参考王引之的《字典考证》、1936年11月《金陵学报》二卷六期所载黄云眉《康熙字典引书证误》文及日人渡部温《康熙字典考异正误》一书。又1915年5月号《大中华》杂志一卷五期，载有蟫魂所写的《书康熙字典后》一文，列举《康熙字典》许多缺点，亦可参阅。

著作，无可称道。明清以来的《尔雅》派词典，则有的扩大辑录范围，近似类书，如《通雅》；有的专采一种词汇，成为专门词典，如《叠雅》；显示了在内容和体例方面的变化。这里举《骈雅》《通雅》《别雅》《比雅》《叠雅》等书，以见一斑。

《骈雅》，明朱谋㙔撰，七卷。谋㙔字郁仪，为宁王朱权的七世孙，博通群籍，撰有《易象通》《诗故》《鲁论笺》及《骈雅》等多种。《骈雅》卷首有万历丁亥年（公元1587年）的自序，其书当即于此时完成刊行。

《骈雅》专门搜罗古书中冷僻深奥的词语，加以诠释；体例全仿《尔雅》，有释诂、释训、释名称、释宫、释服食、释器、释天、释地、释草、释木、释虫鱼、释鸟、释兽各篇，共十三类。朱谋㙔认为许多词都是"联二为一，骈异而同"（见自序）；所以把两两成对的词，放在一起，又往往用两个字来作解释。试看下例：

> 徯醯、冉镰、竨珧、覺傲、嶢峴、槷刖、摇刖、磪碍、屹巉、业业、翘翘，危险也。（《释诂》）
>
> 郁悠，思念也；惆怅，悲哀也；憭慄，悽怆也。（《释训》）

这里前列的词和下面的解释都是两个字；上一条中的词全相当冷僻。本书所收之词，像这样双声叠韵的、重叠的以及一般的复合词都有。书前的余长祚序言曾说："骈之为言并马也，联也，谓字典说俱耦者也。"从这话和前举的例子中，可以了解《骈雅》取名的由来。

这部书征引甚博，于经史子集小说中的材料，都广泛地搜集，加以解说，足资参考。不过书内重举《尔雅》《广雅》已有的词语，实无必要；释义也不免有误。清人李慈铭即曾指出其谬说及欠妥者多处。如其《释训》篇："边幅，矜持也"；李慈铭云《后汉书》公孙述、马援两传所说"坐饰边幅""修饰边幅"，皆谓其修饰小节，盖以布帛之边幅，喻人威仪之末文，谋玮把边幅解作矜持，是错误的[①]。按《后汉书》公孙述传论"方乃坐饰边幅"一句的章怀太子注："边幅犹有边缘，以自矜持。"则矜持之解，出自章怀，谋玮特未能辨析是非而已。

明人的训诂词典，多失之芜杂，《骈雅》还是较好的一部，足与《通雅》抗行。清人魏茂林撰《骈雅训纂》十六

---

① 李慈铭说见《越缦堂读书记》上册第557—558页谈《骈雅》的部分。

卷，阐释《骈雅》的内容，颇有助于阅读原著。

《骈雅》有《借月山房汇钞》本、《豫章丛书》本、商务印书馆《丛书集成》本等。《骈雅训纂》有清道光二十五年（公元1845年）龙岩魏氏有不为斋刊本及咸丰、光绪时翻刻本。

（二）明方以智《通雅》

《通雅》，明方以智撰，五十二卷。以智字密之，号鹿起，桐城人。明末与冒襄、陈贞慧、侯方域并称四公子，驰名文苑。崇祯时进士，官检讨，入清为僧，名弘智。撰有《易祕》《古今性说合观》《物理小识》《一贯问答》《浮山集》《通雅》等，以《通雅》为最著称。

《通雅》一书，现在通行的清康熙间姚文燮刻本，卷端有姚文燮的序和明钱澄的序各一篇，方以智的自序二篇。“凡例”指出这部书是方以智在万历己卯年（公元1579年）以前完成的。方以智在自序中曾经提到他对于“古今聚讼”的文字训诂问题，要“为征考而决之，期于通达”，所以把这部书叫作《通雅》。据钱澄说，《通雅》是方以智用了三十年的心血完成的。

《通雅》卷首附有《音义杂论》《读书类略》《小学大

略》和《诗说》《文章薪火》共五篇论文。前三篇谈文字、训诂之学，后两篇记其论诗文之语。还有《疑始》一篇，专论古篆古音。以下又分释诂、天文、地舆、身体、称谓、姓名、官制、事制、礼仪、乐曲、乐舞、器用、衣服、宫室、饮食、算数、植物、动物、金石、谚原，共二十类；后面还附有《切韵声原》《脉考》《古方解》。这是一部兼包文字训诂音韵之学，而分目又很像类书的一部规模较大的词典。不过作者的目的在于辨释名物，征引以证其义，不在抄辑编纂，是和类书不同的。

这部书辨证词语训诂，以经史为本，旁及诸子百家、志书、小说；对所引之文，一般的都注明出于何书。一个词语，以前作何解释，什么人辨析过，也全交代清楚，并折衷判断，或存疑俟考；体例是较严密的。作者认为"草木鸟兽之名，最难考究"，必须"通晓方言，方能核之"①，所以本书不仅考释古音古训，对方言俗语，也很重视。其中《释诂》篇内即包括"谜语""重言"；"谚原"一篇，专论通俗语词的用法。其"谚原"内谈"阿堵"的一条说：

---

① 引文见《通雅》的凡例。

阿堵，犹今之这个也，不可定指为钱。顾恺之正在阿堵中；张谓诗：家无阿堵物，门有宁馨儿；亦就事作语也。马永卿《嬾真子》曰：阿堵犹今所谓兀底也；宁馨犹今云恁地也。

这一条对“阿堵”一词，解释得很透辟。后来清人郝懿行在所著《晋宋书故》中谈“阿堵”的用法，实际就是由方以智之说引伸而出的。

这部书保存了相当丰富的古汉语词汇，对探讨“词源”是很有用处的。清人编《佩文韵府》即曾从这里取材。

《通雅》除去前面提到的姚文燮刻本外，还有清光绪六年桐城方氏重刊本，较易找到。

（三）清吴玉搢《别雅》

《别雅》，清吴玉搢撰，五卷。玉搢字山夫，江苏山阳人。康熙廪贡生，官凤阳府训导，于六书中的假借之学，深有研究。所著除《别雅》外，还有《说文引经考》《六书述部叙考》《金石存》等。

《别雅》大约完成于乾隆年间。吴玉搢鉴于古书中文字形音歧异而意义相同的词很多，易于传讹承误；所以集录这类材料，编成此书。初称《别字》，后改今名。全书对每一个词，都列出其别字异体，一一注明出处，辨析它们的同用、通用或转训、假借关系。像卷一的“穹桑”“鑫门”两条，就是这样：

穹桑　空桑也。《吕览》：伊尹生于穹桑；《春秋纬》：少昊邑于穹桑；即空桑也。《字汇补》云：今云南县名浪穹，土音为浪空。盖穹空二字音近，古或通用。

鑫门　逢门，鑫蒙，逢蒙也。《荀子·王霸》篇、《吕览·听言》篇作鑫门；《淮南子》《汉书·王褒传》作逢门；《七略》作鑫蒙；即逢蒙也。鑫逢字近，门蒙声近。

前一条说明两词实为一语，后一条指出四个形声相近的词，实指一人；这就能使读者对古书中词语的异同得到清楚的了解。

不过作者对于古人用字的同声假借、转音变异、别体重文、同声转音等，并未完全通晓，所以解说亦不免疏谬；同时，还有许多常见于古书的词语，他也漏掉未引。后来许瀚（印林）曾经校订这书，加上案语，对原书作了不少补充和纠正。如卷三“不翼”一条云：“不翼，比翼也。阮籍诗：愿为双飞鸟，不翼共翱翔。不翼，即比翼也。不有比音，遂亦借作比用。”这条下面许瀚所加案语云：“不、比，古音不同部。《说文》：不，鸟飞上翔，不下来也，比或即用其本义。”这就较原书的说解精确了。

《别雅》有乾隆七年新安程氏督经堂刊本、《玲珑山馆丛书》本，道光二十九年小蓬莱山馆刊本等。经许瀚校订的《别雅订》，有《滂喜斋丛书》本；商务印书馆《丛书集成》本即据此排印。

（四）清洪亮吉《比雅》

《比雅》，清洪亮吉撰。亮吉字稚存，号北江，阳湖人。乾隆进士，官编修，博览多才，诗文并美，尤精舆地之学，有《北江全集》。

《比雅》，分释诂、释言、释训、释天、释地、释山、释水、释人、释宫、释器、释乐、释舟、释草、释木、释虫、释鱼、释鸟、释兽、释畜共十九篇，即析为十九卷。刊行于道光二十六年（公元1846年），较《别雅》稍晚出。通行的有《粤雅堂丛书》本。

全书体例，皆仿《尔雅》，着重引证古书，排比辨释近义、对义和内容有关的词。通过下列的几例，可以了解它的内容与形式：

逍遥。相羊，皆游也。（王逸《楚辞章句》）逍遥，游戏也。（同）逍遥而游，容与而戏。（同）尚羊，游戏也。

崴嵬，崔巍，高貌也。（同）魁堆，高貌也。（同）峩峩，高貌也。（《释诂》）

攜，离也；贰，二心也。（《国语》韦昭注）（《释言》）

大曰鸿，小曰雁。（毛传）（《释鸟》）

前两条都引王逸的《楚辞章句》。第一条先对“逍遥，相羊”两词，作一个总的解释，后又分别说明；第二条于指出“崴嵬，崔巍”为同一语词之后，复列“魁堆”“峩峩”两个都当“高貌”讲的同义词，作为一组，以供参校；第三条对照了两个近义词；第四条谈到“鸿”和“雁”的相对区别。可见这书所以叫作《比雅》，是取其比附的意思。虽然这样辑录罗列古书训诂，并没有多大科学性可言，但集中一些这类的语词，还是对读者找材料、研究汉语词汇有帮助的。

本书的《释人》一篇，把人的名称、德性、形状、动作、亲戚以及一切和人有关的事物像官制、语词、器具、衣服、粮食、布帛、屐履等，几乎无所不包地都收集在内，实在芜杂已极；像上面所举前两例的解说，亦不免重复；体例未善。

《比雅》收在《洪北江全集》内，还有《玲珑山馆丛书》本、《粤雅堂丛书》本等；商务印书馆《丛书集成》本，系据《粤雅堂丛书》本排印。

（五）清史梦兰《叠雅》

《叠雅》，清史梦兰撰，十三卷。梦兰字香厓，号砚农，乐亭人。道光间举人，叙知县，不就。所著除《叠雅》外，有《四书翼注骈枝》《舆地韵编》《图书便览》《读书杂记》《畿辅艺文考》《异号类编》等。

《叠雅》于同治三年（公元1864年）刊行，大约成书即在此时。史梦兰在自序中说明他因为“形容之妙，每用重言；名物之称，尤多复字”；而《尔雅》《广雅》中的重言复字，不过寥寥数则；明杨慎编《古音复字》，又不免臆造之嫌；方以智《通雅》解释“重言”，也只是说明了通转之义；从来没有把经史子集和诸家注疏中的叠字广为搜罗，详加疏证，以成专书的；所以他就浏览古书，辑成了这部专讲叠词的《叠雅》。

这部书的体例，亦仿《尔雅》，但也像《别雅》一样，不再明标门类。对所辑入的每个词，全都穷源竟委地加以考证。除去在词下简单地说明词义外，还引用古书，详加疏解。对字异而义同的词，就汇归一部；字同而义异的词，就别立一条；凡所引证，都按经史子集顺序排列，并详注书名、篇名。现引卷一的原文一段如下：

枚枚、緜緜、缀缀、沐沐，密也。《诗·鲁颂》：实实枚枚。毛传：枚枚，砻密也。又《周颂》：緜緜其麃。《尔雅·释训》疏：孙炎曰：緜緜，言详密也。魏曹植《洛神赋》：思緜緜而增慕。《文选》李善注：緜緜，密意也。唐韩偓《屐子》诗：六寸圆肤光缀缀。《说文》：缀，密也。梁简文《南郊颂》：故以熊熊灼灼，炫两明而仰七曜；纷纷沐沐，承五烟而带三灵。《太玄经》少：密雨溟沐。注：溟沐，细密之雨也。案：沐沐，亦细密意。

由这段引文里，可以看出《叠雅》仍用《尔雅》释训的说解的体例，在并列的几个同义词下面，作一个总的解释。但对每一个词都一一引书疏证，具体而不芜杂，使读者通过对引文的比较，了解这些词的相同的用法；条理既精，眉目也很清楚。而引书不只写出书名、篇名，还标明作者的时代；这比起《通雅》来，也是一种进步的表现。

本书后面还附有《双名录》一卷，记录了许多叠字的人名，以供读者参考。

《叠雅》，通行的是《止园丛书》本。

除去上述五部书外，还有清夏味堂所撰《拾雅》，为补充《尔雅》《小尔雅》《方言》《广雅》等书而作，本为六卷，仿宋本刊行。后来其弟纪堂及其子齐林、云林，为之作注，分为二十卷，刻于嘉庆二十五年庚辰（公元1820年），也是这类"雅"书中较好的一部。

总起来说，明清的《尔雅》派词典，虽然大体还是在《尔雅》和继起的"雅"书基础上，搜集补充其所未备的训诂名物，但内容与形式，实际都有了一些突破：如《通雅》之考释训诂，兼及方言俗语，更朝着百科全书的方向发展；《别雅》《叠雅》之各就一类，作较专的研究；都是自具特色，足以表现这类词典的进化的。不过它们与重实用的方言俗语词典，仍旧存在着很大的差别。

第三节　《方言》派方言俗语词典的进化

（一）明陈士元《俚言解》

继汉扬雄的《方言》之后，东汉服虔编过一部《通俗文》，书久失传。据现存的佚文看，它只是较切实用的通俗词典，并非研究各地方言的著作，我在本书的第二章中已经论及。在历代的字书或其他著作中，也有谈到方言俗语的地方。如唐颜师古的《匡谬正俗》的后四卷，在讨论诸书的文字音义时，就谈到了俗语相承之异。宋王应鳞的《困学纪闻》，元陶宗仪的《辍耕录》，明郎瑛的《七修类稿》，清赵翼的《陔馀丛考》之类的笔记内也都记录了一些零零碎碎的俗语材料。继《方言》之后辑录这类材料以续补《方言》的，有清杭世骏的《续方言》，程际盛的《续方言补正》等书，所收词语都是从《尔雅》《说文》《释名》等字书和经传子史以及诸家注疏中抄出的死语言。如《续方言》卷上："昉，适也。齐人语。隐二年《公羊传》注。"这仍是《尔雅》式的训诂，并不足以说明古今汉语的发展和演变。明清两代编辑方言俗语词典的，则大致可以分为二种：一种是考证一般的常言俗语的，如明陈士元的《俚言解》、张存绅的《雅俗稽言》、清翟灏的《通俗编》、郝懿行的《证俗文》之类，解说字词，略似《通俗文》，而偏重引证，标目分门，有如类书。其采辑范围，由经史子集扩大到类书和历代笔记杂著，小说、戏曲以及里巷琐言，所包甚广，近于百科性的知识词典。这类的词典数量较多，用处较大。另一种是考证某一地区的方言的，如明李实的《蜀语》、清胡文英的《吴下方言考》之类，应该算作方言词典的正宗，但为数寥寥，影响不大。至于如清厉荃的《事物异名录》、史梦兰的《异号类编》、梁章钜的《称谓录》之类，虽各辑专门材料，更像类书，可是它们仍以释语词名物为目的，供日常查阅之用，所以应该把它们看作通俗词典的一体。这里分别列举数种，以见梗概。

《俚言解》，明陈士元（环中迂叟）撰，二卷。士元字心叔，号养吾，又署环中迂叟，湖北应城人。嘉靖进士，官至滦州知州。著有《归云外集》《易象钩解》《五经异文》《古俗字略》《姓觿》等书。《俚言解》卷首有简短的自序，略谓乡俗常语多有证据，而听者因熟悉而忽视，不加考辨；《方言》与今语颇不类。《通俗文》《释常谈》等书又援引不广，故著《俚言解》六百八十八章。但刊行者仅三百余章。

《俚言解》不标门类，大致按时令、人事、酒食、衣服、居室等分别辑录词语，所录以史传及笔记杂说为最多，类书次之，子书、经书、字书亦偶引及。兹抄三例如下：

漏天　俗憾久雨不晴，谓之天漏。杜诗“鼓角漏天东”；又“猛欲诛云师，畴能补天漏”；又“地近漏天终岁雨”，注云：梁益四时多雨，俗称漏天。（卷一）

歠席　歠音铳，《字学集要》饮酒不请自来，曰歠席。俗作冲席。（卷二）

酒囊饭袋　祢衡云：苟或可与强言，余皆酒囊饭袋耳。俗语本此。（卷三）

此三条，考释俗话，皆有所本，但“漏天”引杜诗无诗题，“酒囊饭袋”条引祢衡语无出处，均不便于查阅原文，体例未善。不过书较早出，内容尚有可取，足供参考。

《俚言解》见《归云外集》第五十六卷，明万历刊本，今甚罕见。日本汲古书院出版、长泽规矩也所编《明清俗语辞书集成》第一辑，据此本影印列入。

（二）明张存绅《雅俗稽言》

《雅俗稽言》，明张存绅撰，四十卷。存绅字叔行，号见其，华容人，天启中由贡生官蒲圻县训导。书有天启二年（公元1622年）吴炳序、孙穀引，天启三年（公元1623年）魏说、刘傅增订本序、刘秉铁序、孙穀又序，天启三年自序；即于天启三年刊行。

《雅俗稽言》分天文、天时、地理、人伦、饮食、宫室、冠服、器用、礼制、音乐、人事、人物、经说、史说、子说、诗文、字学、动物、植物等共十九门，辑录各书材料。自序云先后借读书几破万卷，殚三十余年之力，七易其稿始成。《四库全书总目提要》于此书颇有微辞，谓其“前列引用书目千余种，多唐以来所不著录，大抵钞自类书，子虚乌有。又或标其篇名为书名，颠倒错乱，不可缕指”。这倒不是过甚之辞。例如其引用书目中有《空谷传声》，不知何人著作；《日札》，不知所指；田艺蘅《日钞》，只写简称；《霍去病传》《马援传》，前无书名；确实体例未善，疏漏甚多。但此书辑录范围甚广，常有其他词典所未载的内容。试看“常仪”与“莲幕”两条：

常仪　世传嫦娥奔月事如《离骚》《淮南子》《天文志》具言之，要之非实也。《汉书》常仪，黄帝占月之官。帝喾四妃，常仪氏其后也。仪叶音娥，如《诗》

以“实惟是仪”叶“在彼中阿”；“乐且有仪”叶“在彼中阿”。《太玄》亦以“各遵其仪”叶“不偏不颇”。汉碑凡蓼莪皆作蓼仪，则嫦娥之为常仪明矣。自昔人惑于帝妃常仪氏，遂以嫦娥为女子，而因常仪官在占月，遂以嫦娥奔月附会之。羿妻嫦娥，小字纯狐，亦出纬书，迂怪不足信。

莲幕　俗称典史为莲幕，号莲客，用红莲事。按《鼠璞》南齐王俭为卫将军，庾杲之为长史。萧缅与俭书曰：“盛府元僚，实难其选，庾景行汎绿水，依红莲，何其丽也！”今县尉虽县令幕客，然南齐卫将军，实领朝政，犹汉三公开府，岂泛常僚属可比？今五府九卿首领官，其类也。如经历、知事、照磨、检校，皆称幕官。若仅施于邑幕，恐未当。缅一作沔；景行，杲之名也。红莲一作芙蓉。

“常仪”一条，举述及嫦娥故事的各书，以仪、娥叶音，指出嫦娥即占月之官常仪，以奔月为附会；足备一说，与他书所记参校异同，以供研究。“莲幕”一条，引宋戴埴《鼠璞》之说，考红莲的故事渊源，而谓俗称典史曰莲幕为未当。按《鼠璞》言台郡幕客，多用红莲故事，始于庾杲之。以莲幕指典史，盖始于明代。《佩文韵府》《骈字类编》以及近代词书《辞源》《辞海》虽均收“莲幕”一词，而皆未言及典史。《雅俗稽言》载此，可供查考，不为无功。我们不应因为这书编撰有缺点而否定它的使用价值，亦于此可见。

《雅俗稽言》有明天启三年（公元1623年）刊本，书亦少见。日本汲古书院据此影印，收入《明清俗语辞书集成》第四辑。

除去上述两书之外，明人所撰，还有《世事通考》《常谈考误》《目前集》等，也是这类词典。

（三）明陆嘘云《世事通考》

《世事通考》，明陆嘘云撰，二卷。分类收辑通俗常用的字词，注释音义，包括天文、地理、时令、人物、衣冠服饰、文武职官、百工、杂物、草木、鸟兽以及荤素食品等门，兼载五经、四书的难字，附列异体字和通行字形对照表。其中注释，都比较简单，往往只录词语，并无解说。如下卷素食类的随食、鸳鸯、卷蒸、糍粿等，皆于词目之下，不着一字，大约因其为当时习见之物，人所共知，不须加注之故。这部书略似后来的《应制酬世大全》之类，为便于童蒙初学而编的常识性读物，故其体例和一般的通俗词典微有差异。

原书有明万历间潭城余云坡刊本，不易看到。日本汲古书院，影印收入《明清俗语辞书集成》第一辑。

（四）明周梦旸《常谈考误》

《常谈考误》，明周梦旸撰，四卷。梦旸字启明，南漳人。万历进士，官至工部郎中。除《常谈考误》外，还著有《青谿山人文集》和《水部备考》。《常谈考误》初尝单行，后又刊入文集。卷首有万历壬寅（公元1602年）焦竑、顾起元二序。《四库全书总目》著录子部杂家类存目三，提要谓“其言皆辨世俗引用典故之讹，而援据颇为寒窘，亦多舛误，又有不必辨而辨者”，列举数例，无一褒词。实际其书内容亦可资采择，并非全无是处。如卷四的“玄箸”一条据《说文》谓《世说》王夷甫答乐令曰“我与王安丰说延陵、平房，亦超超玄箸”之“箸”，本应作“箸”，“著”乃俗字，不应认为《世说》古本作“箸”为不可晓；其说甚是。提要撰者，往往不暇细检原书，随意举例，不免以偏概全，于此可见。

《常谈考误》只有明万历刊本，日本《明清俗语辞书集成》第五辑所收，即据此本影印。

（五）明佚名《目前集》

《目前集》，明佚名撰，二卷。上卷分天、地、人、时令、饮食、衣服、宫室、器物、官吏、妇女、释教、道教、文墨十三部；下卷分杂事、常言、禽兽虫鱼、草木、药物、俗字六部，共十九部，与《世事通考》内容略似，收词较少，解释亦简，引述常不注出处。如时令部"甲子雨"一条记唐时俚语，草木部"月中桂"记吴刚斫树，即均未言见于何书。通读一过，未见新异，但其书亦仅有明刊本，传布甚稀，《明史·艺文志》及《四库全书总目》均未著录，顷见日本《明清俗语辞书集成》第五辑之影印本，因书数行，藉存其目。

总之，明人治文字训诂和考据之学，不如清儒严谨，所编俗语词典，虽有优劣之分，皆不免于疏舛，还是以《通俗编》与《恒言录》等为后出转精。

（六）清翟灏《通俗编》

附清梁同书《直语补证》

俗语常言，不仅见于口头，也多见于书面；使用得当，往往能够增加语言的形象性和表达力，有很好的修辞效果。因此辨明这类语词的源渊、意义以及其感情色彩等，以便更恰当地理解别人的作品或运用于自己的语言文字当中，也就颇有必要。这类俗语常言，类型不一，形式各异。如“画蛇添足”“狐假虎威”“守株待兔”“鹬蚌相争”等成语，大都有个故事；“对牛弹琴”“掩耳盗铃”“因噎废食”“吹毛求疵”等成语，大都有个语源；这全是固定的四个字。如“耳边风”“护身符”“悬羊头卖狗肉”等俗话，字数多少不一，说法亦小有歧异（如“耳边风”可说成“耳旁风”，“悬羊头”可说成“挂羊头”），而意义不变。另外像“只许州官放火，不许百姓点灯”之类，又全是由一个传说而形成“约定俗成”的常语的。我们想找这类材料，可以查阅《通俗编》和《恒言录》。这两部书不仅收辑了上述的几种俗语常言，还包括涉及多方面常识的语词，是旧字书中比较切合实用的通俗词典。

《通俗编》，清翟灏撰，三十八卷。灏字大川，后改晴江，浙江仁和人。乾隆十九年（公元1754年）进士，曾任金华等府学教授，通经史诸子及文字训诂之学。平生致力著述，除《通俗编》外，还撰有《尔雅补郭》《四书考异》《艮山杂志》《湖山便览》《无不宜斋诗稿》等。《通俗编》卷首有乾隆十六年（公元1751年）的周天度序，其书当即刊行于此时。

这部书把所收语词按内容分为三十八类：天文、地理、时序、伦常、仕进、政治、文学、武功、仪节、祝诵、品目、行事、交际、境遇、性情、身体、言笑、称谓、神鬼、释道、艺术、妇女、货财、居处、服饰、器用、饮食、兽畜、禽鱼、草木、俳优、数目、语辞、状貌、声音、杂字、故事、识馀。全书收集词语共五千多条。凡是经传子史、诗文词曲、小说、字书以及诗话、艺谈、佛经、道书中的材料，全都加以搜罗，所收资料是相当丰富的。周天度在序言中，曾说翟灏“往来南北十许年，五方风土，靡所不涉”；因此他对各地的俗语常言有一定的了解，成为他证释语词的有利条件。

《通俗编》对所收的每个语词，都找出语源，引书证释；对许多成语的发展变化，还能加以说明。如卷十三“交际”类内的“东道主”一条和卷二十六“器用”类里的“瓦罐终须井上破”一条云：

东道主　《左传》僖三十年，烛之武见秦伯曰：若舍郑以为东道主，行李往来，共其乏困，君亦无所害。《南史》：王僧辨讨侯景，晋州刺史鲁广达出境迎接，资奉军储。僧辨谓沈炯曰：鲁晋州亦是东道主人。〔按〕世俗谓主人曰东家，具觞款客曰作东道，并因《左传》语也。不知郑在秦东，故曰东道。若汉光武谓耿弇曰：是我北道主人。北魏孝武帝谓咸阳王曰：昨得汝主簿为南道主人。北道、南道，俱有所出，则不当概以东道言矣。陆灿《庚巳编》云：《礼记》主人就东阶，客就西阶，故谚呼主人为东道。此因其窒碍变通，然可备一说。

《鸡肋编》：陈无已诗多用一时俗语，如瓶悬甃间终一碎，即俗语云云也。按《汉书·陈遵传》述扬雄《酒箴》曰：子犹瓶矣，居井之眉。臧水满腹，牵于缪徽。一旦叀碍，为甃所轠。身提黄泉，骨肉如泥。注云：言瓶为井甃所击，终须破也。陈诗与俗语，皆由于此。

上一条举《左传》，叙述了“东道主”的故实，并加按语，说明其通俗用法，指出另有北道、南道之说；使读者得到有关这一常用语的一些知识。下一条由宋陈无已诗上溯《汉书·陈遵传》，告诉我们，“瓦罐终须井上破”一句成语，是先有一个语源，然后渐渐演变而成；使读者了解许多约定俗成的通用语，并不是一下子就固定大家口头常说的那几个字的[①]。

① 按《通俗编》所举“瓦罐终须井上破”一句成语，现在北京的通俗说法是“瓦罐不离井口破”。

《通俗编》中所收的语词，有不少是我们今天口头上还说或书面上常用的。如“画蛇添足”“打草惊蛇”“瓮中捉鳖”“如鱼得水”“破釜沉舟”“顺水推船”等成语以及“滑稽”“荒唐”“谈天”“溜冰”“耳边风”“不中用”之类的词语，就都为大家所熟悉，并且经常使用，可见这部书在研究汉语语源方面，是有参考价值的。其中还有很多语词如“揭帖”“弔卷”“工尺”“山歌”“海盐腔”之类，可以作为研究古代名物制度与艺术源流的参考。但书内也保留着一些封建色彩很浓厚的词语如“公侯万代”“衣锦还乡”“金玉满堂”之类；至于“发财”“得采”等，则更是死去的语言了。

《通俗编》虽有好处，却也存在着缺点。第一是引书任意删节，或者出处不详。如前面所举的“瓦罐终须井上破”一条所引《汉书·陈遵传》扬雄《酒箴》，即系截取原文头尾，中间删去五句，而且把原文的“酒醪不入口，臧水满怀”这一联的下句当作上句，又误“怀”为“腹”的。所引的注，也和原文有些出入。又三十五卷“声音”类“牙牙”一条所引司空图文，元好问诗，也都不注题目。这就使读者不易查阅原文。第二是有的词语分类不当。如“周而不备”“四分五裂”列入“地理”类；“道理”列入“文学”类；“唐突”列入交际类等；使读者无法了解它分类的原则，不便检查。第三是它对语词的探本溯源工作，做得还不到家，解释得也不尽妥当；倒是较后出的《恒言录》更精一些。

清人梁同书本来编有《直语类录》一书。因为看到翟灏的《通俗编》内容更加丰富，于是就不再刊行自己的书，另把《通俗编》所遗漏的，或虽同举一语而征引不同的材料，编为《直语补证》，以补翟氏之缺。如“若要小儿安，常带三分饥与寒”，为清代通用的俗语，在今天的北京话中，仍然常说，一字未改；而《通俗编》未收此语。梁氏之书录入之，并引元李治《敬斋古今黈》所云“小儿欲得安，无过饥与寒”句，说明其由来。《敬斋古今黈》所述，虽未必即为语源，但亦可见类似的经验谈，已见于元代。只是《直语补证》引书亦往往不载篇目卷次，为其小疵。

《通俗编》以仁和霍氏无不宜斋三十八卷本为最足，《直语补证》有《频罗庵遗集》本、《昭代丛书》本。1957年商务印书馆把这两书合并排印，并按词头的单字编有四角号码索引，很便于参阅和检查，是目前通行的较好的本子。

（七）清钱大昕《恒言录》

附清陈鳣《恒言广证》

《恒言录》，清钱大昕撰，六卷。大昕字晓徵，号辛楣，又署竹汀，嘉定人。乾隆十九年（公元1754年）进士，官至少詹事，以父丧归不再出仕，历主钟山、娄东、紫阳书院讲席，从学者甚众。初以辞章著称，嗣于经史、文字、音韵、训诂、天算、地理以及典章制度等，无不深研，皆能卓有成就。所撰除《恒言录》外，有《潜研堂集》《廿二史考异》《三史拾遗》《十驾斋养新录》《元史艺文志》《通鉴注辨证》等多种。在钱大昕死后，其仲子钱东塾以大昕手定《恒言录》原稿交给阮元的儿子阮常生。常生和张鑑各加补注，才刊之家塾。今本《恒言录》有嘉庆十年（公元1805年）阮常生序，即扬州阮氏的刻本。

这部书也和《通俗编》一样，搜集常言、俗语，而探索其语源。全书共收词语八百余条，分为吉语类、人身类、交际类、毁誉类、常语类、单字类、叠字类、亲属称谓类、仕宦类、选举类、法禁类、货财类、俗仪类、居处器用类、饮食衣饰类、文翰类、方术类、成语类、俗谚有出，共十九类。

《通俗编》的分类，本来很不妥当，《恒言录》简化为十九类，是较精密的。如把成语和俗谚有出的各汇一处，明白标出门类，即比《通俗编》的散见各类的要好得多。另外，本书所收一般的复音词和双声叠韵的复音词也相当丰富，同时还注意了对等义词和近义词的搜集。如卷一“吉语类”即列有“吉祥”“吉利”“快乐”“快活”“安宁”“康宁”“长久”“长远”等近义词和“欢喜”“喜欢”两个词素颠倒的等义词；一一引书加以考证。由此可见作者有意识地要尽量记录一些复音词和辨析近义词、等义词。在这一点上，《恒言录》就比《通俗编》更像一部词典，可以作为研究汉语词汇的参考。

《恒言录》于每个词语都注明出处，自经史、诸子和《说文》《尔雅》《释名》《广韵》等字书以及前人诗文、笔记杂著等，均加采辑，列证不繁，条理清楚。于单字，多引字书以证经史；于叠词，多标明其双声叠韵。如卷一“单字类”的“抬”字一条云：

> 抬　《通俗文》振举谓之抬（《一切经音义》引）[1]。今市物故昂其值谓之抬。《宋史·食货志》：以钞折兑粮草，有虚抬逼籴之患。

① 括号内文字，是原书的双行小注。

这一条先引《通俗文》解释“抬”字的本义，联系当时的通俗说法；再以《宋史》相印证，以见今语有源，宋元之间已经习用。

由本书内的一切词语与引证的材料中，可以看出钱大昕对《通俗编》的内容，也作了补充和引申。如卷六“成语类”的“耳边风”一条云：“《南齐书》武十七王传：吾日冀汝美，勿得敕如风过耳，使吾失气。杜荀鹤诗：万般无染耳边风。”《通俗编》本条只引杜荀鹤诗，这里补引《南齐书》，就说明了“耳边风”是由“风过耳”演化而来，比《通俗编》在探讨语源方面更进了一步。

张鑑和阮常生为《恒言录》所加注释，丰富了原作的不少内容。现在书中本文下面“鑑案”和“常生案”的小字，就是张阮两人的注。后来陈鳣又编《恒言广证》一书，仍按《恒言录》原来的卷数和门类编次文字，把《恒言录》的许多条目和张阮两家的注又作了补充。如下例：

> 长久　《老子》：天长地久。天地所以能长且久者，以其不自生，故能长久。〔鑑案〕：《礼记》：内和顺而后家可长久也。（《恒言录》卷一吉语类）

长久　鳣按《战国·赵策》：岂非计久长有子孙相继为王也哉！《管子·度地篇》：天地和调，日有长久。《庄子·在宥篇》：非德也而可以长久者，天下无之。《易林》“师之既济”：德教尚忠，弥世长久；“升之小过”：福至祸去，寿命长久；“革之中孚”：德教之中，弥世长久；“履之无妄”：宜家受福，吉庆长久；“豫之否”：君子之欢，得以长久。（《恒言广证》卷一吉语类）

由此可见以张阮的注和陈鳣的广证与《恒言录》参看，更便于探讨词源，研究意义和用法。但这三个人主要还是为钱大昕补充书证，对词语分析辨释较少；而且罗列引文，一味贪多，不加抉择，也是共同的缺点。像上面“长久”一词，陈鳣引《易林》五处文字，意义皆同，就是没有必要的。

《恒言录》有清嘉庆十年阮氏刻本，收入《文选楼丛书》内；还有重刊《潜研堂全书》所收本。商务印书馆《丛书集成》本，即据文选楼本排印。1958年商务印书馆又据原刊本重校排印，为现在通行的较好的本子。《恒言广证》于嘉庆十九年（公元1814年）成书，卷首有陈鳣自序。从前这书并无刻本，商务印书馆根据陈氏手稿整理排印，和《恒言录》装为一册，书后也附有四角号码索引。

（八）清顾张思《土风录》

《土风录》，清顾张思撰，十八卷。张思字雪亭，江苏太仓人。此书为其在吴门授徒之暇所撰，后经朱珪嘱其付梓。有乾隆六十年（公元1795年）钱大昕序、嘉庆三年（公元1798年）朱珪序各一。书即于嘉庆三年刊行。

《土风录》于时令、民俗、服饰、典章制度、成语、掌故、方言俗语等材料，无所不收。不分门类，而每卷内容，大致以类相从。如卷一专记四时风俗，卷三专记服饰用具，卷十二专记四字成语，可见一斑。钱大昕序云："其铺叙节物，则《阳羡风土》《荆楚岁时》之遗也；其诠释器服，则《匡谬正俗》《事物纪原》之例也；其考证方语，则《方言》《释名》《释常谈》之亚也。征引必检原文，而道听途说勿取也；折衷必谐六书，而乡壁虚造弗尚也。以视夫《齐谐》《诺皋》冥通梦游之作，语怪诲淫，以取悦夫贩夫庐儿者，其用心岂可同日语哉！"这段话指出了《土风录》包括的主要内容，但不免揄扬过分，实际它是不如《恒言录》精审的。不过所收材料，亦常有不见于他书者。如卷一的"空帖拜年"一条：

《文待诏集》拜年诗云："不求见面惟通谒，名纸朝来满敝庐。我亦随人投数纸，世情嫌简不嫌虚。"又周辉《清波杂志》载元祐间新正贺节，有持门状遣仆代往，其人出迎，仆云："已脱笼矣。"谚云脱笼者，诈闪也。温公闻之，笑曰："不诚之事，原不可为。"是宋时已有此风。

新正拜年，此来彼往，徒增烦扰，白费时光，而繁文缛节，积久难除，遂有不亲到门，而派遣仆从持名刺代行，以虚应故事者。《土风录》所载，足补《通俗编》《恒言录》之阙，使读者了解自宋以来士大夫间之习于虚伪，借以考见明代的部分社会风气。

（九）清郝懿行《证俗文》

《证俗文》，清郝懿行撰，十九卷。懿行字恂九，号兰皋，山东棲霞人。嘉庆四年（公元1799年）进士，官户部主事。精文字训诂之学，一生致力著述。所撰除《证俗文》外，有《尔雅义疏》《春秋说略》《山海经笺疏》《易说》《书说》《荀子补注》《晋宋书故》等。

据郝懿行自序说其书“命名《证俗文》，盖慕服子虔《通俗文》，兼取《儒林传》疏通证明之意云”。亦如《土风录》之不分门类，而每卷材料，大致按类排列。卷一叙饮食，卷二叙服饰，卷三叙用具，卷四叙称谓，卷五叙岁时，卷六叙名物，卷七叙量词，卷八叙典制，卷九叙官署，卷十志杂论，卷十一叙神庙，卷十二叙草木鸟兽，卷十三至十七录字词俗语，卷十八记远方异域之特殊语词，卷十九专释梵语；解释之下，多加小注按语，说明出处来历。编次之有条理，注释之谨严，超过《通俗编》，较《恒言录》亦胜一筹，和他的《尔雅义疏》《山海经笺疏》可以媲美。

《证俗文》的引证范围，也相当广泛，于经史诸子、字书、类书、韵书之外，兼采小说、戏曲和笔记丛考之类，清代笔记如顾炎武《日知录》、高士奇《天禄识馀》等，亦均录及。其考征名物，解说词语，全能源源本本，引据详明，以古证今，见其流变。其卷一的“饼”一条，考蒸饼、胡饼、汤饼、河洛、饅头（今作馒头）、包子等麪食之异，解说详明，各有引证。如谓“为饼切而煮之曰汤饼，亦曰水引饼；以荞麪为之曰河洛”等，皆可与现在俗语，参较异同。又卷六的“阿堵”一条云：

《晋书·王衍传》：口未尝言钱，妇郭欲试之，令婢以钱绕床，使不得行。衍晨起见钱，谓婢曰："举阿堵物却。"案：阿堵盖当时方言，犹言若箇、者箇，非专谓钱也。故《世说·巧艺篇》顾长康曰"传神写照，正在阿堵中"，谓眼也；《文学篇》殷中军见佛经云"理亦应阿堵上"，《雅量篇》注"谓经也"；谢安目卫士谓（桓）温曰"明公何有壁间著阿堵辈"，谓兵也。益知此语，为晋代方言。今人读堵为睹音，则失之矣。

这条注释使我们知道"阿堵"在晋宋间常用，为指代之词，犹言这个，意随所指而异。《通俗编》和《恒言录》均未收此词，当代词书《辞源》与《辞海》对"阿堵"的解说，也没有这样详明。《证俗文》是清代方言俗语词典中价值较高的一部，足以显示明清以来这类词典的进化，于此可见。

《证俗文》有清光绪十年（公元1884年）棲霞郝氏晒书堂刊本，不易见到。日本汲古书院出版的《明清俗语辞书集成》第五辑中所收，即据此本影印。

（十）清钱大昭《迩言》等七种及其他

清人所撰方言俗语词典，还有：（1）钱大昭（钱大昕弟）《迩言》六卷，辑俗语、俗事之见于经史子集者。最初刻于道光二十九年（公元1849年），卷首有沈涛的序和作者自序。（2）外方山人（西崖）《谈徵》四卷。为仿《通俗文》《释常谈》而作，分名、言、事、物四部，嘉庆二十年（公元1815年）柯古堂刊本，日本《明清俗话辞书集成》第三辑据以影印。卷首有嘉庆二十年的外方山人自序、嘉庆十六年（公元1811年）王玉树序、嘉庆九年（公元1804年）吴煊序、嘉庆十二年（公元1807年）成一夔跋。（3）易本烺《常谭搜》四卷，分雅俗二类，收辑语词。同治三年（公元1864年）京山易氏刊本，日本《明清俗语辞书集成》第一辑据以影印。卷首有同治二年（公元1863年）作者自序。（4）郑志鸿《常语寻源》二卷，光绪三年（公元1877年）刊行，日本《明清俗语辞书集成》第五辑，据原本影印。卷首有光绪元年（公元1875年）自序。（5）平步青《释谚》一卷，为仿《通俗编》等书之作。卷首有光绪八年（公元1882年）自序，原来收在《香雪崦丛书》丙集《霞外攟屑》卷十中。（6）唐训方《里语徵实》三卷，按一、二、三、四、五、六、七、八、九、十、十二、十四字分别编次词语，均以“徵实”标题，光绪十七年（公元1891年）常宁唐氏归吾庐刊本，日本《明清俗语辞书集成》第三辑，据此影印。卷首有同治十二年（公元

1873年）自序。（7）胡式钰《语窦》一卷，收在所著《窦存》卷四中。

另有近人著作二种：（1）罗振玉《俗说》一卷。收在《贞松老人遗稿》中。（2）孙锦标《通俗常言疏证》四卷，公元1925年南通孙氏石印本，日本《明清俗语辞书集成》第二辑，据以影印。卷首有1924年作者自序。商务印书馆在1959年把《迩言》《释谚》《语窦》《常语寻源》《俗说》五部书汇为一编出版，题作《迩言等五种》，甚便阅读。

上述诸书，都在前出各书的基础上增补，也收集了一些后起的语词。有的内容与前书材料不同，可供参阅。如《谈徵》名部上“和合二仙”一条云：“二仙即宋高僧寒山、拾得也，见《传灯录》。闾邱大夫以丰干言访之，联臂走向石山岩，遽不见。后人因其像曰和合仙，作蓬头赤脚像，手捧瓦钵。”《通俗编》卷十九“神鬼”门“和合二圣”一条，则据《游览志馀》谓和合神即万回哥哥，按语辨析，略有异同，不妨共观。但寒山、拾得为唐人，《谈徵》作宋高僧，是错误的。又《常谭搜》卷三“俗类”的“俗不可医”一条云：“黄庭坚曰：士俗不可医。”按宋苏轼《于潜僧绿筠轩》诗：“无肉令人瘦，无竹令人俗。人瘦尚可肥，士俗不可医。”此谓为黄庭坚语，亦误。这和《谈徵》之失，俱出于记忆之疏。可见对这些词书的解说与引证，也须核实，不能尽信。

（十一）清厉荃《事物异名录》及其他

事物名称，常因方言而不同；公私称谓，又以社会文化的发展而日益繁多。加上文人作意好奇，标新立异，更促进了异名、别称的增长。《尔雅》的《释亲》一篇，已开释称谓之端。《隋书·经籍志》三子部杂家类著录后周大将军卢辩撰《称谓》五卷，乃辑录为专书之始。惜原著早佚，不知内容如何。宋高承的《事物纪原》，《宋史·艺文志》也把它归入子部杂家类，后人则列为类书的一种。《事物异名录》《称谓录》《异号类编》，就是承上述诸书的系统而编撰的。

《事物异名录》，厉荃原撰，关槐增辑，四十卷。乾隆四十一年（公元1776年）初刻于江南望江县署，乾隆五十三年（公元1788年）两广总督孙士毅为之重刻于督署。卷首有孙士毅序及厉荃的原序。

《事物异名录》分乾象、岁时、坤舆、郡邑、形貌、伦属、爵位、品术、礼制、音乐、政治、人事、宫室、饮食、服饰、舟车、耕织、渔猎、器用、书籍、文具、武器、蔬谷、布帛、珍宝、玩戏、年齿、佛释、仙道、神鬼、药材、百草、树木、花卉、果蓏、禽鸟、兽畜、水族、昆虫，共三十九部，按部分类，编次词目。每个词，都以正名标目，异名列后，每一异名之下，皆引书为证。如卷一乾象部以“天”为词目，下列圆象、泰元、太皓、上灵、穹灵、上玄、碧落、真宰等二十三个异名，其下各有书证。有的先分大类，后载细目，如“日”下附“夏日”“冬日”，“月”下附“月光”“缺月”。引书一般都是首列经史子集，次列道释经典，而把辞赋诗歌放在后面。兹引“天”的七个异名和书证如下：

圆象　《礼记》孔颖达序：上法圆象，下参方载。

泰元　《汉书·礼乐志》“惟泰元尊”师古注：泰元，天也。

太皓　《后汉书》“太浩悦和”注：太皓，天也。

上灵　《晋书·乐志》：我其夙夜祗事上灵。

穹灵　《北史·魏明帝纪》：穹灵降祐，麟趾众繁。

上玄　《隋书·高帝纪》：受命上玄，廓清区宇。

碧落　《宋史·乐志》：炎精之神，飞軿碧落。《山堂肆考》：碧落，天也。

从这里可以大致看出《事物异名录》的内容和体例。由于编这类词典，不过遇书即抄，信手摘录，并非有意要作考据，所以内容难于详备，归类收词，不免重复；引用书证，疏漏亦多。如“太皓”一条引《后汉书》，无篇目，“碧落”一条引《宋史·乐志》无卷次，俱不便于覆查原书。唐白居易《长恨歌》中的“上穷碧落下黄泉”，名句流传，含意明确，正好作为“碧落”的书证，竟未列入，亦见疏失。不过这类书，集中许多资料，为人提供各方面的常识和研究名物的线索，还是有一定参考价值的。此外如清梁章钜的《称谓录》三十二卷，自父母家族、天子宗室、职官衙署以及仆婢书役，三教九流各种称谓，无不包括；史梦兰的《异号类编》二十卷，分门辑录古人的异号别称，如五羖大夫以称百里奚；一钱太守，指东汉刘宠等，搜罗亦广，足资采择；都能为阅读古籍，扫清障碍，解决一些知识性的问题，不失为有用的工具书。

（十二）清胡文英《吴下方言考》

《吴下方言考》，清胡文英撰，十二卷。据自序看，这部书是在乾隆二十年左右完成的。

胡文英认为《尔雅》“有数十字而训一义者”，是方音所造成。扬雄编《方言》乃“合九州之音以成一家言”；而自己是吴人，熟习吴音；所以编造本书来解吴语，注吴音，以求通晓当时的语言与古代的训诂。他有时也以燕、齐、楚、粤各地的方言和吴语来参校证明。他在本书“凡例”中还曾指出他编书的另一目的是考订方言中的“伪”字。如“但民”见《淮南子》“使但吹竽，使氐压窍”，后世写作“蜑”，柳宗元又作“蛋”之类。本书前面的钱人麟序言也提到元明以来的中原音韵，反不如吴晋之具备四声，因而主张“以吴音证之经史诸书，以参其离合”；实际胡文英编书的主要目的，亦即在此；他并不是只为了集录吴语词汇，加以研究；还是要考本字、明训诂，以证释古书的。

《吴下方言考》编次词语的方法是把字音相近的以声相从，排在一起。又按平上去入四声分韵，各为一部；其韵字数之少者，即类附于他韵之下。如卷一的“一东”下面注着“二冬附”，就是说明本书所收的“二冬”韵中的字不多，而且“东”“冬”韵近，所以类附于“东”韵之下；在这“一东”韵内列有“倯”“妐”“忪”“弓”……“庸庸”“从从”“东笼”等词。先辨明要查的字词，属于何声、何部，按韵部一查即得，和在《广韵》《音韵阐微》等韵书中查字的方法一样。兹引例三条于下：

倯（音松）　扬子《方言》：“陇右人名孄曰倯。”案

倯，为人作事不用力也。吴中谓作事不用力曰倯，所作之物甚平常亦曰倯。（卷一平韵一东）

花黄　《木兰歌》："对镜贴花黄。"徐悱《咏照镜》："轻手约花黄。"案花黄，未嫁之饰也。今俗谓女子未嫁者曰黄花女。（卷二平韵三江）

勃窣　《世说》："张凭勃窣为理窟。"案勃窣，散尘也。（卷十二入韵八黠）

第一条从音义两方面，指出了当时吴语的渊源；第二条以古诗证释了"黄花女"一词的由来；第三条又以今语说明了古词，使我们对《世说新语》中"勃窣"一词的含义得到理解：知道"勃窣"是由"散尘"的"尘土飞扬"的意思，引伸为"辞采缤纷，迸发不穷"之义的。由此可见《吴下方言考》在通解古今语词这一点上，有一定的贡献，要算是清代一部有价值的方言词典。

《吴下方言考》通行的是清乾隆间留芝堂刊本。

总起来说，上述诸书，全在不同程度上辑录了口语中常用的一些词汇和成语，追溯语源，找出出处和不同用法的例证。这对汉语研究工作者、文艺工作者、语文教师以及一般的学习语文的人都是有帮助的。但这些书主要还是从古书中抄录材料，甚至大部分只把这些材料摆在所收的词语之下，不加解释，没有辨析，不能说明古今语言之变，所以和扬雄那样的方言研究并非一回事情。倒是近人章炳麟的《新方言》一书，在古今语言的研究上较有贡献，可以算作一部方言词典。

附近人章炳麟《新方言》

《新方言》，近人章炳麟撰，十一卷。分释词、释言、释亲属、释形体、释宫、释器、释天、释地、释植物、释动物，共十类，各为一卷，第十一卷为音表。书前有自序，书后有刘光汉、黄侃的序；另附《岭外三洲语》一卷，为研究广东客家语之作。《新方言》收在《章氏丛书》内，通行的是浙江图书馆的校刊本。

章炳麟对清人的方言著作，表示不满。他指出杭世骏、程际盛二家的著作，都是抄录字书，不能疏通证明，又不能和当时的方言结合；他批评钱大昕作《恒言录》“沾沾独取史传为征，亡由知声音文字之本柢”；还指责翟灏作《通俗编》“虽略及训诂，亦多本唐宋以后传记杂书”，不能结合古训，且缺乏分析说明。可见他是注意从声音训诂两方面来通古今之变的。他对古今音有深入的研究，因此他的意见比上述诸人高明得多。他编《新方言》的主要原则即是“疑于义者，以声求之；疑于声者，以义正之”；优点是能从时间地域两方面出发，结合语义语音，说明某些方言语词的错综演变。如卷一《释词》的一条：

《方言》：訾，何也。今通语曰曾，俗作怎。或曰訾音转如债。四川成都以东谓何曰訾，扬越亦如之。訾转债者，脂支相转。

这就是根据古今音转的定律来辨析方言的异同的。比起钱大昕、翟灏等人来，章炳麟的方言研究确实前进了一大步。但他一定要把“笔札常文所不能悉”的现代方言难通之语，上溯一两千年，从《尔雅》《方言》《说文》等古书里找出“本字”，这就不免穿凿附会，不合实际。而且他直接以近代的方言和周秦汉魏的古语比较研究，弃置唐宋元明这一段很长时期的语言于不顾，也是割断历史的作法，当然不能系统地从发展上说明古今方言的变化。章炳麟这种复古主义的学术思想，给他的方言研究造成了很大的局限性。

因此，严格说来，《新方言》也并未能把《方言》的系统发扬光大；至于《通俗编》《恒言录》之类，则实际还是《尔雅》式训诂词书的继续。从总的方面谈，由《尔雅》到《叠雅》这些老式的词书，尽管内容各有差异，而都以讲古书中训诂名物为目的而编撰，不适于通俗的使用；《通俗编》和《恒言录》，虽着重于探讨某些俗言常语的语源，却亦和《尔雅》等书一样，辑录的范围仅限于古书，没有注意研究和采集人民大众的口头语言；而且这些书对所收的语词，一般的也只是排比罗列，意义的解释比较简单，异同的辨析更加不够，这是它们的共同缺点。但这些书保留的古汉语词汇，相当丰富，对我们了解古书中的文义与汉语的发展演变很有帮助；其中有关古代名物制度社会风习的材料，也很宝贵，能作为我们研究社会史的参考。它们是兼具词典和类书的效用的。

第四节　集释经典文字训诂词典的进化

清阮元《经籍籑诂》

唐陆德明所撰《经典释文》，以注字音为主，兼辨文字形义，为集释经典文字训诂词典之先河。但陆德明只是根据经文，随宜加注，并非有意要编词典；所以其书内容不免零星琐碎，不成系统。清代经学昌盛，注解甚多，征引、整理古籍中的文字训诂，也就成为时势的需要；因此，在《经典释文》的基础上进一步发展，而出现了《经籍籑诂》。这是我国第一部汇辑经传子史的引证于一书的大型训诂词典。

《经籍籑诂》，清阮元撰，一百零六卷。元字伯元，号芸台，江苏仪征人。乾隆五十四年（公元1789年）进士，授编修，历任巡抚、总督。博学多通，编著其富。除去《经籍籑诂》外，曾校勘石经，集四库未收书一百七十二种，各写提要；撰《十三经校勘记》《皇清经解》百八十余种；集天文、历算诸家，作《畴人传》；辑《集古斋钟鼎彝器款识》；刊当代名家述作数十种为《文选楼丛书》；自著《研经室集》；在学术方面有较大的贡献。

我国古代讲训诂的书，虽然已有《尔雅》《方言》《说文》《释名》《广雅》等，但经传子史本文，既有训诂，而各家注释，更是异常繁多，一直没有把这些东西汇为一编的。阮元有鉴于此，所以在督学浙江的时候，定出一个凡例，请了几十名文士来分书编辑，以臧庸（镛堂）为总纂，在嘉庆三年（公元1798年）完成付刻。后来因为书中仍有遗漏，就又作了“补遗”，附于每卷之后。

《经籍籑诂》编次文字，依照《佩文韵府》的办法，按平上去入四声，分为一百零六部，以一韵为一卷。凡是《佩文韵府》未载的字，即据《广韵》增补；《广韵》所无，则采《集韵》补入。一个字有好几个读音的，都按韵分入各部，并因字义的不同，各作注释。如“斁”字一音“亦”，一音“度”，就分别收入去声遇韵和入声陌韵两部，注释也不一样。对于双声叠韵的字，凡是两个字为一义的，即只取第一字之韵归部。如“嵾差”（“嵾”亦作“参”）只收入平声侵韵的“嵾”字之下，“崔嵬”只收入平声灰韵的“崔”字之下。又“芼”字有平、上、去三个音读，即分三韵收集训诂。兹引其原文如下：

芼　一，谓菜釀也。《礼记·内则》“雉兔皆有一”注。（卷十九　下平声　四豪）

芼　《说文》：“一，艸覆蔓也。从艸，毛声。《诗》曰：左右芼之。”（卷四十九　上声　十九皓）

芼　一，菜也。《仪礼·特性馈食礼》“及两鉶一设于豆南”注。《少牢馈食礼》“皆一”注。又《礼记·内则》“一羹”注。〇一，谓菜釀也。《礼记·内则》“雉兔皆有一”注。

〇一，搴也。《尔雅·释言》。〇一，取也。《广雅·释诂一》。〇一，择也。《诗·关雎》“左右一之”传。〇《尔雅·释言》释文：一，郭音义作毛。（卷

七十九　去声　二十号）

这里平声、上声各有一义；去声有五义，第一义后，每一圈下为一义。平声一义和去声中的一义相同，因读音不同而分两韵排列训诂。

为了证明一个字有固定的意义，《经籍籑诂》往往把各书中用法相同的许多文字并排一起，不避重复。解释训诂，一是列声音相近者于前，如一东韵：“东，动也；风，汜也；衷，中也”；解释与本字，声皆相近。一是列本义于前，以引申之义和展转相训者列次，名物、象数，更在其次。其训诂繁多、名物丛积者，就大致按《尔雅》十九篇，排列先后。全书编撰，体例谨严，有一定的科学性。下列的“诊”字意义比较简单，《经籍籑诂》也集录了相当丰富的材料：

诊　一，视也。《广雅·释诂》一。又《一切经音义》九引《字林》。一，候也。《一切经音义》二引《三苍》。又《后汉·郭玉传》注。〇一，候视也。《后汉·南蛮西南夷传》注。〇一，占也。《史记·扁鹊仓公传》“特以一脉为名耳”《索隐》引司马彪。〇一，验也。《一切经音义》二引《通俗文》。〇诉验也。《汉书·董贤传》集注。〇—，候脉也。《列子·力命》“—其所疾”《释文》。

诊　《说文》：—，视也。从言，㐱声。〇—，视验，谓视其脉及色候也。《汉书·艺文志》“原—以知政”注。〇—，谓可言之证。《素问·风论》“愿闻其—”注。

这里所引，前一条是初稿，后一条是补遗；全都分列训诂，注明出处。“诊”以“视”为本义，故排列在前。凡所征引，皆征载书名和卷次篇目，读者据以检查原书，也很方便。

《经籍籑诂》所收，虽然都是单字，而注释的有许多是双音词；实兼具字典和词书之用。但它也像以前的这类书籍一样，不能没有错误。臧庸在《经籍籑诂后序》中即曾提到：“卷帙繁重，限于时日，未尽覆检原书。”可见其中的引证，未必都合于原文。不过它系统地排比了许多材料，对我们研究古代汉语，还是有不小用处的。

《经籍籑诂》有扬州原刻本，常见的是清末上海文瑞楼等的影印本和1936年世界书局的影印本。

从《经籍籑诂》中查字，要先知道字属何声何韵，由卷首的总目内，查明该韵在第几卷；然后按韵去找字。世界书局影印本，附有《目录索引》，按笔画排字，每字下注出页码。又有《同字异体》，标出字的异体，如“乗”同“乘”，“歺”同“歹”，“回”同“回”等；以便读者于《索引》内找字。使用这个本子查字，就省事得多。如要查“久”字，只从《索引》的三画字里，找出“久”下注的页码六一〇，按页一查即得。

附毕沅《经典文字辨证书》

唐人“字样”之学，至宋即衰；到了清代，还有继承这一系统而编撰的“字样”，即《经典文字辨证书》。这部书虽和经典有关，却既非词典，亦非一般的字典，所以作为附录，列在《经籍籑诂》之后。

《经典文字辨证书》，清毕沅撰，五卷，沅字纕蘅，又署秋帆，自号灵岩山人，江苏镇洋人。乾隆进士，官至湖广总督。平生好著述，于经史、文字、金石以及地理之学，无所不通，校注古籍甚多，有《灵岩山人集》。所撰除《经典文字辨证书》外，以《续资治通鉴》为最著。

《经典文字辨证书》，是根据《说文解字》以辨证经籍中文字形体的书。全书所收的字，都按《说文解字》的部首来编排。书前有自序一篇，说明编书的五个体例：（1）曰正，指《说文解字》中所有的字。（2）曰省，指较《说文解字》笔画稍简一些的字。如白部的“皙”是正字，省体作“晳”，只是“白”字改作了“日”。（3）曰通，指改变了文字部分形体的位置，而和《说文解字》不相违背的。如禾部的“秌”是正字，通体作“秋”，把禾旁移到了左边；还有不得不从隶楷之体的，如变“亝”为“齐”，也属于这一类。（4）曰别，指经书中有的字而不见于《说文解字》的，如刀部的“㓵”是正字，“锷”是别体。（5）曰俗，指通俗使用，没有根据的字。如丝部“幾”是正字，“幾”是俗体。

这部书就以用这五种体例辨别经书中的文字形体为主，一般的字都不注释音义，有的于指出正俗等之外，附以考证。如攴部的“敕”是正体，“勅”是俗字，注云：“勅，俗。陆德明曰：《字林》作勅。俗又以劳勑之勑为敕，更失之矣。”由此可见这和颜元孙的《干禄字书》是一类的书，与张参的《五经文字》、唐玄度《新加九经字样》之于考辨形体之外，兼及文字音义者不同。

毕沅在自序中曾经指出张参《五经文字》的一些错误，如张参以“藝、蓺、闐、闃、稧、禊”六字为上俗下正，实际所谓下正的，也是俗体；还说明了宋张有在《复古编》中以《说文解字》中徐铉的“新坿”字为许书原有，一概指为正体之失。但毕沅自己的说法也不免于错误。清李慈铭即曾列举其失，但李氏还是肯定这部书“最为简要明通，有功来学”[①]。

第五节 汇编词藻典故的词典的进化

（一）清张玉书等《佩文韵府》

在清代词典中，《佩文韵府》和《骈字类编》是不同于一般的两部。《佩文韵府》虽然以韵统字，却并非讲究音韵的韵书。《骈字类编》虽然按类收词，也不是分门隶事的类书。它们辑录词语，是为了旧时作诗赋的人采摘词藻、对偶、寻求典故、轶闻，以便押韵对句之用的。尽管体例有异，实际仍属于词典的范畴。因此我觉得称之为汇编词藻典故的词典，较为恰当，我在一九六三年中华书局出版的《中国古代的字典》一书内，就用了这一名称。

以韵统字的词书，在唐代中叶即已有之。据《新唐书·艺文志》著录，颜真卿曾撰《韵海镜源》三百六十卷，篇幅

---

① 李慈铭语，见《越缦堂读书记》上册第545页谈《经典文字辨证书》的部分。

之巨，是空前的。真卿有《湖州乌程县杼山妙喜寺碑》一文（《文忠集》卷四），其中详细谈到编辑此书的经过和参与修撰诸人的姓名。他根据隋陆法言的《切韵》，“引《说文》《苍》《雅》诸字书，穷其训解，次以经史子集中两字以上成句者广而编之，故曰韵海；以其镜照源本，无所不见，故曰镜源”。在他任平原太守时，初编此书仅二百卷，后作抚州刺史，经州人左辅元、姜如璧等增广为五百卷。到大历七年壬子（公元772年）真卿移治湖州，复集多人，于此再加修订而成书。但碑文未言第三次修订后的卷数。唐封演在《封氏闻见记》卷二的“声韵”一条内，也有关于《韵海镜源》的记叙，可与真卿所述参照对观，兹引录其原文如下：

> 天宝末，平原太守颜真卿撰《韵海镜源》二百卷未毕，属蕃寇凭陵，拔身济河，遗失五十余卷。广德中为湖州刺史，重加补葺，更于正经之外，加入子史释道诸书，撰成三百六十卷。其书于陆法言《切韵》外，增出一万四千七百六十一字。先起《说文》为篆字，次作今文隶字，仍具别体为证，然后注以诸家字书。解释既毕，征九经两字以上，取其句末字，编入本韵，爰及诸书皆仿此。自有声韵以来，其撰述该备，未有如颜公此书也。大

历二年，入为刑部尚书，诣银台门进上之。奉勅宣付秘阁，赐绢五百匹。

封演和颜真卿同时而稍晚，故能熟知真卿编撰《韵海镜源》的始末和进书的年代。他虽未叙及抚州增订为五百卷事，可是说明了在湖州撰成三百六十卷，与《新唐书·艺文志》著录的卷数，正好相合。他曾亲见其书，故能言其内容体例。由此我们可以了解《韵海镜源》乃以《切韵》为底本，增字编成，是一部以韵统字的词书，先列单字的篆文，下附隶书和别体，引诸家字书来作解释；然后摘取两字以上的词语，按末字编韵。于经书子史以及释道之书，均加采择，包罗甚广。其供选词摘句，征引典故，以作诗赋，用意甚明。可惜原书早已失传，《宋史·艺文志》著录者仅十六卷，还不及原书的二十分之一。宋人为避宋太祖（赵匡胤）祖父赵敬的讳，改镜为鉴，题《韵海鉴源》。清黄奭曾辑其佚文为一卷。

现在大家都知道清人编《佩文韵府》是根据元阴时夫《韵府群玉》和明凌稚隆《五车韵瑞》的"事系于字，字统于韵"的体例，又大加增补而成；明人编《永乐大典》，于单字下并列篆隶各体，似出新裁；实际皆为《韵海镜源》所早已有之。阴时夫生当宋元之间，可能见到《韵海镜源》残存的十六卷，而加以模仿。即使未见颜书，其《韵府群玉》的体例，也不能算作首创，则毫无疑义。史实俱在，不能不叙述及之。

《佩文韵府》，清圣祖（玄烨）命张玉书等撰，于康熙四十三年（公元1704年）始修，至康熙五十年（公元1711年）成书。因为《韵府群玉》和《五车韵瑞》两书“疏漏不完，舛讹相踵”[①]，所以玄烨命儒臣博采典籍，辑为是编，把前两书原有的材料，都包罗在内。至康熙五十五年（公元1716年）玄烨又命儒臣，拾遗补阙，续编《韵府拾遗》，至康熙五十九年（公元1720年）编刻告竣，卷首有王顼龄等序。

《佩文韵府》原本不标卷次，只依照一百零六个韵部，为一百零六卷，而中分二十四子卷，后因篇幅太多，乃编为四百四十四卷。《韵府拾遗》原亦不标卷次，后来除依一零六韵部以一韵为一卷外，又把其中篇幅稍繁者，分作六子卷，共为一百二十卷。

《佩文韵府》编次字词，先分平上去入四声，平声又分上平声、下平声，每声都依韵目分作数十部；每部收入同韵的单字，每个单字下面排列尾字和这个单字相同的词语，按二字、三字、四字的顺序排列。所收单字，都注明音义；词语下面，则

---

① 引文见《四库全书总目提要》子部类书类二《佩文韵府》的提要。

列载各项出典。所收词语典故，凡是《韵府群玉》《五车韵瑞》所已采的，叫作“韵藻”，列在前边；两书所未收的，别标“增”字，排在后面。罗列的材料，各以经史子集为次。共一语而诸书互见的，则先引最初之书，其余依次注在下面；又别以“对语”“摘句”附于其末。《韵府拾遗》所补，体例是：（1）为前编已有的单字，加注字书的反切；（2）增补前编未有的单字，兼注音义；（3）增补前编未有的词语，叫作“补藻”；（4）增补前编未备的注释，叫作“补注”。兹录《佩文韵府》卷一“东”韵“红”字的音义，并摘引“韵藻”“对语”和“摘句”数则来看一下它的体例：

红　户公切。《说文》：帛赤色也。《增韵》：浅赤白。又地名。又姓。楚元王子红侯刘富之后。又古通作工。

韵藻　陈红《汉书》：太仓之粟，陈陈相因，红腐而不可食。苏轼诗：不妨持节散——。

题红《太平广记》：唐于祐于御沟拾红叶，题诗其上。

增　万金红《清异录》：———，即胭脂也。

杏子红　晋古辞《西洲曲》：单衫———。

对语　虚白　重碧　陈紫　嫩绿　积翠　宫柳碧

软红　窃红　魏红　嫣红　粘红　苑花红

沉冰白　熊肪白　桃绶茜

伏火红　鹤顶红　杏鞯红

摘句　花蕊飏春红　冰盘荔子红　霞分鸟道红

枫叶醉霜红　断霞千里抹残红

山店桎花落细红

分曹射覆蜡灯红　一枝临水卧残红

这里在“红”字这一词头下，注有音义，体例和一般字典、韵书相同；其后即列“韵藻”陈红、题红、长红、剪红、映山红、一丈红、玉白花红、烛影摇红等词语，在下面一一征引诗文典实，指明出处。“对语”全是上下文两两相对的偶语，如“虚白”对“软红”，“嫩绿”对“嫣红”，“熊肪白”对“鹤顶红”，“桃绶茜”对“杏鞯红”；“摘句”则都为一联的下句之押“红”字韵的。才思有限、腹笥不丰的人，从这里查找典故，采摘对偶，取一些美丽的词藻，即能凑韵成诗；这就是《佩文韵府》在旧时的作用。它虽按韵编次，目的并不在于正韵；它虽为单字注音义，也不过是以单字为词藻领头，目的并不在于解说。

上例中的“万金红”与“杏子红”两条，前标“增”字，表明这是《韵府群玉》和《五车韵瑞》所没有的材料。《韵府拾遗》为“红”字所加的反切如下：

> 红　《广韵》户公切，《集韵》《韵会》《正韵》胡公切，并音洪。

《佩文韵府》于“红”字只标户公切，未言出于何书，这里补注《广韵》之名，还并列《集韵》等三部韵书的反切，以供参考，确实是很必要的。其红字补藻仅二字者，即增加了练红、榴红、离红、流红、艳红、妆红、粟红、樱红、飘红、粉红、绿红、稻红、炉红、片红、揽红、坠红、肤红、瓜红、写红等十九个。据王掞等的《韵府拾遗》序称此书所增词藻，约为《佩文韵府》内容的二十分之一。

《佩文韵府》和《韵府拾遗》除康熙刻本外，现在常见的是清光绪八年上海点石斋的石印本和商务印书馆《万有文库》的影印本。商务本附有两书的全部单字与词目的四角号码索引，便于检查。

（二）清人《骈字类编》

《骈字类编》，二百四十卷。清康熙五十八年（公元1719年）圣祖（玄烨）命儒臣编撰，至雍正四年（公元1726年）成书，有世宗（胤禛）序。

全书共分天地、时令、山水、居处、珍宝、数目、方隅、彩色、器物、草木、鸟兽、虫鱼共十二门，又补遗一门，称为“人事”。所收的词，都按类编次。天地门收日、月、风、云、雨、露、地、土、郊、原等词；时令门收春、夏、秋、冬、寒、暑、晦、朔、旦、曙、朝、暮等词；山水门收山、岳、嶂、峤、巅、岫、石、水、江、海、泉等词；居处门收宫、殿、楼、台、门、户、窗、牖、城、市、梁、栋等词；珍宝门收金、玉、银、铁、铜、锡、宝、珠、贝、钱等词；数目门收由一至十以及百、千、万、亿等词；方隅门收东、西、南、北、上、中、下、前、后、左、右、内、外等词；彩色门收青、黄、赤、白、黑、绿、素、红、紫、丹、粉、苍、翠等词；器物门收冠、弁、冕、巾、钗、钿、针、几、车、舆、舟、网、笔、书、弓、油、盐、酒、饭等词；草木门收榖、米、蔬、菜、茶、药、兰、蕙、桃、柳、梅、杏等词；鸟兽门收鸟兽名称各词；虫鱼门收龙、虬、蛟、螭等词以及一般虫鱼的名称；人事门收福、寿、富、贵、喜、庆、高、大、长、清、顺、动、养、静、平、安等词。

《佩文韵府》所收词语是几个字的全有，尾字与字头一致的。《骈字类编》则专收两个字的合成词，首字与字头一致。如卷三十六“山水门”的“山”字下面即列有“山天”“山云”“山雨”“山月”“山风”“山雪”“山霞”“山露”“山雷”“山雾”等，下面以双行小字分录包含这每一个词的材料。每一字头下的词，大都以类相从地来排列。像上面各词中的“云”“雨”“日”“月”等即系属于自然现象的一类。另外“山峰”“山峦”“山岭”“山岫”“山岩”“山岛”等属于山形的，也排在一起。这样，使用《骈字类编》，就不仅可以按类查字，而且可以在字头下按类找词了。

本书辑录材料，也以经史子集为次，和《佩文韵府》相同；而引书注篇名，引诗文注题目，体例较为完善。试看下面摘引的“山”字的三条：

山沼　王穉登《过方丈园亭》诗：——松舟小，春茶石灶新。

山郊　江淹《齐太祖诔》：散簪——，解佩松石。谢庄《侍宴蒜山》诗：烟竟——远，雾罢江天分。

山圻　宋之问《太平公主山池赋》。见“山花”下。

这里所列的诗文，都有题目；“山圻”的引文，见“山花”条中，即不再列，以免重复。

《骈字类编》和《佩文韵府》，一齐首字，一齐尾字，是相辅而行的书，作用一样。但《骈字类编》按类收词，单字仅用来表明类别，所以不列文字音训，与《佩文韵府》体例不同。

这部书通行的是清光绪十三年（公元1887年）上海同文书局的石印本。

《佩文韵府》和《骈字类编》都辑录了相当丰富的资料：掌故、轶闻、典章制度、训诂名物、人名、地名以及诗文词藻，无所不包，内容相当广泛。其前列单字，后附与词头相同的词语的办法，无疑为近代的词书如《辞源》《辞海》等开创了先例；其中的书证，为《辞源》《辞海》所采录者，更是多不胜举。其所征引的古籍，有的现已难见，有的与今本不同。凡是从其他词书中找不到的词语典故，都可以试查这两部书。如宋王安石《临川集》卷十七《次韵送程给事知越州》七律中，有“清明若睹兰亭月，暖热因忘蕙帐秋”一联，兰亭，乃晋王羲之修禊之所，为大家所熟知；蕙帐稍生，一般词书不载，查一下《佩文韵府》，从卷八十二去声“漾”韵的“帐”字下，找到了“蕙帐”一条：

蕙帐　孔稚珪《北山移文》：——空兮夜鹤怨。许敬宗诗：——晨飙动，芝房夕露清。白居易诗：——夜瑟淡，桂樽春酒浓。陆龟蒙诗：蟾魄几应临——，渔竿犹尚枕枫汀。苏轼诗：幽人忽富贵，——芬椒兰。王恽诗：夜鹤听琴依——，晓泉和月落山扉。

这一条为我们指出了“蕙帐”一词首见于南齐孔稚珪的《北山移文》。据此线索，从《昭明文选》内翻出《北山移文》一看，知道此文为孔稚珪讽刺周颙而作。周颙先在山林，旋登仕路，是个热中利禄的假隐士，所以稚珪借山灵以肆讥嘲。蕙帐，为隐居之所的代称。“蕙帐空中夜鹄（或作鹤）怨，山人去兮晓猿惊”，为文中的一联，《佩文韵府》只引了上句，又在其下录白居易、陆龟蒙、苏轼、王恽等人的诗，以蕙帐泛指山楼的静境或幽雅的居室，皆与孔文原意相近。既然懂得了蕙帐的含义，那么，王安石的“暖热因忘蕙帐秋”一句诗，也就不难理解。“暖热”实兼天气之温暖与官场之热闹言之，因此而忘掉隐居山林时的寂静清秋，其为对程给事的婉约讽喻，自不待言了。《佩文韵府》为我们提供语词的出处，以便于扫除阅读的障碍，可见其书之有一定的用处。

《佩文韵府》的单字和词条数目，现在尚无精确的统计。《骈字类编》则只收一千六百多个单字[①]，字头太少，分类范围太狭，以致许多词目无类可归，不能录入，因而给内容造成很大的局限性；而且其中的材料，往往与《佩文韵府》重复，但亦常有为《佩文韵府》所无者。如清孔尚任《桃花扇》第二十二齣“守楼”开头有“天上从无差月老，人间竟有错花星”二句，月老易知，花星难解；《佩文韵府》并无“花星”的词目，试查《骈字类编》二百零二卷《草木门》的“花”字，找到了“花星”：“《帝京景物略》：夜不以小儿衣置星月下，曰女怕一一照。”再检《帝京景物略》，由卷二的“春场”一条内查出这段原话：“夜不以小儿女衣置星月下，曰：女怕花星照，儿怕贼星照。”《骈字类编》所引，脱落了“小儿女”的“女”字，略去“儿怕贼星照”一句，这两句话本是对着说的。旧时迷信，传说女子经花星一照，不利于婚姻；男儿

① 《四库全书总目提要》子部类书类二《骈字类编》的提要谓其书所隶标首之字，凡一千六百有四。

经贼星一照，不免于盗讼纠缠。由《骈字类编》的引证，联系俗说，体会到《桃花扇》的“人间竟有错花星”一句，是指马士英不顾李香君和侯方域的关系，派人来强娶香君为田仰作妾，好像错误的花星乱点鸳鸯谱一样。《骈字类编》之能补其他词书之缺，于此可见。

不过我们一方面要了解《佩文韵府》和《骈字类编》的内容、体例，以便用其材料；一方面也要清楚它们的缺点，以便纠其误失。因为这类官书成于众手，编撰潦草，疵谬甚多。其中引证，大都辗转抄录，未经核对原书，由《韵府群玉》《五车韵瑞》承袭下来的错误，就有不少。而且当初仅为供一般文人作诗赋采摘词藻之用，所以收辑词语，一味以多为胜，取材既极为杂滥，编次也不够妥当。其排列引证，以经史子集为次第的办法，就有很大的片面性。如《佩文韵府》卷九十九上“药”韵内“药”字下的“良药”一条，列《晋书·王坦之传》《唐书·李石传》《宋史·吴育传》《家语》《盐铁论》《论衡》《楚辞》、萧子良《发愿庄严门》、徐陵《长安道》诗、白居易《与齐法师书》、吕颂《谢赐口脂表》等引文，其安排次第，完全不顾书证的时代先后，既不能显示语词的源流，也不能说明用法的变化，只是把一大堆原始材料，乱七八糟地放在一起而已。其引证之不免脱漏讹舛，固不待言；甚至有的说某语见于某书，实际原书并无此语。例如《佩文韵府》第一百卷“陌”韵的“迹”字头下有“敛迹”一条云：

《后汉书·李膺传》：拜司隶校尉。时张让弟朔，为令暴横，膺捕杀之。自此黄门常侍，皆屏气——。

又《周纡传》：字文通，为洛阳令，下车问大姓主名。吏以里豪对。纡曰：本问贵戚，岂欲知此卖菜佣乎？自是权门——。

查《后汉书·李膺传》的原文是：“自此诸黄门常侍，皆鞠躬屏气，休沐不敢复出宫省。”《周纡传》的原文是：“贵戚跼蹐，京师肃清。”这两条原文，都根本没有“敛迹”一词，《佩文韵府》是抄录第二手材料，没有查对原书，因而致误的。又《韵府拾遗》第五卷“微”韵“衣”字头下的“鹑衣”一条：“《荀子》：‘子夏——百结。’按：——谓褴褛貌。”查《荀子·大略》作“子夏贫，衣若悬鹑”。也没有“鹑衣”一词。所以我们使用这类词书，只能从中找找某些材料的线索，对它们的引证，不可轻信；如果要用书内的引文，必须查对原书，方才妥当。

从《佩文韵府》中查找词语，要先知道所查之词的尾字属于何声何韵，然后按韵去找。如要查“天时”一词，即先须了解“时”属平声支韵，再向支韵内去找字。用商务印书馆影印的《佩文韵府》，按所编词头的四角号码去查字就省事得多，无须辨声分韵了。

从《骈字类编》中查字，要先知道词头之字属于何门，然后按门去找，还没有什么简便的方法。

第六节　虚字字典的先河

（一）清刘淇《助字辨略》

我国古代对“助字”“虚字”的概念，是不太明确的，像古书中提到的“词”“辞”“语助”“语词”之类，大约都是指的放在一句话的开头、末尾或一个语词前面、意义不大具体而又不大好解释的字。现代汉语中所谓的副词、连词、介词、语气词、助词等，从前就都把它们包括在“助字”（或说“虚字”）之内，有时连实词也混在里面。清人袁仁林在他所著的《虚字说》一书的序言中说：“虚字者，语言衬贴，所谓语辞也。在六书分虚实，又分虚实之半，皆从事物有无动静处辨之。若其仅属口吻，了无意义可说，此乃虚之虚者，故俗以虚字目之。盖说时为口吻，成文为语辞，论字为虚字；一也。”[①]从这段话里，可以看出所谓“虚字”，主要还是指没有什么具体意义、只起一种衬托语意作用的字词。

远在汉代，就已经有人注意了“助字”的解释。如《诗》的毛传、《礼记》的郑注、《尚书》的伪孔安国传，即都提到了“辞”或“语助”的名称。许慎在《说文解字》中，亦曾说明“矣”是“语已词”[②]；魏张揖在《广雅》释诂里，也指出了“也、乎、些、只”之类是“词”[③]。但把这类材料搜集整理，著为专书，以研究它的用法的，还得首推《助字辨略》。

《助字辨略》，清刘淇撰，五卷。淇字武仲，又署龙田，号清泉，确山人，寓居济宁。工诗古文，所撰除《助字辨略》外，还有《周易通说》《禹贡说》《堂邑县志》等。《助字辨略》最初在清康熙五十年（公元1711年）由海城卢承琰刊刻；后来又有乾隆年间长白国泰和咸丰年间聊城杨以增的刻本，近人杨树达亦曾取以重刻；解放后有中华书局出版的校注

① 《虚字说》，据商务印书馆《丛书集成》本引。

② 见《说文解字》卷五下矢部。

③ 见《广雅》卷第四下。

本。刘淇成书的时间，大约就在康熙年间。

《助字辨略》卷首，有刘淇的自序一篇，说明他著述的目的和体例。他认为虚字在表情达意方面的作用很大，读书而不懂得其中的虚字，就会影响对内容的体会，甚至发生误解；所以搜求各种书中的这类材料，汇为一编。他把助字分为重言、省文、助语、断词、疑词、咏叹词、急词、缓词、发语词、语已词、设词、别异之词、继事之词、或然之词、原起之词、终竟之词、顿挫之词、承上、转下、语辞、通用、专辞、仅辞、叹辞、几辞、极辞、总括之辞、方言、倒文、实字虚用，共三十类。解释的体例共分六项：（1）正训：如“仁者，人也”，以“人也”来解释“仁”，这是“仁”的本义；（2）反训：如“故”当“今”解，是与本义相反的解释；（3）通训：如“本犹根也”，说明“本”和“根”的意义相通；（4）借训：如“学之为言效也”，说明“学”可以假借作“效”解；（5）互训：如“安”当“何”讲，“何”也当“安”讲，两字互相解释；（6）转训：如“容”有“许”的意思，所以可当“可”讲，“犹”有“尚”的意思，所以可当“庶几”讲，这是展转引申的用法。

这部书搜集材料的范围相当广泛，按时间说，从先秦到元代；以内容论，从经传、诸子、史书到诗词、小说，无所不包。只有元曲中的助字，因为纯用方言，所以没有收入。这部分材料，刘淇本来是准备“别为一编，以附卷尾”的[①]，可是他并没有按计划完成。

《助字辨略》共收四百七十六字，按平上去入四声分部编次；不仅引证排比的材料相当丰富，而且对某些字辨析推论得也很详备精当，有不少是后出的王引之的《经传释词》所没有谈到的。如卷一的“於”字条内谈到“于”字说：“又《左传》宣公十二年：其君无日不讨国人而训之于民生之不易。杜注云：于，曰也。愚案：训之于民生之不易，犹云训之以民生之不易，亦语助词也。”这里把“于”当“以”讲，非常恰当，为王引之所未论及。此外，像说“其”有“岂”义，“固”有“诚”义，“遐不”与“瑕不”全是“何不”的意思等，都解释得很好。读者如果能够按照这部书的条目例证去研究分析，对宋元以前的古书中虚字所表达的词气异同，是可以触类旁通，得到很多启发的。

这部书除了采录经传子史中的虚字外，还收集了各个时代的一些俗语，这也是它的优点。如卷三“恁”字条，注云：

① 见《助字辨略》的刘淇自序。

恁　方言此也。姜夔《疏影》词："等恁时重觅幽香，已入小窗横幅。"又黄机《水龙吟》词："恨荼蘼吹尽，樱桃过了，便只恁成孤负。"此恁字，犹云如此。言便只是如此，遂过却春也。

以方言俗语，解释诗词内的文字，这是以前的字书中所少有的。可惜的是刘淇对他所收的字，并没有能够很好地去穷源竟委，每条所引证的，并不一定是使用这个字的最早材料。同时有的在字下先说用法，然后引书，后面又加按语；有的在字下不加解说，先列引文，然后逐项加以辨析；有的在罗列的几项材料的最后，加一点简单的说明；全书体例似不够完善、统一。对所举例证的解释，也并不完全成熟[①]。

不过总的说来，这部书的价值，还应该肯定，它首先奠定了虚字研究的基础，给后代提供了丰富的资料，对马建忠的《马氏文通》之类研究汉语的书，是有不小的影响的。但继

---

① 关于《助字辨略》的评价，可参阅中华书局校注本后面所附的刘毓崧和杨树达的跋文。

起的《经传释词》，却在体例方面比《助字辨略》谨严，对虚字用法的辨析也更为精密。

（二）清王引之《经传释词》及其他

《经传释词》，清王引之撰，十卷。引之字伯申，高邮人。嘉庆四年（公元1799年）进士，授编修，以大考一等，擢侍讲，历官至工部尚书，卒谥文简。所著除《经传释词》外，还有《经义述闻》和《王文简公文集》。王引之和他的父亲王念孙，都是清代著名的经学家，对古书的文字训诂，很有研究。《经传释词》前载有王引之的自序，写于嘉庆三年（公元1798年），书稿大约即完成于此时，但到嘉庆二十四年（公元1819年），才刻版行世。阮元说他积二十年之功，撰就此书，可见是用了相当长的时间的①。

《经传释词》的内容，正像书名所揭示的一样，是以研究经传中的虚字为主，而以子书和其他书籍的材料为辅的。据王引之自己说，他最初探讨古今语词，只取《尚书》二十八篇来分析，后来得到他父亲王念孙的启发，才引伸旁及于他书。他在《经传释词》中就常常引用他父亲的说法，标明“家大人

---

① 见阮元所撰的《经传释词》序。

曰”如何如何。

这部书从经传本文和注文以及其他书籍中选取例证来说明各个助字的意义和用法。一般说来，它比《助字辨略》引证解说得更加详备，而且对所举之字，都尽量远溯原始，源源本本地罗列材料，以参校异同。如卷一“与”字引《礼记·檀弓》的郑注，说明“与”作“及”讲的用法；引《易·系辞》以及《礼记》《论语》《史记》《汉书》等，说明“与”作“以”讲的用法；引《韩子》《国策》《孟子》《汉书》等，说明“与”作“为”讲的用法；引《大戴礼》和司马迁《报任少卿书》，说明“与”作“谓”讲的用法；引《广雅》《大戴礼》《墨子》《礼记》《国语》《吕氏春秋》《史记》《左传》和司马相如《子虚赋》等，说明“与”作“如”讲的用法；引《左传》《国语》《孟子》等，说明“与”作语助的用法；内容的丰富，远远超过了《助字辨略》。刘淇在“与”字下面，只是引用了《论语》《汉书》《左传》《孟子》《史记》和张平子《西京赋》等，说明“与”字的“及也”“如也”“与其”“共也”“比合之词”几种用法而已；所引材料是不如王引之的博赡的，经传中的许多例语，他都没有发现。可见在这一点上，《经传释词》是优于《助字辨略》的。

《经传释词》对所收的每一个字，全是先说用法，然后引书证明；还有的对所引之书，又加解释；于一个字的种种不同用法，都如此一一地证释辨析。像卷五的“盖”字一条就是这样：

盖　盖者大略之词。《孝经》：“盖天子之孝也。”孔传曰：“盖者，辜较之辞。”辜较，犹大略也，常语也。

盖　疑词也，亦常语也。《礼记·檀弓》：“有子盖既祥而丝履组缨。”正义曰：“盖是疑辞。”

盖　语助也。《汉书·礼乐志·郊祀歌》；“神夕奄虞盖孔享。”颜师古注曰：“盖，语辞也。”

全书体例，前后一致，条理非常清楚。这也是本书的一大优点。如卷二“谓”字的一条云：“家大人云：谓，犹与也。《史记·郑世家》曰：晋欲得叔詹为僇，郑文公恐，不敢谓叔詹言。言不敢与叔詹言之也。”这条先以他父亲的话，说明“谓”字的用法，然后引书为证；后面的一句话，就是他对所引《史记》之文的解释。“谓”字这一种用法，《助字辨略》也没有谈到，王引之讲得很好。

但这部书虽较《助字辨略》成就较高，而取材范围过于狭隘，只引九经、三传和周秦西汉之书，东汉以后的一概不录；而且根本不收书面语以外的词语，对词义“易晓者则略而不论”，所以全书收字才有一百六十个，比《助字辨略》要少得多；这就造成了这部书对虚字研究的很大局限性，也反映出旧时小学家对语言的狭隘的观点。

除去《助字辨略》和《经传释词》而外，像前面提到的袁仁林的《虚字说》，也是康熙年间成书的一部讲虚字的著作。但全书都是关于用法的解说，引证极少，收字也不多。以后，孙经世撰有《经传释词补》和《经传释词再补》，补充王著所漏略的内容。如《经传释词补》中的“诸”字作“之于”“其”“凡”的用法，皆为王著所漏；孙氏引申王著的释义或补充引证的地方也有不少。此外，同治年间，还有一个吴昌莹，著《经词衍释》十卷，亦为补充《经传释词》的未详的和遗漏的内容而作。

《经传释词》通行的有王氏家刻本、《皇清经解》本、《守山阁丛书》本等。1956年中华书局根据清同治戊辰成都书局“高邮王氏《经传释词》并惠安孙氏《补·再补》合刊”本校印王氏原著和孙氏的补作为一册；原本文字有错误的，并参考通行各本及引书，加以订正，是目前较好的本子。《经词衍释》有原刻本及翻刻本，中华书局亦有排印本。

综括本章所谈的各节来看，可以了解我之所以称明清两代为字书的进化与兴盛期，正是因为这两代的各种字书全在前人编撰的基础上，有了较大的发展：明梅膺祚编《字汇》，首先改善字典的体例，至清张玉书等撰《康熙字典》，而进一步使字典规范化；清阮元辑《经籍籑诂》，远承《经典释文》的传统，集古代训诂之大成；清刘淇纂《助字辨略》，详释古代的语助，为虚字字典之先导；清人修《佩文韵府》和《骈字类编》，大量汇集了词藻典故，其以单字领词的办法，为后出的词书树立了楷模；这在中国字典史中，都是有划时代意义的事情。其他如明朱谋㙔《骈雅》、清史梦兰《叠雅》等《尔雅》式词典之收词释义，趋向专门；明陈士元《俚言解》、清翟灏《通俗编》等方言俗语词典之扩大采辑范围，注重通俗使用；亦对后来字书的编撰，产生一定的影响。近代字书的演变与改革，除去为它们的时代要求所促成外，有明清这多种多样的字书足资借鉴，也是一个重要的因素。

第六章　古代字书的别体——韵书

第一节　韵书的源流

所谓韵书是指以审音辨韵为目的的著作。由汉扬雄的《方言》中，我们可以看出当时的通语、方言就存在着很大的歧异；刘熙撰《释名》已注意到古今语的异同；而许慎的《说文解字》内也有了以“读若某”“读与某同”的格式给文字标音的方法；但这时还谈不到什么音韵的研究，韵书是到魏晋之际才产生的。

研究音韵的书可以分为三种：（1）研究古韵的著作：这是以经子楚辞等古书辞赋来考证周秦韵文用韵的情况的书。如宋吴棫的《韵补》、明陈第的《毛诗古音考》之类。（2）研究今韵的著作：这是考证六朝唐宋以来的音韵的著作，包含自有韵书以来的《切韵》系统的书，如《广韵》《集韵》

之类。（3）研究等韵学的著作：这是以审音为主的讲音理的著作，如宋司马光的《切韵指掌图》、郑樵的《七音略》之类。这里的第一、第三两类，都与字书无关；只有《广韵》一类的书，实际就是依韵编次的字典。

中国最早出的一部韵书，是魏左校令李登所撰的《声类》十卷。稍后者是晋安复令吕静撰的《韵集》六卷，俱见《隋书·经籍志》一著录。唐封演谓《声类》凡一万一千五百二十字，以五声命字，不立诸部[①]。吕静是撰《字林》的吕忱的弟弟，《魏书·江氏传》说他仿《声类》之法，作《韵集》五卷，宫、商、角、徵、羽，各为一篇[②]；《颜氏家训·音辞》篇云“《韵集》以成、仍、宏、登，合成两韵；为、奇、益、石，分作四章”[③]；略见其分部的梗概。析清浊，辨宫商，按五音分别诸字，是始于《声类》，继以《韵集》的。及至齐梁之间，沈约、周颙等人，始创四声之说。沈约撰有《四声谱》，周颙撰有《四声切韵》；但均失传。《声类》和《韵集》亦早亡佚，现仅有清人的辑本。《江式传》所说《韵集》卷数，较《隋书·经籍志》著录者少一卷，《隋

① 见《封氏闻见记》卷二《文字》。《丛书集成》本第8页。
② 中华标点本《魏书》六册第1963页。
③ 《四部丛刊》本《颜氏家训》第40页下。

志》还另列《韵集》十卷，不著撰者姓名。

至于何以除去李登的书称《声类》外，其后出者均称“韵”而不再以“声”字标书名，清莫友芝有很好的解释，他说：

> 古韵者，皆造字之本音也。古无韵书，亦无韵字，韵字始见于晋陆机《文赋》“采千载之遗韵”。徐铉《说文新附》：“韵，和也。从音，员声。裴光远云：‘古与均同。’未知其审。”按秦、汉以上，言音不言韵。《诗序》曰：“情发于声，声成文，谓之音。”《笺》云：“声为宫、商、角、徵、羽也。声成文者，宫商上下相应。”是此所谓音，即今之所谓韵。魏李登著书，尚名《声类》，晋吕静仿其法，始名《韵集》，亦韵字出于晋之一证[①]。

古以声音对举，没有韵字，韵字始见于晋，故吕静以名其书，不再称声。这段考据，可算韵书史中一个小插曲。

继《声类》《韵集》而出的韵书很多，其中以隋陆法言

---

① 见莫友芝著、罗常培校《韵学源流》第5页，中华书局1962年排印本。

的《切韵》五卷为影响较大。陆法言认为吕静《韵集》、夏侯该《韵略》、阳休之《韵略》、周思言《音韵》、李季节《音谱》、杜臺卿《韵略》等六家韵书，分辨音韵，多有分歧，于是和刘臻、颜之推、魏渊、卢思道、李若、萧该、辛德源、史道衡八人，商订体例，参酌群书，编成《切韵》，用平、上、去、入，分韵收字。以按反切的发声分音，收声分韵，故称《切韵》。大约成书于陆法言作自序的隋仁寿元年（公元601年），亦久失传。近代因发现唐写本《切韵》残卷，而考定其书分一百九十三韵[①]。

《切韵》出书，曾经盛行一时，被视为规范化的著作，但它收字不多，注释简略，或有或无，也不校正字形，存在着不少缺点。于是唐长孙讷言和郭知玄为之加注订正，成书于仪凤二年（公元677年）。其后孙愐认为《切韵》是“随珠尚类，虹玉仍瑕；注有差错，文复漏列”[②]；所以重加刊定，增字加注，改正讹误，补充了不少内容，更名《唐韵》，成书于天宝十载（公元751年）。《宣和书谱》卷五载唐吴彩鸾于大和

① 说详赵诚《中国古代韵书》第三章第一节陆法言《切韵》。中华书局1979年出版。

② 引文见宋刊本《广韵》所附的孙愐《唐韵序》。陆法言的《切韵序》，亦载此本。

末嫁文箫，家贫，日以小楷写孙愐《唐韵》一编，售之以度日。可见《唐韵》在当时亦曾盛行，虽然书也失传，可是影响不小，后出的韵书如宋代官修的《广韵》，即继承《切韵》的系统，将《唐韵》增修而成，共分二百零六韵。因为《切韵》《唐韵》俱亡，《广韵》就算是现存的最早的韵书了。后来宋丁度等又以《广韵》为基础，撰成《集韵》；还根据邱雍、戚纶所定《韵略》重修为《礼部韵略》，颁之学官，以为科举作诗赋取韵之用。宋高宗（赵构）绍兴末年衢州毛晃把《礼部韵略》增订，称《增修互注礼部韵略》（后来简称《增韵》）；仍分二百零六韵。到宋理宗（赵昀）淳祐年间，平水刘渊撰《壬子新刊礼部韵略》，始并《礼部韵略》之同用者为一百零七韵。另有金人所编《平水韵略》已并韵部为一百零六，较刘渊之并部犹早[①]。金韩道昭撰《五音集韵》，大体以《广韵》为蓝本，把二百零六韵归并为一百六十韵。嗣后只有元熊忠的《古今韵会举要》的韵目，仍依刘渊之旧。其他如元阴时夫的《韵府群玉》，分一百零六韵，实沿金人《平水韵略》之例，并非首创。明代官修的《洪武正

① 说详钱大昕《十驾斋养新录》卷五《平水韵》、赵诚《中国古代韵书》第七章第一节《平水韵简述》。

韵》、章黼的《韵学集成》等书，分部愈少，和《广韵》《集韵》更加不同。至于清李光地的《音韵阐微》，则系仿韩道昭的《五音集韵》和熊忠的《古今韵会》的体例编撰，而附二百零六韵部之名，以存《广韵》《集韵》之旧。

明清两代科举考试和文人平日作诗赋，都以平水韵的一百零六部为准，直至近代也还有不少人以此为作诗押韵的依据。

韵书之兼讲文字的形音义，自唐已然，至宋而字书之用益显。这里略述源流，目的不在于辨韵，而在于说明它可以当作字书的一种来供查阅。

第二节　韵书的字书功用

韵书虽为审音辨韵的目的编撰，主要供查韵之用，但有的也具备字典的效能，只不过是按韵编排的罢了。如《广韵》《集韵》把一组一组的同音字排在一起，用一个反切注音，有些像现在的《同音字典》；《音韵阐微》改进了反切，求音甚易，又可以说是一本注音字典。《类篇》的序言中有几句话说："今夫字书之于天下可以为多矣。然而从其有声也，而待之以《集韵》，天下之字以声相从者，无不得也；从其有形也，而待之以《类篇》，天下之字以形相从者，无不得也。既已尽之以其声矣，而又究之以其形，而字书之变曲尽。”可见当时就是把韵书当作字书的一种的。今天我们不仅可以依据《广韵》《集韵》和《音韵阐微》一类的书来研究字音，也可以从中得到关于文字形义的常识。

在韵书中查字，首先要能辨明这个字属于平上去入四声中的哪一声，其次还要知道这个字在哪个韵部内，才能按声按部查到这个字。比如我们要从《广韵》内找“诗”字的材料，就需了解这个字是平声，在“五支”韵里，然后可以查到。一般说来，辨别四声，并不困难；熟习韵部，就不很简单。据说清代的高碧湄（心夔），在咸丰年间两次参加科举考试，都因为作试帖诗用“十三元”的韵出了韵，而被列四等；王壬秋（闿运）曾赠以诗云：“平生两四等，该死十三元。”[①]高碧湄是当时相当有才学、很会作诗的人，竟而还两次出韵，可见分别韵部之难。因为旧诗韵的分部，不很科学，有许多声近的字，不在同一韵部；用时是容易混淆的。那么，现代读者使用韵书，当然也会有些困难；除去常常翻阅以期熟悉那些韵部外，只有编单字索引，附在书后，才能补救它们体例上的缺点。像沈兼士所编《广韵声系》那样附有单字的笔画索引，查

① 见清薛福成《庸盦笔记》卷三《穷达有命》。

起来就方便了。

第三节　几部常用的韵书

（一）宋陈彭年等《广韵》

现在通行的《广韵》，五卷，系宋陈彭年、丘雍等的重修本。真宗景德四年（公元1007年）曾加刊定；大中祥符元年（公元1008年）又行重修，至大中祥符四年（公元1011年）成书颁行，改称《大宋重修广韵》。卷首载景德四年和大中祥符元年牒文各一道，后列自陆法言以下增订诸家的姓名和陆法言《切韵》序及孙愐《唐韵》序各一篇。在孙愐为《切韵》增字后，还有严宝文、裴务齐、陈道固三家的又加增订。孙愐增订本称《唐韵》，三家增订本称《广韵》，故陈彭年等重修仍不改《广韵》之名[①]。《广韵》是增广《切韵》的意思。

《大宋重修广韵》在《切韵》系统韵书的基础上，再作修订，增收了单字，补充了注释，还调整了一些韵目。全书收字二万六千一百九十四，注文十九万一千六百九十二字；分二百

① 说见清周中孚《郑堂读书记》卷十四《广韵》。

零六部，计平声五十七部、上声五十五部、去声六十部、入声三十四部。其中的平声，因字多分为上下两卷，上、去、入声各为一卷。所收的字，都先释义，后注音，并把许多同音的字，都排在这一个字头之下，作为一组；音有异读的，个别注明；字有异体的，即附于本字之下。如上平声冬韵的“冬”字一条：

冬　四时之末。《尸子》曰：冬为信，北方为冬。冬，终也。又姓。前燕慕容皝左司马冬寿。都宗切。七。

这里先说字义，列书证；随释氏姓，举人名。最后注出音切。下面又列有“㒰”字，注云“古文”；再往下是“苳”“鴤 ”“笗”“零”“豰”这五个和“冬”声相同的字；每字下面只分释其义，不再标音切。“冬”字反切后边的“七”字，就是表明由“冬”字起，共有七个字是读这同一音切的。又如下平声先韵的“先”字一条及其同音的三个字：

先　先后也。又姓。《左传》晋有先轸。苏前切。又苏荐切，四。

跹　蹁跹，旋行儿。躚　同上。　硴石　次玉也。

在这一组中，“先”是字头，下注反切；后列的跣、躚、硗三字，与“先”一音，故不另标。躚是“跣”的异体字，故云同上，不再释义。而“先”字还另有“苏荐切”的异音，则在第一个反切后标出。

从上引的两条看来，我们知道《广韵》不仅分别韵部，标注反切，而且兼顾文字的形义，有详细的解说；字的异文、别体，也都列入。比如查上声旨韵的“兕”字，就能见到“冢”“兕”“光”这三个异体。凡见于《说文解字》《字林》《玉篇》等字书中的文字，《广韵》皆备载无遗，并又有所增加；可据以了解文字的形音义。所以宋代即把它作为士人通用的字典来查阅。就其为文字分组注音的办法说，很像现在的同音字典，可据其一字的读音而推知一组字的读音。如遇冷僻字，虽从字典内查出反切而仍不能正确地发音时，不妨试查《广韵》。只要找出同组中一个常见字，即推知这个冷僻字的读音了。

《广韵》的价值，首先在于它的反切，为我们研究中古音，提供了重要依据；其次在于它的解说，为我们研究古代文字训诂，汇辑了丰富的资料。书内包括的古代天文、地理、名物、典制、音乐、医药、草木、禽兽以及异闻、传说等多方面的内容，亦足资参考。其中有的是从《切韵》《唐韵》继承而来，有的是陈彭年等重修时所补充。它的引证，不仅出自经史子集，还兼采小说、杂记，范围甚广。这部韵书，是在一定程度上，又带有百科词典性质的。对于州郡沿革、姓氏源流、叙述尤详；清李慈铭即曾指出“《广韵》所最详者氏姓，考据家所宝贵”[①]。如上平声“之”韵的“慈”字一条云：

> 慈　爱也。亦州名。春秋时晋之屈邑，夷吾所居。西魏改为汾州，开皇初为耿州，武德改为慈州，因慈氏县名之。疾之切，五。

这里在解释“慈”字的本义之后，即叙慈州的建置沿革，可见《广韵》之释字兼及语词，这是自《说文解字》以来的字书传统。后人考证古州郡的变迁，常以《广韵》所载，与他书相参照；说明这类材料，是有用的。但于此叙述过多，即似有偏好，就体例方面说，亦为未善。如上平声“东”韵的“公”字一条，载姓氏至一千余字，就不免繁芜，应加剪裁。因为韵书实如字典，不能像类书那样一味堆积材料，以多为胜。

---

① 见《越缦堂读书记》上册《广韵》。

《广韵》所列文字形音义，也存在着不少错误。如去声未韵的“穙”字，解释为稻不黏也，扶沸切；去声至韵又有“穙”字，解释为稻禾黏也，秦醉切；两字形音义俱异，实际正是一个字。《说文解字》的“穙”字释为“稻紫茎不黏也”，解与《广韵》同，《玉篇》亦无“穙”字。《广韵》至韵“穙”字的“冀”旁，乃以与“糞”形近而误，“稻禾黏”则为“稻不黏”之讹，因形义皆失，以致标音亦成两歧。又入声屋韵的“棟”字，解释为赤棟，木名，桑谷切，形体有误，注音亦谬。按《尔雅·释木》云：“梀，赤棟。”《经典释文》云梀又作榡，同，山厄反；《玉篇》作山革切；均不误。“束”应作“朿”，误从束缚之“束”，音遂因形而讹[①]。这和上面的“穙”字之误，都是编校粗疏所造成。所以使用《广韵》要注意校勘，选择善本。

《广韵》每卷之前，都列有韵目，形式如下：

德红 东第一　独用　都宗 冬第二　钟同用　职容 钟第三

这里的“东”“冬”“钟”是韵部的名称，“一”“二”“三”是排列的次第。“德红”“都宗”“职容”是“东”“冬”“钟”

① 参阅清桂馥《札璞》卷六《览古》的《玉篇·广韵》一节。

三个字的音切。“东”字后注“独用”，表明在作诗赋时，不能把“东”韵和其他韵中的字同用；而“冬”与“钟”两韵的字，可以同用，作为一韵。

从《广韵》中查字，要先知道所查之字属于平上去入的哪一声哪一韵；然后从韵目中找韵部次第，去按韵查字。不熟悉声韵，可向《中华大字典》或《辞源》《辞海》中查明字属何韵，再查《广韵》就比较容易了。如用文字改革出版社印行的沈兼士所编《广韵声系》，则按文字的部首笔画，从索引中查页码，一检即得，可免辨韵之难。

《广韵》一书有详注本及略注本两种。详本有宋刻小字本，张氏泽存堂校刻宋本，黎氏《古逸丛书》影刻宋本等；略本以元泰定刻本为佳，《古逸丛书》中亦有影刻本；商务印书馆《丛书集成》本的《覆宋本重修广韵》（详本）和《覆元泰定本广韵》（略本），就是据《古逸丛书》本影印的。中华书局出版的《广韵校本》，是周祖谟以泽存堂本为底本，据各种宋本及覆刻本雠校异同而成，为目前最好的本子。

（二）宋丁度等《集韵》

《集韵》十卷，旧本题宋丁度等撰，实际最后是由司马光完成的，并非尽出丁度等之手。宋仁宗景祐四年（公元1037

年）宋祁等认为陈彭年等重修的《广韵》，多用旧文，未能彻底革新，取材亦欠匀称，建议重修；于是仁宗命宋祁、丁度等重撰；到宋英宗治平四年（公元1067年）才由司马光续编成书。

这部书是依《广韵》重修的，计平声四卷，无上下平之称，上声、去声、入声各二卷，共收五万三千五百二十五字，比《广韵》增加了二万多字，字的重文异体，也罗列很多。

《集韵》和《广韵》体例相同，只是把《广韵》某些韵部的字，改为古体；并将韵部做了一些调整、改动。如改《广韵》去声的“暮”韵为“莫”，“嶝”韵为“隥”，“㮇”韵为“桰”，是皆从古写。改《广韵》平声“添”韵为“沾”，去声“酽”韵为“验”，是换了韵部的首字。因此，如想参照使用《广韵》《集韵》，必须先看两书的韵目，对一下韵部的排列次第和韵字有无不同，才好检查要找的字。书内文字义训，以许慎《说文解字》为本，《说文解字》没有的字，即参用他书解释。凡是古字载在经史诸书可以辨识的，即行登录，否则不收。现引《广韵》和《集韵》的“豔”“爓”两字于下，看一下它们的异同。

豔　美色也。以赡切。九。艶　俗。

爓　光也。焔　上同。(《广韵》卷四去声豔韵)

豔　艷　閻　以赡切。《说文》:好而长也。从豐。豐，大也。引《春秋传》美而豔。隶作艷。或作閻。文二十。

爓　焔炎燄爁　火光。　或作焔炎燄爁。(《集韵》卷八　去声艷韵)

《广韵》先释字义，后注字音，音义之后，附列异体;《集韵》则先音后义，正与《广韵》相反，异体都紧附本字之下，亦和《广韵》不同。即以“豔”韵而论，《广韵》共收正字四十四个，异体八个;《集韵》则有正字七十六个，异体二十五个，比《广韵》几多一倍。至于两书的注释，则互有详略。一般说来，《集韵》的注文，不如《广韵》详细;但《广韵》未收的字，可从《集韵》中查到。如《广韵》去声“釅”韵仅有七字，《集韵》的“验”韵，即增至四十二字，内有九个异体重文。其中引证古书的材料，也很可宝贵。如所载陆德明《经典释文》的音读，即有和今本《经典释文》不同的地方。清段玉裁注《说文解字》曾据以定古音，辨古体;王念孙作《广雅疏证》亦据以补阙订讹。它的反切，有的比《广韵》的反切容易拼出恰当的字音;对多音多义字的音义，也分辨较详。所以研究古音，可用两书的反切相参照。近人编《中华大字典》，单字注音，全采《集韵》的反切，即取其求音较易，辨析详明。

《集韵》对《广韵》的韵部和单字的归部所作的一些改并移易，未见高明，也没有什么实际意义。削减《广韵》注释的繁芜，则就韵书体例言，可称改进。但把《广韵》中所叙姓氏源流、州郡沿革全部删除，未免过当，应稍存梗概，以供查考。如《广韵》上平声东韵“东”字下有述姓氏的一段话，《集韵》一字未留，只注了“又姓”二字。《广韵》上平声之韵“慈”字的解说，上文曾经引及，其叙慈州数语，相当简明，《集韵》亦尽删汰，实在太过。清周中孚指出《集韵》的缺点说：“又多列重文，雅俗不辨；兼存篆籀，颇为芜杂；反删去重音之互注，使两收之字不明，则不及《广韵》远矣。”这话是颇为中肯的。如《集韵》上声果韵的“羸”字，下列裸、躶、倮、儽四个异体，其中“儽”字自有音义，偶然通假，不能视为羸的异体字。《广韵》的“单”字分四项音义：

（1）单　单复也，又大也。亦虏姓，可单氏后改为单氏。都寒切。又常演切。（上平声寒韵）

（2）单　市连切。单于，又丹、善二音。（下平声仙

韵）

（3）单　常演切。单父，县名。亦姓，出周卿士单襄公之后。又丹、禅二音。（上声狝韵）

（4）单　时战切。单父县，亦姓。（去声线韵）

这里前三项中注的又音，就是重音的互注，《集韵》于此一律删去，使读者不能参看各韵之音，确实体例未善，不如《广韵》。

《集韵》虽也删改了《广韵》的一些错误，但疏漏尚多。如上文所举《广韵》中“梀”字的形音之谬，《集韵》即沿袭下来，并未改正。本书的讹谬，也有不少。清人方成珪于道光年间编成《集韵考正》十卷，除依各家校本考订本书，并用《广韵》《类篇》二书参校外；又以《说文解字》《方言》《广雅》《经典释文》诸书对核引文，辨正文字和音读，这部书对研究、使用《集韵》，很有参考价值；通行的是光绪间刊本。商务印书馆的《万有文库》本，把《集韵》和《集韵考正》影印在一起[①]，使用最为方便。

清康熙间曹寅曾刻《玉篇》《广韵》《集韵》《类篇》

---

① 说见《郑堂读书记》卷十四《集韵》。

和《礼部韵略》于扬州，号《楝亭五种》，刻版甚精，而校勘不善。清同治、光绪间姚觐元在川东官舍，据此本重刊《集韵》《类篇》《礼部韵略》三书，世称《姚刊三韵》。现在常见的《集韵》就是姚刻本，文字多仍沿原本之误，未能改正。

（三）宋丁度等《礼部韵略》

《礼部韵略》五卷，系丁度等根据邱雍、戚纶所定的《韵略》重修而成，在宋仁宗景祐四年（公元1037年）由国子监颁行。因为科举的事，由礼部掌管；这部供士子们参加考试作诗赋取韵的官书，正是字书声韵之略，所以叫作《礼部韵略》。书末还附有“贡举条式”一卷，更表明了它和科举考试关系的密切。

《礼部韵略》仍按平、上、去、入四声，分二百零六个韵部，但删去了《广韵》和《集韵》的僻韵奇字，收字较少，解释也较简要，适合当时考试的应用；因此，士人们都奉为圭臬。宋初考试，用韵本无章程。自从这部书颁行以来，就一直以它为标准。此后虽曾数度增字，但并没有什么大改动。

这部书的宋代官本，现在已看不到，通行的本子标名为《附释文互注礼部韵略》，卷首有余文焴所作《欧阳德隆押韵释疑序》一篇，郭守正的《重修序》一篇，与本书并不相干；《校正条例》十条，也不全和书的内容相应；大约是据旧本改动添补，而仍把原序例放在了前面的。

书中的每个字，都先列官注的音义，后附所增解说，加一“释”字来分别；对字的异体、通作，也一一注明。如上平声的“虞”韵“敷”字：

敷　芳芜切。〔释〕云：散也；施也；陈也。〔亦〕作尃。

这条即是先列官注原有的反切，后加新释，并以“亦”字标出或体的。

这部韵略很注意注有两音和古今音义可以通用的文字，《校正条例》即曾指出：“字有互注、最关利害：字有重音，因互注而后知。诸本率皆漏略，今逐一订正。”所以它把一韵中的有两音两义，音者义不同，见于两韵的字，全分别注明，使之参照互见；书名“互注”，即取义于此。如上平声的“支”韵“衰”字，即有两条注：

衰　初危切，减也；《左传》：各有等衰。杀也。又所追、仓回二切，见脂、灰二韵。

衰　所追切，微也。又初危、仓回二切，见支、灰二韵。

另外，“灰”韵的“缞”字注云：

缞　〔亦〕作衰。〔释〕云：丧服也。衣长六寸，博四寸。

这里前两条，说明“衰”在一韵中有两个音义；后一条指出和“崔”字同音作“仓回切”的“缞”，也可以写作“衰”；这就是所谓“互注”。目的是使人明了字有两音的可以通用；不要把本字和异体字、通用字重复押韵。

宋高宗绍兴末年衢州毛晃，因为《礼部韵略》收字范围太狭，于是采辑古籍中的文字，依韵增补；并把原书文字音义、笔画错误的，应以墨圈圈标字的别体别音而舛漏的，一一辨证、审定，补加墨圈。所增的字共二千六百五十五个。毛晃的儿子毛居正又把他父亲遗漏的字增入了一千四百零二个。凡是字下注明“增入”“今圈”“今正”的，都是毛晃所加；凡注明“重增”的，都是毛居正所加；辨论考证的话，也分别署上了他们父子的名字。

这部书叫作《增修互注礼部韵略》，即后来大家所说的《增韵》。

这两种《礼部韵略》在审音辨韵方面的价值不大，宋以后作旧诗的人，也不再据此用韵；正如清张之洞在《书目答问》中所说："不合于古，不行于今，特借以考见当时程试之制。"[①]它们的功用还在于可以当作字典来使用；尤其是《增韵》在考订文字点画、辨正训诂方面，颇有可取；所以后出的字书、韵书征引它的很多。不过这部书，现只《四库全书》内有，并无单刻通行本，不易见到。

《附释文互注礼部韵略》，有清康熙间曹寅的《楝亭五种》本；容易见到的是光绪二年姚觐元所刻的"川东官舍"本。另外还有影印常熟瞿氏铁琴铜剑楼所藏宋刊本一种，收入商务印书馆的《四部丛刊续编》内；和曹刊本内容有所不同。至于刘渊的《壬子新刊礼部韵略》，因原书已佚，这里就不论述了。

附《四声篇海》和《篇海类编》

《四声篇海》，金韩孝彦撰，十五卷。把《玉篇》的

① 语见《书目答问》经部小学类。

五百四十二部，按三十六字母顺序排列；又据《类篇》《龙龛手鉴》等字书，增杂部三十七，共五百七十九部。凡同母之部，各辨其四声为先后；每部之内，又以字的笔画多少分排列次第。书成于金章宗（完颜景）明昌、承安年间。到泰和八年（公元1208年）韩孝彦的儿子道昭，把这部书改并重修，共分四百四十四部，增字一万二千三百四十五个，改称《五音类聚四声篇海》（后人简称《五音篇海》），文字的异体和冷僻字，收载甚多，而舛谬亦夥。明成化三年（公元1467年）僧文儒等校刊此书和道昭所编《五音集韵》，合称《篇韵类聚》。明代的书贾又据《五音篇海》辑《篇海类编》二十卷，讬名宋濂撰，屠隆订正。以部首之字分二十类编次，又分四百四十四个子目；荒谬舛讹，不堪名状，颇为识者所讥。《五音篇海》少用罕见，《篇海类编》今亦难得。但因其所收异体字和冷僻字，往往不见于他书，故清人修《康熙字典》，常引用此二种，其《补遗》《备考》两集，采录尤多。附识于比，以供查考。

（四）清人《佩文诗韵》

《佩文诗韵》五卷，大约成书于清康熙间《佩文韵府》完成的同时；实际它就是《佩文韵府》单字的简本。

这部书沿用元阴时夫《韵府群玉》的一百零六韵；而阴时夫是把南宋时平水刘渊编《壬子新刊礼部韵略》所归并的一百零七韵又省去一个韵目的；因此《佩文诗韵》仍应算是《平水韵》一系的韵书。

在这书颁行以后，清代士子下场作试帖诗必须遵守这部标准官韵，就像宋人的必须遵守《礼部韵略》一样。但《佩文诗韵》却比《礼部韵略》的影响大；不仅后出的诗韵如《诗韵合璧》《诗韵集成》之类，完全承袭它的系统而编撰；一直到现在，作旧诗用韵，还是以《佩文诗韵》这一派的诗韵为依据的。

《佩文诗韵》共收一万零二百三十五字，也按平上去入四声，分部录字。每字都注释音义，有异体的，在音义之后标明。如下例：

卷一　上平声　一东

同　徒红切，合也。亦作仝。

卷五　入声　一屋

屋　乌谷切，舍也。又复姓。

书内的注释，全这样简单，不像以前韵书那样详于文字训诂；每韵中先列常用字，后排冷僻字，也不同于《广韵》《集韵》那样把每韵中的同音字排成一组一组用一个反切注音的办法。这都表明了它的重点在于供作诗检韵，而不在文字音义①。

这部书原有礼部官刻本，现在不易找到。常见的是周莲塘的删节本，叫作《佩文诗韵释要》，通行的为光绪刊本，中华书局收入《四部备要》经部内；商务印书馆也曾据以翻印。

附元周德清《中原音韵》

《中原音韵》为元代周德清在泰定元年（公元1324年）编定的一部曲韵。全书两部分，前一部分是韵谱，把平声分为阴阳，以入声配属于平、上、去三声之内，共分东钟、江阳、支思、齐微、鱼模、皆来、真文、寒山、桓欢、先天、萧豪、歌戈、家麻、车遮、庚青、尤侯、侵寻、盐咸、廉纤，计十九部；按部排列韵字。后一部分主要讲作曲词的十法。

北方音没有入声，凡入声都读成平、上、去三声，由来已久。到了元代，《广韵》一系韵书的音韵，已多不合于当时的语音。周德清既精通音律，善作乐府；又对与北曲相关的语言

① 参阅黎锦熙《增注中华新韵序》。

和前人曲作中的韵脚，很有研究；于是创阴阳之说，归纳出新韵部，编成这部切合实际语音的韵谱。

《中原音韵》不仅是北派曲韵的代表作，成为后来作北曲的准绳，而且对于北京话也很有影响。因为它所载的音，符合当时的大都（北京）音。而元代的大都音，正是今天北京音的发端。

不过这书只列韵字，不注音义，惟供查韵之用，和《广韵》《集韵》等可作字典的韵书不同；不是本书论述的重点，故不细说。

现在戏剧出版社印行的《中国古典戏曲论著集成》第一集收有此书，旧刻单行本已不多见。

（五）清李光地《音韵阐微》

《音韵阐微》十八卷，清李光地承修，王兰生撰。自康熙五十四年（公元1715年）开始修撰。到雍正四年（公元1726年）成书。卷首有世宗（胤禛）序。

这部书，按通行的诗韵分韵部，每字又依照三十六字母分列，并标出“一二三四”四等。三十六字母是：见溪群疑，端透定泥，知彻澄娘，帮滂并明，非敷奉微，精清从心邪，照穿床审禅，晓匣影喻，来日。以一般韵书而讲等韵学，是《音韵阐微》异于《广韵》《集韵》的地方；而它的主要特点则在于对反切的改革。这部书的“凡例”说：“世传切韵之书，其用法繁而取音难。今依本朝字书合声切法，则用法简而取音易。如公字旧用古红切，今拟姑翁切；中字旧用居银切，今拟基因切；牵字旧用苦坚切，今拟欺烟切；萧字旧用苏雕切，今拟西腰切。盖翻切之上一字定母，下一字定韵。今于上一字择其能生本音者，下一字择其能收本韵者，缓读之为二字，急读之即成一音。”由此可见这部书主要是为了改进以前韵书的反切，以便于拼出字音而编撰的。

《音韵阐微》所用以切音的字，都有一定。大致说来，反切上字用支、微、鱼、虞、歌、麻这几个韵中的字；反切下字，凡清声取影母的字，浊声取喻母的字。按照这个原则所定的反切，称为“合声”，这是《音韵阐微》中的标准音。对于有音无字的，取他韵、他母之字来代替，有“今用”“协用”“借用”三例，以便婉转互求，委曲旁证。遇到本母，本呼于支、微、鱼、虞、歌、麻数韵中无字的，就借仄声或别部的字以代替，但仍分开、齐、合、撮；遇到本韵影、喻二母无字的，就借本韵旁近的字来代替，但仍分清、浊；这称为“今用”。其次是借邻韵影、喻二母中的字以协其声的，称为“协用”；最后是虽借邻韵，并非影、喻二母中字，其声相近，但亦不甚协合的，称为“借用”。遇到旧韵书如《广韵》《集韵》的反切用字已合者，即仍其旧，不加改动。我们从《音韵阐微》内查字音，应该首取“合声”。没有“合声”，即采“今用”；没有“今用”，再采“协用”；没有“协用”，再采“借用”；循序递降，是不得已而求其次。

这部书对于每个字都是在字头上标出声纽和等第，在字下先列《广韵》《集韵》的音切，然后注出“合声”；下面再解释字义。如卷一平声“东”韵的“公”字一条：

> 见一 公　《广韵》：古红切，《集韵》：沽红切；合声：姑翁切。《说文》：平分也。《广韵》：通也，父也，正也，官也，无私也；亦姓。

这里的“见一”，就是说“公”字是“见”纽一等；“合声”就是《音韵阐微》的反切。又如卷二“鱼”韵的“摅”字一条：

> 彻三 摅　《广韵》：丑居切，《集韵》抽居切；今用：敕于切。《广韵》：舒也。

这里的“彻三”，就是说“摅”字是“彻”纽三等；因为没有适当的“合声”字，故以“今用”来代替。

《音韵阐微》所切出的字音，既非《广韵》系统的中古音，也非秦汉的古音，只是合于清代北方官话的音而已。因此就有人讥评它缺乏科学性。但这只是问题的一个方面。从另一方面谈，《音韵阐微》根据当时的北方官话来定字的音切，正是客观的存在所决定的。我们今天的字音和唐宋的字音距离较大，所以用《广韵》《集韵》的反切，往往拼不出那个字的音来；而用《音韵阐微》的音切，则比较容易拼出现在的读音。这正是我们今天还认为这部书有参考价值的缘故。至于它在研究音韵系统理论方面的价值如何，那又是另外的问题了。

《音韵阐微》，现在常见的是清光绪七年淮南书局的刻本。

（六）清何萱《韵史》

《韵史》八十卷，清道光间何萱撰。书成后迄未刊刻，直至1936年才由商务印书馆将原稿影印发行，共分十四册；书后附有商务所编单字的四角号码索引。

何萱根据段玉裁的古韵十七部来分部，计平声七十一韵，上声六十六韵，去声七十韵，入声七十四韵，共二百八十一韵。除去一些部的同入声者外，实为二百五十二韵。他说通行的“见溪群疑”等三十六字母“有复有漏，未为尽善”；于是改定为“见起影晓，短透乃赍，照助耳审，井净我信，谤并命匪未”二十一字母；认为以喉、舌、齿、唇四音二十一母统括众字，则声音无不能举。《韵史》每部就以这二十一字母的次第为列字的次第。此书不采等韵之说，只用四呼：一开口呼，二合口呼，三齐齿呼，四撮口呼；字的反切，也和其他韵书不同。

《韵史》收字，以《说文》为本，以《玉篇》《广韵》为辅；见于《说文》的字归正编，见于《玉篇》《广韵》的字入副编。论字形，以篆楷形体相同的为正字，楷书稍简单而合乎篆意的也算正字；后起字和俗体字，亦附列而说明。论字义，则先列本义，次及引申义；先取《说文》，次及经传笺疏；秩序井然。何萱还认为叚借是声音文字之大用，所以特别注意于正、借的辨别。

卷二十一

合口呼　第五部平声上　姑韵

会卢切

弧　木弓也。……

狐　祅兽也。……

黏　粘　或。俗作糊。黏也。（《说文》。按黏，女廉切，相箸也。《文选·芜城赋》注引字书云：糊，黏也。萱按此以正字释俗字也。谓今之糊即古之黏字也。）粘，饘也。（《广雅·释器》。按此段粘为䊷字也。）

䊷　饘也。（《说文》段注：《释言》：餬，饘也。当作此字。今江苏俗粉米麦为粥曰餬。）

餬　寄食也。（《说文》。）餬，寄也。寄食为餬。（《方言》二。又《广雅·释诂》三曰：餬，寄也。）食也。（《庄子·人间世》："足以餬口"释文引李注。）鬻也。（《左氏》隐十一年传"而使餬其口于四方"注。又疏云：餬是饘鬻别名。又云：餬者以鬻食口之名。）饘也。（《尔雅·释言》）

全书就这样先列四呼，次十七部、四声和韵目；然后注一个反切，在下面列出一组同音字，一一加以注释。如上例中的"黏"，是《说文》内的本字，"粘"是《说文》内的或体，"糊"乃通行的俗字；"黏也"是《说文》对这个字的解说；夹注号内的文字，是原书以双行小注的形式所加的引证和分析。何萱指出了《文选》注是以正字释俗字，《广雅》是以本义释借字；使读者能较清楚地知道"黏"的文字训诂。而“鬻”“餬”两字的注释又可以和“黏”的解说参照，因而了解这三字的相互关系。由此可见，综合文字的形音义三要素，考定文字的音义，分析古今的变通，是这部书的一个主要特点；举证丰富，辨释详明，引书皆注篇目，又是本书的一个很大优点。

不过，这书虽名为《韵史》，而在音韵上的贡献，却并不大。已故的现代语言学家罗常培，在本书的跋文中即曾指出何萱的“改定字母，拘守五声，误解等呼之说，臆改反切旧法”，有不少可议之处；但也肯定《韵史》在训诂方面的价值。我向读者介绍这部书，正是希望大家把它当作字典来用的。

读古书，查字音，与其利用字典，不如利用韵书；因为像《广韵》《集韵》和《音韵阐微》之类的韵书，也一样讲文字的形义，具备字典的效能；而它们在标音方面的独特作用，却为一般字典所未有，能使读者取音得到一些方便。韵书，实际就是古代字书的一种，不过编撰目的和体例不同于一般字书而已。因此本节介绍韵书，一方面就古代字书发展的史实，略叙其源流；一方面就其字典的作用，着重从取音上略谈其特点；而不涉及这些韵书在音韵学方面价值的评论。

第七章　字书的演变与改革期　近代

第一节　字典的演变与改革

（一）普通字典

陆费逵等《中华大字典》

自清末以来，由于时代社会的急遽变化，一般人对于新知识，都有相当迫切的要求；从前的《说文解字》派的字典与《尔雅》式的词典，已不能满足大家查阅的需要，其内容的演变和体例的改革，势在必行。这时一方面有清儒对文字训诂之学及古字书研究的成果，作为基础；一方面有外国词书的编撰，足供借鉴；使我国字书的演变与改革，具备了必要的条件，于是多种多样的新字典、词典就适应这种现实而产生。

这里只就语文方面谈，主要的字书，有继《康熙字典》而起的大型字典《中华大字典》；有综合新旧、首创一体的大型词典《辞源》和续出的《辞海》；有以符号注音的《国语词典》；有结合语法讲虚词的《词诠》；有专释联绵词的《辞通》和《联緜字典》；有专说诗词曲语词的词典《金元戏曲方言考》等；种种新的探索，为近代字书的发展，展现了宽广的路途。

《中华大字典》，陆费逵、欧阳溥存主编，参与编务者共三四十人。从清季宣统元年（公元1909年）开始编纂，至公元1914年成书，次年出版，恰好和商务印书馆的《辞源》出版在同一年。自《康熙字典》通行以来，二百多年一直没有新的大型字书出现，中华书局编印的这部《中华大字典》是继之而起的第二部大字典，它的产生，标志着我国字书进入了一个历史的新阶段。

《中华大字典》卷首有林纾、李家驹、熊希龄、廖平、梁启超、王宠惠和主编陆费逵、欧阳溥存的序各一篇。陆费逵在序言中指出《康熙字典》的四大病说："解释欠详确，一也；讹误甚多，二也；世俗通用之语，多未采入，三也；体例不善，不便检查，四也。"可见编者要以《康熙字典》为借鉴，补阙纠谬，改善体例，扩大收字范围，另编一部新字典来代替《康熙字典》的。

这部字典沿用《字汇》《正字通》《康熙字典》的二百十四个部首，并仍分子丑寅卯等十二集，而调整了一些部首的排列顺序，如“手、毛、心、爪以物同，入、八、儿、几以形近”，就都排在了一起。据本书“凡例”说这是兼取许慎的“据形系联”和顾野王“据义系联”的办法来编次的。

《中华大字典》在每个字下面，全是先以反切注音，然后解释字义，列举书证。所收的字，除去正文本字之外，兼列籀、古、省，或俗、讹诸体，一一加以说明。近代的方言，翻译的新字，也都采入。全书共收四万八千多字，“凡二千余页，四百余万言”①，确实可以算作一部大字典。

这部大字典在体例方面，比《康熙字典》有了显著的改进，主要是以下三点：

（1）注音：以宋丁度等《集韵》的反切为主，每个音只用一个反切，加注直音，并标明本字的韵部。每个音，都列在一个字头之下。如“与”有四个音，就列出四个字头，下面各自标音。《集韵》未收的字，即兼采《广韵》和其他韵书、字书的音切。这比《康熙字典》的一个音并列几个反切的做法更切

① 引文见《中华大字典》的陆费逵序文。

合实用；删去旧字书中叶韵的音，也是必要的。

（2）释义：分条解说，一条只注一义，只列一个书证；用㊀㊁㊂㊃的数字，顺序标明，清楚醒目。

（3）解词：常常在一个字下面，兼释由这个字组成的复词或事物的名称。如心部“志”字下，解释“志士”的含义，说明“远志”是草名；手部“挺”字下，解释“挺挏”犹上下，说明人名有梁伏挺等。这样，就使此书兼具词典的作用。适当收入以字头为词尾的词，还可以标明音读。如“与”的第三音读豫（yù），下列地名“阏与”“方与”，可使读者知道两词中的“与”应读yù，办法也很好。

这是《中华大字典》不同于《康熙字典》的地方。解释比较简明，也是它一个特点。由于适当采用了清人文字训诂的研究成果，把段玉裁的《说文解字注》、桂馥的《说文义证》、王念孙的《广雅疏证》等书中的说法录入解释，还纠正了《康熙字典》的一些错误。如臼部的“臼”字的第一项解释下附有按语说：

按近世字书，此部实合《说文》臼、𦥑、舁三部而成。自余齿部之[illegible]、手部之举、男部之舅、申部之臾、乌部之舄、自部之[illegible]、萑部之舊，爨部之舋，亦并收入，凡搜辑至十一部之多。盖篆文变隶，隶又变楷，其势不得不尔。此部牵合尤繁，姑举以见例云。

这一段按语，说明臼部乃综合旧字书的多部而成，由于隶楷之变，不得不牵合归并；能给读者以有关的文字学常识，颇具参考价值，亦足以见《中华大字典》革新之一斑。另外如“臼”部的“舆”字，旧字书均归八画，《中华大字典》改入七画，也是对的。

现在抄录《康熙字典》和《中华大字典》对“丈”字的解释于下：

《康熙字典》

丈《唐韵》直两切，《集韵》《韵会》雉两切，《正韵》呈两切，并长上声。十尺曰丈。《前汉·律历志》十分为寸，十寸为尺，十尺为丈，十丈为引。又《左传》昭二十三年：以令役于诸侯。属役赋丈。《疏》：属聚下役，课赋尺丈。又哀元年：广丈高倍。《注》：垒厚一丈，高二丈。又《礼·曲礼》：若非饮食之客则布席，席间函丈。《注》：函，容也。又长老之称。《易》师卦：师贞丈人吉。又朋友尊称。《长编》：富郑公称范文正公曰范十二丈。又释氏所居曰方丈。杜甫诗：方丈浑连水。又杜甫诗：百丈牵来上濑船。《注》百丈，牵船筏也。《说文》：从又持十。俗加点，非。《正讹》：丈借为扶行之杖，老人持杖，故曰丈人。别作“杖”，通。

《中华大字典》

〔丈〕雉两切，长上声，养韵。

㊀ 十尺也。见《说文》。……

㊁ ~者，长也。见《大戴礼·本命》。

㊂ ~者张也。见《汉书·律历志》。

㊃ 朋友之尊称曰~。《长编》富郑公称范文正公曰范十二~。

㊄ 老人之通称曰~人。《六书正讹》：~借为扶行之杖。老人持杖，故曰~人。〔又〕严庄之称。见《易》师“~人吉”注。

㊅ 男子谓之~夫。见《广雅·释亲》〔又〕大人称也。见《公羊》定八年传“如~夫何”注。

㊆ 方~，方一~也。《孟子·尽心》：食前方~。〔又〕佛门长老居室也。《丛林盛事》：旧方~，一住三十年。〔又〕

神山名，《史记·秦始皇纪》：海中有三神山，名曰蓬莱，方~，瀛洲，仙人居之。〔按：俗称和尚之住持者曰方~。〕

⑧ 百~，牵船筏也，杜甫诗：百丈牵来上濑船。

⑨ 函~，师之尊称。因古者讲席间相对容~也。《礼记·曲礼》：席间函~。

⑩ 岳~，~人，皆世俗妻父之称。

对照看来，可知《中华大字典》的解释，除去第十义为新增外，都根据《康熙字典》的原文，加以去取。由于经过整理归纳，分项列举，就显得清楚有条理，容易为读者所接受。全书内容，大部分皆以《康熙字典》为基础，进行修订，或改解释，或换书证，或增义项，使之更加完备。因此于《康熙字典》释义简略者，可查《中华大字典》的解说；于《康熙字典》未收之字，亦可试查《中华大字典》。

总起来说，《康熙字典》和《中华大字典》都可以算是划时代的、有总结性的字书。《中华大字典》虽后出稍精，有优点可取，却并不能把《康熙字典》取而代之。以两书的条目相较，往往互见短长。如《中华大字典》手部“挺”字共分十二义项（十二以下六项，解释复词），比《康熙字典》多五个义项，解说较为详细，可是《康熙字典》原有《汉书·师丹传》

书证，足以具体说明“挻”字第一义项的“选拔”之意，而《中华大字典》未取。又女部的“婬”与“媱”本为二字，音义不同。“婬”字右旁上从“爫（爪）”、下从“壬”；“媱”字右旁上从“夕（俗称肉月）”下从“缶”。《中华大字典》女部八画有“媱”字（按此字形，应算九画。古籍刻本或讹作此形），既不是“婬”，也不是“媱”。《康熙字典》则“婬”与“媱”，一在八画，一在十画，各有音义，形体无讹。

另外，《中华大字典》还有以下几项缺点：

（1）过于追求释义的详备，分条列注，不免贪多，往往把相近、相同的意义析为若干条，甚至将古书中的一句话引来，作为字义的解释；以致内容支离、琐碎，使一般读者难于辨析、掌握。如寅集土部“塞”字分注至三十余条，意义即多重复。其中的㊁项解释为“蔽也”，㊃项解释为“掩也”；实际是一个意思。㊱、㊲两项据《管子》谓“下情不上通谓之塞”，“忠臣不用谓之塞”；则简直不是释字而是讲书了。又“臼”部的“举”字，释义共五十一项，更显出一味堆砌、不加归纳之失。

（2）沿引错误的旧说法，未加考证：如“目”字中间的两横，本来像黑睛之形，许慎说是“重童子也”（童即“瞳”字），本来错误，清人王筠、徐灏均已指出这点；而《中华大字典》的“目”字第一义，仍用许慎的误说。

（3）照抄古书或并列异说，而没有新的说明，也不能辨正是非，如虫部“蜚”字的注释云：“𧔥或字，见《说文》虫部。按《说文》：‘𧔥，臭虫负蠜也。’”什么叫作“臭虫负蠜”，并无说明，读者自然没法知道这是怎么回事。又口部“喬”字条引段玉裁、王筠对《说文》的两种不同解释，按语既谓“王说非”，又说“亦可备一说”，模棱两可，不能裁决。

（4）注释各自为说，不能参照：如刀部“剿”“剿”和力部“勦”字的注，都有辨别“剿”“勦”二字的解释，但全是各自为说，没有把它们参照贯通起来。

（5）抄袭旧字书的断语，而略去说明：按梅膺祚《字汇》。亅部“予”字注，辨析“予”“余”两个字的区别，甚为详细，而《中华大字典》在按语中说：“按予、余同义非同字，郑康成云：予、余古今字，非是。”这只是截取了《字汇》的论点，而没加解说。因为过于求简，所以读者无法具体知道从前这两个字的区别。

（6）引书名称前后不一：如引桂馥的《说文义证》，时而说《说文桂注》，时而说《桂馥云》，时而又说《桂注》《桂馥义证》，名目繁多，没有统一。

（7）引书漏载篇目：《中华大字典》号称引书详确，备载篇目，实际疏漏亦多。如“土”部“坌”字第一义引元好问诗，即无诗题；第二义引《图画见闻志》即无卷次；此皆照录旧文，未加核对之故①。

其他如任意删节引文，解说文字，音义不相应等，凡是《康熙字典》有的毛病，《中华大字典》也一应俱全。如“臼”部“與”字羊诸切，音余；下面的第三项解释“譽也”，是应读去声的。凡此种种，都足以说明《中华大字典》编撰得不免粗疏潦草，定稿时也缺乏整齐划一之功。所以对于《康熙字典》和《中华大字典》这两部书，应该各予适当的评价：互有短长，难分优劣。《康熙字典》在《字汇》《正字通》的基础上编撰；《中华大字典》据《康熙字典》修成；革旧增新，都下过一番功夫。《中华大字典》之“新”主要还表现在体例形式上，没有原书的内容作为借鉴是编不成的。

今天我们使用《康熙字典》和《中华大字典》，最好两书对观，取长补短，并参考《辞源》《辞海》的单字解说，以定去取。对《中华大字典》分列的许多义项，更要研究分析，不可尽从；采用其中的引证，必须查对原书，方免致误。

---

① 见蔡元培《辞海》题词。

除去《中华大字典》外，1912年商务印书馆出版过一部《新字典》，系由陆尔奎等摘取《辞源》内的单字汇编而成；1919年中华书局出版过一部《实用大字典》，系由姚汉章等，以《中华大字典》为蓝本，删繁并复，去掉冷僻字而成。这两部书亦曾风行一时。还有世界书局编印的《新体国语大字典》，文明书局编印的《中华通俗新字典》，万国鼎编的《新桥字典》，陆衣言编的《头尾号码新国音字典》等，也都是还有过一些影响的字书。

解放前的字典虽已有了用四角号码、五笔检字法等新方法编次的，但没有推广开，还是部首编次法占着优势。

（二）专门字典

虚字字典

甲、杨树达《词诠》

古汉语内的虚字（亦称虚词），所包甚广，用法甚多，变化不一。如果在阅读时对这类虚字不能很好地掌握，也会影响到对上下文意的理解，难以领略书中语言所表现的情味、色彩。古人已有鉴于此，注意了随文阐释虚字的用法，但其说仅散见于经传注疏及一般的字书，零星琐碎，不成系统，直到清代才有了讲虚字的专书《助字辨略》和《经传释词》。近代字书内的《词诠》与《古书虚字集释》，即继承前两书的系统发展而成。

《词诠》，近人杨树达撰，共十卷。1928年商务印书馆出版。杨树达对语言学有深湛的研究，既精于中国古代的文字训诂之学，又了解西洋文法，所以他讲虚词，颇能疏通疑滞，融会贯通。

作者在序例中指出他自少年时就很喜欢读王引之的《经传释词》，因此后来就仿王引之这部著作的体例，编成《词诠》。

这部字典对虚词的辨析，在前人研究的基础上有了进一步的发展；这就是能结合词类，具体指出古汉语虚词的语法作用。全书对每个字都先注出词类，然后谈意义、用法，举书证明。凡古书中常用的介词、连词、助词、叹词和一部分名词、代名词、内动词、副词等，全援引书证，加以解释；并以刘淇、王引之以及孙经世、马建忠、童斐诸前人的说法来参校印证。《经传释词》对虚词的通常用法，往往略而不说；本书则无论通常用法，特殊用法，全详作解说，更便于初学者参考。如卷八“务”字一条：

务　㊀名词。务在节俭。（《史记·周本纪》）大王举梁楚而西，务在入关，未及收河北也。（《又·陈馀传》）

㊁副词。今言“务必”。《尔雅·释诂》云：“务，彊也。”按彊义为勉，意译当以今语之“竭力地”“努力地”译之。

名可务立。（《淮南子·修务训》）按《文子·积诚篇》作“名可强立”。臣愚以为可遣屯田卒诣故轮台以东，置校尉三人分护，各举图地形，通利沟渠，务使以时益种五谷。（《汉书·西域传》下）

这一条解释和引证，即足补《经传释词》之阙、《助字辨略》之略。从按语中可以看出这是一部较新的虚词字典。此外，如把卷六的“且”字的词类和用法归纳为十项，也很详备：① 助动词，且也；② 时间副词，姑也；③ 副词，附于数词之前，以表几近之义；④ 副词，犹也；⑤ 提起连词；⑥ 等列连词，又也；⑦ 选择连词，抑也，或也；⑧ 转接连词，与“抑”同；⑨ 假设连词，若也；⑩ 连词，刘淇云：且，两务之词；言方且如此，又复如彼也。

这里比《经传释词》解说得更加系统、清楚；每种用法下列的引证，亦颇丰富。编者在《序例》中还曾指出本书虽讲虚词，兼及实义，如“则”当“法”讲是名词，当“往”讲是动词之类；目的是告诉读者“虚实随其所用”，不可拘泥。这又启发了读者留心从前后连贯的文意里去揣摩虚词的用法。

《词诠》按ㄅ、ㄆ、ㄇ、ㄈ等注音字母的音序来编次所收之字；另有《部首目录》。不熟习注音字母的人，可按字的部首、笔画从《部首目录》中查出字的卷数与页数。书末还附录编者所撰《名词代名词下“之”“的”之词性》和《论诗经“于以”书》两篇讨论虚词的文章，可供参考。此外，杨树达还编有《高等国文法》一书，与《词诠》相辅而行。

乙、裴学海《古书虚字集释》

《古书虚字集释》，近人裴学海撰，亦分十卷。1934年商务印书馆出版，1954年中华书局重刊。

作者在自叙中，说明刘淇、王念孙、王引之、俞樾、杨树达诸人对虚字的研究，已很详备，且多精确之发明，但也不免偶有误解；同时，类书引用古书往往有以意妄改的地方；因此，从周秦两汉的古书中寻取材料，采用刘、王、俞、杨等人的说法，编成这部书，以补充前人和时贤没谈到的内容，纠正错误，引申发挥未尽的意思。

《古书虚字集释》纠谬补阙，以《经传释词》为主；凡《经传释词》所收之字和所作训释，大都采入，或驳或申。书中对每个字，全先列解说，后举书证；编者辨释之语，以双行小字注出。如下例：

> "与"犹"是"也。
>
> 《韩非子·外储说》左篇下："名与多与之，其实少。"（上"与"字训"是"；"其"，"而"也。）言名是多与之而实少也。《经传释词》训上"与"字为"为"。"为"亦"是"也。
>
> 《孟子·滕文公》篇："不由其道而往者，与钻穴隙之类也。"（《梁惠王》篇："是折枝之类也。"句例同此。《经传释词》谓"与"为语助，失之。）……

这里所引《韩非子》《孟子》两条书证，都录自《经传释词》。上一则按语，引王引之说参证"与"作"是"的解释；后一则按语纠正王引之"与"为"语助"之误。括号内的文字，即编者以双行小字加注的按语。

古汉语的实字，本来是有本义和引申、假借之义的，虚字也是如此。本书对字义的这三种区别，采用了不同的说解方法：对于本义是直接阐释。对于引申义，是由正反两面的意义来联系解释：如“无”作“勿”讲，乃禁止之词，就是不可的意思，故“无”又作“不可”讲；这是正面的引伸。“尔”作“此”讲，亦作“彼”讲；这是反面的引伸。对于假借义，则以同音的字、双声叠韵的字或声近通用的字等的声音来联系解释。如“有”作“以”讲，“以”也作“有”讲，“以”和“有”二字是双声字；“其”作“而”讲，“而”也作“其”讲，“其”与“而”两字是叠韵字。这是错综地运用了前人的音训、义训的办法的。

《古书虚字集释》的主要价值在于它补充和引申了《助字辨略》《经传释词》等书漏略的内容，对于读周秦两汉的古书有些帮助。如卷一“于”训“在”的一条引《说苑》立节篇：“义者轩冕在前，非义弗乘；斧钺于后，义死不避。”这段引文中的“在前”“于后”的“于”与“在”为互文，正好说明“于”训“在”的用法。像解释“于”犹“如”的用法，一个是“如似”之义，一个是“如何”之“如”，也分辨得很清楚。另外还提到“于”等于“以、而、则、即、其、有、比、从、居”等的用法。这就是补充和引申《经传释词》的地方。对前人这类著作中于虚字的误解，本书亦予指出。如《助字辨略》说《论语·为政》的“奚其为为政”一句的上一个“为”字是语声；本书作者认为应当作“谓”讲，确实是比较恰当的。

《古书虚字集释》，也仿《经传释词》的体例，以守温的三十六字母为编字的顺序。第一、二、三、四卷，收喉音字；五卷收牙音字；六卷收舌音字；七、八、九卷收齿音字；十卷收唇音字。但一般读者不明古韵，就没法利用这种音序，只能从书前的目录中逐卷去查要找之字的页码。

另外，由于本书对凡不见于周秦两汉之书的虚字和已为别人解说完备的虚字一律不收，所以编入的字只有二百九十个，比《助字辨略》《词诠》字数都少。

现在一些古典文学作品选本的注释和前些年中学语文课本中的古典文学部分的注释，往往详于实义而略于虚词。可是这类虚词，却也会成为“拦路虎”，以致对文字的情味理解不透。这就需要利用《词诠》和《古书虚字集释》等讲虚词的字书来查一下，以补注释的不足。例如唐韩愈的《圬者王承福传》中的“食焉而怠其事”一句的旧课本注只说“意思是吃饭而不尽力工作”，没提“焉”字怎么讲；又“吾特择其易为而无愧者取焉”一句内的“焉”字和上述一句的“焉”字用法不同，课本亦无注说。查一下《词诠》与《古书虚字集释》对“焉”字的许多解释，可以择出这两条：

①《词诠》卷七“焉”字的一项解说：“指示代名词。用同‘于是’，实兼介词‘于’与代名词‘是’两词之用。”其中两段引文可证明此一用法：（甲）“制，岩邑也；虢叔死焉，他邑唯命。”（《左传》隐公元年）（乙）“子犯知文公之安齐而有终焉之志。”（《国语·晋语》）

②《古书虚字集释》卷二“焉”字的一项解说：“‘焉’犹‘之’也。（训见《助字辨略》）指事之词也。”其中两段引文，可证明此一用法；（甲）《左传》僖二十五年：“子女玉帛，则君有之；羽毛齿革，则君地生焉。”（乙）《史记·循吏传》：“太守甚任之，吏民爱敬焉。”编者又加按语说：“此上二例，并见《高等国文法》引。‘焉’与‘之’为互文。”

参照这两项解说和引证看，可以知道“食焉而怠其事”的“焉”作“于是”讲，“于”等于介词“在”，“是”等于代词“这个”；“吾特择其易为而无愧者取焉”的“焉”作“之”讲，等于代词“它”。由此即能了解上一句整句的意思是“指着这个吃饭而不好好地做这个工作”；下一句整句的意思是“我特意选择那个容易做而不会使自己感到惭愧的工作来做它”。这样，两句的“焉”字就都有了着落，文意也更加清楚了。

《词诠》和《古书虚字集释》吸收前人研究虚字的成果，包含了《助字辨略》与《经传释词》的主要部分，并充实了内容；《古书虚字集释》还采择了杨树达所编《高等国文法》一书的说法和例证。但《助字辨略》选材范围较广，兼收小说、诗词的语词，为这两部书所不取；《经传释词》对虚字的许多精当的分析，也并非这两部书所能压倒。因此，在使用这两部书时，无论查哪一个字，除去应该把书中对此字的各项解释细加辨别，找出切合自己所查文意的来用外；遇有疑义，还可以参考《助字辨略》和《经传释词》以比较研究，看看哪一家的说法更为恰当。

第二节　词典的演变与改革

（一）综合词典

甲、商务印书馆《辞源》

商务印书馆编撰的《辞源》，是近代出书最早的一部以语词为主、兼包百科常识大词典，始编于清光绪三十四年（公元1908年），至1915年以五种版式出版。参与编辑的有陆尔奎、方毅、傅运森等五十余人。

全书约收单字一万多个、词目十万条左右。除去单字和一般词汇之外，还包括成语、掌故、典章制度、天文、地理、人名、物名、书名、音乐、技艺、医卜星相以及花草树木、鸟兽虫鱼等多方面的材料和各种新名词；综合古代字书、韵书、类书为一编；并博采当代外国词书之长，首创新体例；其内容范围之广，为以前的字书所未有。

《辞源》出版，正在新知识的启蒙时代，“中学为体，西学为用”的提法，对《辞源》的产生，显然有一定的影响。《辞源》中新词的收辑，于由清末至“五四”以前的“西学”和中国的社会面貌、知识界的思想状态等，都有所反映（如科学、民主、主义、摩登、租界、治外法权等新名词，皆可由书内查到），适合大家“博采新知”的需要；旧词的解说，又吸收了前人的研究成果，带有一些新的色彩，适合大家“贯通典故”的要求，既是一部革新的词典，又有一定的历史文献价值。因此出版后受到广泛的欢迎，起了不小的作用。从初版以来，至解放初期，历年重印的累积印数，多至四百余万部。直到今天，它还是我们常用的一部工具书。但其中有关政治、经济和自然科学的新名词，大都已陈旧过时，或者解说不免错误、片面。值得参考的只是字、词、文、史和百科常识等方面的条目。所以这里即就后者来谈。

《辞源》选取单字为字头，每个字头都先用反切注音（有的字，还以同音字加注直音），并标明它属于平上去入四声的哪一个韵部，然后解释字义。一字有数义的，分条解释；有数读的，各注音切。在字头下面。罗列以这个单字为词头的词，按每个词第二个字的笔画多少为排列顺序。如草部“花”字头下列有“花子”“花山”“花王”“花户”“花史”等词，即系按第二字的笔画排次第的。这里摘引月部的“朝”字一条如下：

朝　〔知妖切音昭萧韵〕㊀早也。自旦至食时为终朝。㊁一日亦谓之一朝。〔驰遥切音潮萧韵〕㊂国家治事之处也。《礼》：在朝言朝。㊃郡守听事亦曰朝。《后汉书》：山谷鄙生，未尝识郡朝。㊄臣见君曰朝。《书》：群后肆朝。㊅谒见尊敬之人，亦谓之朝。《史记》：日往朝相如。㊆君主国时代之称。如汉朝、唐朝。又一纪元之称。如康熙朝、乾隆朝之类。

"朝"字二音，各标反切，注直音和韵部；每个反切之下，分列义项作解说，举书证；比以前的词书，条理分明，眉目清楚；内容形式，俱见革新。其以单字为词头的体例，显然借鉴于清人的《佩文韵府》和《骈字类编》。后出的字书，皆沿用其例。单字的反切，则皆采自清李光地的《音韵阐微》，求音较易。至于对词语的解释，则有几种不同的方式，兹各举例以说明：

（1）在词条下面先释义，后引书证，有的还在书证之后更加按语。如"丁年"："男子及成丁之年也。李陵文：'丁年奉使，皓首而归。'汉以男子年二十为丁。历代之制不同。明清以十六为成丁。"这条前面是解释，中间列书证，后为补充说明。

（2）在词条下面直列引文，后加说明；或因引文可代解释，即不再注。如"删拾"："王安石诗：'新文待删拾。'谓于文字之美恶有所去取也。"这条只就所引之诗，说明"删拾"的一种含义；恐怕还有其他用法，故不在前面加解释，以免概括不尽。如"别将"："《汉书·高帝纪》：'项梁尽召别将。'《注》：'别将，谓小将别在他所者。'"这条的引文已能说明词义，故不另解。

（3）书证原文不宜录引的，就撮叙大意，注出来源。如"三余”：“董遇言为学当以三余：谓冬者岁之余，夜者日之余，阴雨者晴之余也。见《三国志注》。”这样可省引证之繁冗。使文意简明。又“奇货可居”：“秦子楚质于赵，赵不礼之。吕不韦贾邯郸，见而怜之，曰：‘此奇货可居也。’见《史记》。以太子比货物，言可居积之以待价也。”这条先说故事，举出“奇货可居”一语的来源，后加说明，指出其用法，比在词条下直列解释更好一些。

（4）一般知识性的词条如名称、制度、人名、地名之类，无须引证，而应该说明内容、源流、变革、经历的，就用综述的方式介绍。如“贡生”：“被荐举之学者也。科举时代，生员之学行优者，举以入仕。有副贡、拔贡、优贡、岁贡、恩贡等名，谓之五贡，皆称贡生。生员之入赀得贡者，亦称贡生。”这条即把有关“贡生”的知识叙出，不用一般词条的引证。从这些地方，可以看出《辞源》能根据不同的词条的内容，以多种方式解说，比较切合实用。

我们平日阅读古籍，除去字词的疑难之外，常常还会遇到涉及多方面知识的问题：比如“抛砖引玉”是什么意思，“岑参”的生平怎样，“符离”这个地方在哪里，“舍人”是个什么官以及《近思录》的内容如何等；从旧字书、词书中就无法找出解说，而《辞源》正好补其缺欠，为读者提供一些答案。通过上面举的几个例子，我们可以了解这一点。

但《辞源》虽可资参考，而存在的缺点却也不少：其中解释往往不够确切，而且时有错误；引证大都自旧字书、类书中转抄而来，未经核对整理，颇多讹脱；引书不列卷次、篇目，不便覆阅原文；对“穷源竟委”的重要性，认识不足，做得很差；辑入的词语，远远不足供读者查检之用。当初所收新词，门类很广，而杂乱无章，缺漏亦夥；各条质量，也不平衡。以此商务印书馆在1931年出续编，对正编的新旧词语，各做了一些补充，单册发行。1939年复加增补，将正编与续编合订一册出版。可是这只解决了一部分问题，并没达到修订的目的，因于1939年又做修订，在查补引文出处与篇目、换时代较早的书证和增收新词三方面，又下了一番功夫，至1949年完成初稿，只把资料写在卡片上，并未排印出书，质量也不很高。至此连前共做增订三次，全不过是修修补补，未做大的改动。1949年还曾印行《辞源》简编本一种，篇幅仅有原书的四分之一。兹列七项，分别举例，说明《辞源》的错误和缺点：

（1）解释错误或似是而非：如子部“孤僻”条第二项注解云：“所居荒远也。苏轼诗：我生孤僻本无邻。”按苏轼这首诗的题目是《述古以诗见责屡不赴会复次前韵》，原来这一联是“我生孤癖本无邻，老病年来益自珍”；“僻”，本作“癖”。“孤癖”谓生性不与人合，懒于交游，非指住处；这个词是只能用来形容人的性格，不能说其他事物的。又臼部“舉将”一条云：“旧时所举之将。《三国志》：吴郡太守朱治，孙权举将也。”照这个解释所说，朱治为孙权荐举出来的将领，实际大谬不然。朱治本是孙权的父亲孙坚的老部下，随坚征伐有功，坚卒，治复佐坚子孙策。后来朱治领吴郡太守事，孙权刚刚十五岁，治举之为孝廉。迨策死，治遂与张昭等共尊奉孙权为主。《三国志·吴书·朱治传》对这些事说得很清楚。按资格和年岁说，朱治比孙权老得多；按辈分说，朱治是孙权的父执。朱治的嗣子朱然和孙权少时交好，《朱然传》中提到：“然尝与权同学书，结恩爱。至权统事，以然为馀姚长，年十九。”也足以证明朱治和孙权的关系。朱治不仅非孙权所荐举之将，而且还是孙权为孝廉的举荐人。又《后汉书·郑弘传》：“元和元年代邓彪为太尉，时举将第五伦为司空，班次在下。”第五伦先为会稽太守，举郑弘为孝廉，是郑弘的举将。“举将”和“举主”同义，都指荐举人；将，根本不是说“将领”。这里只照字面，把两个字拆开解说，遂成大错。又巾部“幅”字的第三项注解云：“行縢名。以幅帛邪缠于足，谓之行縢。《左传》：带、裳、幅，舄。”按《左传》桓二年这一句的“疏”云：“郑笺云：邪幅如今行縢也。福束其胫，自足至膝。”可见“邪幅”“行縢”正似后来的裹腿，这条解释为“邪缠于足”，似是而非。

（2）引书错误：如“、”部“丹青”条第三项云系树名，原见《西京杂记》卷一，误作《九域志》；“子”部“存神”条引文见冯衍《显志赋》，误作班固赋；木部“朱波”条引文见《新唐书·南蛮传》，误作《唐书·西域传》；辵部“追风”条第一项引文见北齐刘昼《刘子·知人》，误作《扬子》；这都是张冠李戴的错误。又乙部“九星”条第一项引《逸周书》，而《逸周书》并无其文。“口”部“鸣轧”条引杜牧诗“鸣轧江楼角”，查《樊川诗集》卷三《题齐安城楼绝句》原为“鸣轧江楼角一声”；《辞源》把七言诗腰斩成了五言，更是笑话。至于引文的题目似是而非的，更是多得不能备举。如“支”部“斂怨”一条引陆贽《贞元九年大赦天下制》，原题是《贞元九年冬至大礼大赦制》，这里脱去了“冬至大礼”四字，而增加了“天下”二字。

（3） 引书不注时代作者、卷次篇目：如“言”部“护朽”条引《升菴外集》，不标时代作者，亦无卷次篇目；“支”部“教猱升木”条，引《诗》无篇名；“子”部“孤僻”条只云苏轼诗，而不载诗题；诸如此类，都使读者无法查阅原文。

（4）摘引原文，并不标明删节：如“一”部“三叠”条引《国史补》，即对原文有删节，并未标明。这就容易产生断章取义，与原文不符的毛病。

（5） 缺乏解释：有的词语，未加必要的解释：如“日”部“星槎”条引《拾遗记》与《荆楚岁时记》，都未加任何说明，使一般读者不易明了这一故事的意义。

（6）所收词语去取失当：如子部“孝张里”“孝顺狗”“孝敬村”“孝廉船”“孝鹅冢”等条，都是胡乱凑数，毫无意义的。出于某些编者的偏好，而收进书内的词条，也很不少。如有关佛学的许多词条，即全超出了常识的范围；而“支”部“散”字头下，却连“散曲”这样一个普通常识的词条都没有收入，足见去取的不恰当。

（7）释义引书，遗漏甚多：如“火”部“无著”条：“王维诗：‘无著、天亲弟与兄，嵩丘兰若一峰晴。’按《西域记》无著是初地菩萨，天亲之兄。”这一条作为人物介绍，无头无尾，交代不清；语词本义，毫无解释，尤属本末颠倒。按南朝梁元帝《梁安寺刹下铭》“有识之所虔仰，无著之所招提”；唐刘长卿《题王少府尧山隐处简陆鄱阳》诗“群动心有营，孤云本无著”；均有“无著”一词，可作两个义项，不应漏列。又“支”部“敬”字条只有“恭也”“慎也”和“致敬”“以物赠人”等解释；像《诗·大雅·常武》的“既敬且戒”的借作“警”，《后汉书·周燮传》“遣生送敬”的借作“谢”等解释以及《通志·氏族略》卷四的“敬氏”，亦皆遗漏未收。其他类似这两条欠完备的，还有很多。

除去上述七项而外，像撮述旧文，不注出处和解释词语不能说明它的意义和用法的演变等，也是不小的缺点。如“人”部“佩服”一条，只解释了一句说：“谓心悦诚服如佩之在身也。”既没有引证，也未说明这一个词怎样由“把饰物带在身上”的意思引申演变为“敬仰悦服”之意；而这正是应该解释的。

乙、中华书局《辞海》

中华书局编撰的《辞海》，是继《辞源》而出的第二部综合性大词典，初版于1937年，先后参与编辑的有舒新城、张相等一百余人，历时二十年。卷首有蔡元培题词、黎锦熙序、陆费逵所写的编印缘起。

《辞海》收单字一万三千余个、复词十万余条[①]。作为一

① 详见上节谈《辞源》部分的举例。

部综合性的词典，它与《辞源》相同，但出版在后，得以《辞源》为编辑的借鉴，纠正了《辞源》的一些缺点、错误；内容和体例，都比较好：第一是单字的音义，分辨较详。如“儿”部的“兑”字、土部的“壁”字等即全比《辞源》解释得完备。第二是对词语的解说，较为确切。如“战笔”一词，《辞源》解释为“谓用笔如颤动也”；《辞海》则说：“谓笔势遒劲作战动之姿”；对照看来，显然是后者符合这个词的含义和名词性。第三是补充引证，丰富了词语的内容。如“画蛇添足”一语，《辞源》只引《国策》说明故事，指出其“喻多事”的意思；《辞海》又增《后汉书·袁绍传》的“妄画蛇足，曲辞谄媚”这两句书证，指出这一成语的“亦用为无中生有、虚构事实之义”，这就更全面一些。第四是在每一词条之下，大都先作解释，后列引证，体例较为一致。第五是收词较为严格，不像《辞源》那样杂滥贪多。如《辞源》子部“孝”字头下的“孝子粥”“孝鱼泉”“孝冯家”“孝亿国”等十几条不成词语的条目，《辞海》即都没收。第六是增收了小说词曲中的常用语词，多为《辞源》所未有。第七是引书大都注出篇目，便于读者查考。此外，对百科性的词条作得较精，也是《辞海》的一个特点。

对《辞源》的解说有误或出处不详的条目，《辞海》或不采录或换引书证，使内容有所依据。如“举将”一条，《辞源》解释与书证不相适应[①]，《辞海》即未收此词目。又“手”部“抛砖引玉”一条，两书内容不同，对举如下：

〔抛砖引玉〕

1. 赵嘏至吴，常建以其有诗名，必游灵岩寺，建先题二句。及嘏游寺，焉续成之。人谓建乃抛砖引玉。后请人酬和者，辄举此为自谦之辞。（《辞源》）

2. 《传灯录》：“赵州稔谓大众有解问者出来，一僧便出礼拜。稔曰：‘比来抛砖引玉，却引得箇墼卜（子）。’”亦用为以诗词请人酬和之谦辞。卢纶《寄冯生并赠乔尊师》诗有“投砖敢望酬”句。（《辞海》）

《辞源》所叙故实，出处不明。按常建为唐玄宗开元时进士，赵嘏于武宗会昌二年始进士及第，建已早卒，谓建先题句以待嘏补成，其谬显然；故《辞海》不取其说，另作引证，虽所举未必即为“抛砖引玉”一语之来源，但较《辞源》此条内

① 详见本书第五章第五节谈《佩文韵府》部分的举例。

容为切实。

不过《辞海》虽有一些长处，仍然存在着和《辞源》近似的种种缺点与错误；有的条目，还把《辞源》的错误照样承袭下来。即以引书而论，《辞海》有的词条因转抄类书、韵书中的材料并未查对原书而致误，也有的直接抄袭了《辞源》而致误。如“支”部的“敛迹”一条，引《后汉书·李膺传》和《周纡传》为书证，实际两传中都根本没有“敛迹”一词，《辞海》是有意避免与《辞源》此条引文雷同，照抄《佩文韵府》而误的。又如“子”部“孤僻”条引苏轼诗“我生孤僻本无邻”，注云：“此言地势”；这是不知《辞源》解释的错误，而照抄的。另外，如“又”部的“叛换”一条，引左思《魏都赋》云：“吞灭咆哮，云撤叛换。”按原文为：“克翦方命，吞灭咆烋；云撤叛换，席卷虔刘。”《辞海》把上一联的下句和下一联的上句误作一联了。因此，不能认为这部书处处比《辞源》都好。就语词数量而论，《辞海》收得也比《辞源》少些。所以同时使用这两部书，以便参照比较，取长补短，也就很有必要。

《辞源》《辞海》亦仿《康熙字典》分全书为子丑寅卯等十二集。使用这两部词典，也要熟悉文字的部首，先从书前的总目中查明词头的单字部首在哪一集哪一页，找到字头；然后依词的第二字笔画查词。《辞源》后附四角号码索引，可按词头的四角号码，直接查出词条的页码，更为方便。比如看《资治通鉴》中的《赤壁之战》一段，想多了解一下荆州、南郡等地的地理环境，刘表、吕布、袁绍诸人的事迹以及“邂逅”“争衡”“殷勤”“世业”等词的意义，都可以从这两部词典内找到比课本注解详细的材料。

《辞源》和《辞海》成书于数十年前，在今天看来，不仅其中的大部分新名词，已经变成旧名词；即语文条目的内容、解说，自然也难免存在许多立场、观点上的错误：例如对农民起义领袖和少数民族的诽谤、诬蔑，对士大夫言行和帝王将相功绩的美化、夸大，对封建迷信、伦理道德的渲染、颂扬等；只应视为旧文，参考它的材料，决不能用其解说、采其论断。对书中某些低级趣味、庸俗猥亵的条目的内容，也要细细辨析，不可笼统地视为典故，而不加批判地征引、使用。

丙、中国大辞典编纂处《国语词典》

在现代词典中，《辞源》和《辞海》仍以旧字书的反切标音，虽有的字加注直音，而所用之字未必都常见易读；这样，读者取音即感到一些困难。同时，这两部词典，只给词头的单字注音，不注词头以下各复词的音读，仅个别的条目在注文里说明某字读某；这样，读者如果不知词语内其他字的念法，还需另外去查，不免费事。因此，大家就很需要一部以新的方式标字音，并注出词语全部音读的大型词典。《国语词典》恰好适合这种需要，不仅能弥补《辞源》《辞海》的缺陷，而且兼具同音字典的功效。

《国语词典》，中国大辞典编纂处编，商务印书馆出版，共四册。1937年出版第一册，1945年全部出版，纸面平装，分订八册。1947年出版精装四册，附所增《国语词典补编》于后。第四册后有牛文青跋，详叙编撰经过。

《国语词典》的编纂目的主要在于正音，主编黎锦熙在1936年为这部词典所写的序言中指出它的三点用处说：

（一）正音：凡学习标准国语的人，或者想照国音来诵读新旧书籍的人，得此随时检寻，不但可以矫正单字之音读，并且可以知复合词前后音节的孰轻孰重，孰应“儿化”，使与活语言相符合。

（二）定词：凡学习国语罗马字的人，或者想把汉字或注音符号照“词类连书”来写作或排印的人，得此可略知某词应连书，某词应分写，免得写作时的彷徨不定。

（三）释义：单字的普通用义，复合词的特别涵义，得此也可以检寻一个概略出来。

此外，黎锦熙还说明这部词典可供小孩子作文查汉字之用，供熟习注音字母的人查汉字之用，供懂汉语的外国人进修汉文之用。

由此可见这部书主要是为了研习汉语、矫正读音而编撰的。

《国语词典》按注音符号的顺序，排列单字和下面的复词，用注音符号和国语罗马字两种方式依标准音一一注明。单字下面还加注汉字直音，或以汉字拼切。汉字直音，在方块的四角加圈、点，以表示阴平、阳平、上声、去声。阴平在左下方加点，阳平在右下方加圈，上声在左上方加圈，去声在右上方加圈。如第2065页“企”字及其下面的复词：

〔企〕 ㄑㄧ chih 欺° ① 举踵。②盼望。

企盼 ㄑㄧㄆㄢ chih pann 犹言盼望。

企慕 ㄑㄧㄇㄨ chih muh 犹言仰慕。

企祷 ㄑㄧㄉㄠ chih dao 盼望祝祷。

……

“企”字的注音字母后面的“欺”字是直音，右上角加圈，表明“欺”读去声。只要读者会注音字母，就能据此很容易地拼出单字与复词的正确读音，不像反切那样难于掌握。解释虽仍用文言，而大都浅近明白；不一一罗列书证，比《辞源》《辞海》通俗一些。对于单字有异音异义的，《国语词典》也分别列出。如“反”字有上声、阴平和去声三音，即分见于第439、435、444三页。除在第439页排出“反”字的第一音义及下列的“反巴掌”“反本”“反比”“反比例”“反璧”等词条外，还在第435、444两页另举其异音异义：

1.〔反〕㊀ㄈㄢˇ faan 翻 ①正之对。②归还之。③去而复还。④辗转反覆。⑤内省。⑥类及，如举一反三。⑦背叛。

㊁ㄈㄢfan

㊂ㄈㄢˋ fann　第439页

2.〔反〕㊁ㄈㄢfan 翻 ①翻案，如平反。②见反切条。

㊀ㄈㄢˇ faan

㊂ㄈㄢˋ fann

反切㊁ㄈㄢ　ㄑㄧㄝˋ fan chieh

（又读）

㊀ㄈㄢˇ ㄑㄧㄝˋ faan chieh　第435页

3.〔反〕㊂ㄈㄢˋ fann 翻 见反反条。

㊀ㄈㄢˇ faan

㊁ㄈㄢfan

反反　ㄈㄢˋ ㄈㄢˋ fannx顺习貌，又慎重之意，“威仪反

反”，见《诗经》。第444页

这里第一音读上声，有六项解释，下面（二）（三）注明还有阴平和去声两个音。第二音读阴平，有两项解释，下面㊀㊂注明还有上声和去声两个音；附复词“反切”，并标注“反切”之“反”也可读上声。第三音读去声，只有“反反”一义，故不再解释，仅云“见反反条”。下面注明还有上声和阴平两个音。这样，不但眉目清楚，可使读者更好地了解字的音义以及哪些词的词头应读哪一音，而且便于由此及彼，去参照寻检不同的音义。另外，本书按拼音排字，也就很自然地把同音字排在一起，实际兼有同音字典的作用。如以“饭”字为首的一组字，像“贩”“汎”“梵”“犯”“范”等，即皆读ㄈㄢ，这也能给读者查字取音很大的方便。因此，遇到音义复杂的字词，可以利用这部词典来检查。

《国语词典》收集的词语相当丰富，有较常见的古汉语词汇，也有通俗的口语词汇，保存的北京话语词尤多；是一部新旧兼包的大型词典，可补《辞源》《辞海》的不足，供中学教师备课教学及一般读者学习语文之用。它的主要价值在于对字词的注音标调较为准确和全面：全书注音，都以北京话为根据；但涉及经史等古书中的字，则参考隋唐以来的韵书，循古今音变的条例，斟酌定音；复合词和成语，凡属活语言，即均依口语注音；字词的异音和声调的阴平、阳平、上、去四声以及轻声、儿化等，一一标明。这对读者掌握字词的读音和学习普通话，都很有帮助。现在我们的字书虽然都已使用汉语拼音字母来注音，可是注音符号还一直被当作标音的辅助工具来用，所以《国语词典》在取音方面的参考价值，至今仍未消失。

总之，《国语词典》是近代词典中注音改革的先导，它对古代字书的反切做了一个突破。

（二）专门词典

联緜词典

甲、朱起凤《辞通》

由于古代使用字词，有声同、声近相假借和义同通用的原则；所以一个词往往存在着许多不同的写法：如“五彩缤纷”的“缤纷”，即有“缤翻”“翩翻”“翩幡”“邠盼”等异文；“倭夷”“倭侇”“倭遲”“倭遟”，也是一个词，作“经历很远”讲；“委蛇”和“崔巍”亦可写成不少异体字，但全都声同义近。这一切不免增加了阅读古书理解文字的困难。在遇到这类词语时，如果想搞清它们的关系，辨明其异文、转义等，必须向比较专门的字书去请教。《辞通》与《联緜字典》就是为了适应这方面的需要而编撰的。

《辞通》，近人朱起凤撰，共上、下两册，1934年开明书店出版。朱起凤因为在清末主持某书院讲席时，不知“首鼠两端”和“首施两端”实为一语而闹过笑话，深觉自己读书疏略，所以此后就用札记的方法，把见到的书中的语词记录下来，用了三十多年的工夫，易稿十余次，才编成这部连说解共有三百余万字的大词典。这部词典最初命名《读书通》，后以开明书店的请求，改称今名。

《辞通》的最大特点是从声音的通假上去寻求文字训诂。它把古书中各种类型的两个字的合成词，排比整理，按平上去入四声分部编次，而以常见的词列在前面，把和这词意义相同而形体相异的词全一一附列于下，说明某词始用于何时，见于何书，并且指出某词是某词的音近假借，某词是某词的义同通用，某词是某词的字形讹误。兹举一条来说明它的体例：

柔懦：懦音儒，弱也。《韩非子·亡徵》：怯慑而弱守，蚤见而心柔懦，知有谓可断而弗敢行者，可亡也。《淮南子·氾论》：今不知道者，见柔懦者侵，则矜为刚毅；见刚毅者亡，则矜为柔懦；此本无主于中，而见闻舛驰于外者也。唐李肇《国史补》：李林甫任相国八年，多智柔懦。

柔茹：《韩非子·亡徵》：缓心而无成，柔茹而寡断，好恶无法，而无所定立者，可亡也。 柔需：《周礼·冬官考工记》：鲍人之事，欲其柔滑而腥脂之则需。郑注：读为柔需之需。

按：茹与懦音相近，《韩子》上作茹，下作懦，此义同字变之例。需即懦字之省。（卷四七虞）

这条里的“柔懦”是一个常见习用的词，排在最前；下列的“柔茹”“柔需”两个词，是与“柔懦”同义而异字的，实际为同一语言之变，所以作者把它们列于一起，引书证释它们的用法，还加按语，辨析异同。这样就使读者由“柔懦”连类而及，了解了这一组词的演变通假的缘故。由此可见《辞通》已能把它所搜集的语词，做综合分析的研究，比起《骈雅》《别雅》之着重于排比材料的，更进一步了。

因为这部词典重在“因声求义”，使读者掌握古字同声相假借的原则，所以用四声分类，按第一个词的第二个字的韵归部，如前举的“柔懦”的“懦”即属平声虞韵。但同组的词，未必同韵，如“商于”下列“商安”，即非一韵。

《辞通》引书，按经史子集为次，排列材料有一定的顺序，而且都详载篇名，并注意引文的连贯；一般的按语也比较明确简洁，这也是它的优点。

查阅《辞通》有两种方法：一种方法是从上册卷首的“检韵”中按韵去查词尾，另一种方法是从下册卷末的“索引”中按四角号码检字法去查词头。按韵查词，如不善分辨四声，不熟悉韵部，可先从《中华大字典》或《辞源》《辞海》中查明词尾之字属于何声何韵，再向《辞通》的“检韵”中按韵找字；据字下所注页码，就能查出这个词。按四角号码查词，只要按词头的号码，从“索引”内找出这个词的页数即得，实在简单得多。《辞通》每页都注有两个页码：下角所注直行的中文数字，是按韵查词的页码；上角横排的阿拉伯数字，是按四角号码查词的页码。比如我们想查“逶迤”一词，除去“连绵不断”之意，还有什么解释，这两个字有无别的写法，首先搞清“逶迤”的词尾“迤”字在平声支韵，然后从“检韵”的“四支”韵内找出“迤”字下面所注104页码，开卷就能查到。若用四角号码，则按词头“逶”字3230_4号从“索引”中直接找出0186的页码，更为省事。现引该书“逶迤”的部分原文，与前举的“柔懦”一条相参照：

逶迤　音威夷，长貌。《文选·王粲登楼赋》：路○○而修迥兮。《李注》：○○，长貌也。《又·古诗十九首》……（引证略）威夷　晋陶潜《扇上画赞》：前路○○。

逶迤　路纡曲貌。《永经注·漾水》……（引证略）威夷《文选·孙绰游天台山赋》：路○○而修通。……（引证略）逶夷　晋陆云《登台赋》：迥路○○，邃宇玄芒。

逶迤　舞貌。《后汉书·文苑·边让传》：振华袂以○○。

蜲蛇　《抱朴子·畅玄》：郑舞纷缲以○○。

这里所举的词，按意义区分为三组，“逶迤”常见习用，故每组皆排之于前；下列的“威夷”“逶夷”“蜲蛇”，与“逶迤”字异义同，故各归一组，分释其用法。此外，书中还有好几组以“逶迤”为首的词，各有异文，解释都不是“连绵不断”之意。又如唐韩愈《进学解》的“欂栌侏儒”一句内的“侏儒”，是指梁上短柱，但这两个人旁的字，怎么会是梁上短柱呢？查一下《辞通》平声虞韵的儒字，可以找到三组以“侏儒”为首词的词，都作“矮小的人”讲；同时还能从虞韵中发现另一组以“株檽”为首词的词，因而知道这“株檽”两个字是作“短柱”讲的常用词，株儒、侏儒、朱儒、株拘等，全是它通假的异文；柱之短者叫株檽，和人之矮者叫侏儒，取义正同。这就融会贯通地了解了这些词了。由此可见《辞通》的用处。

这部书虽在谈声音通假、古今音变方面，不尽妥当，但对研究古汉语词汇音义的演变、异同，还是很有参考价值的。

乙、符定一《联緜字典》

《联緜字典》，符定一撰，三十六卷，以子丑寅卯辰巳午未申酉戌亥分十二集。1943年出版，共十册，附索引一册。卷首有黄侃、王树枏、叶德辉序及作者自序各一篇。这是符定一用了三十年的工夫编成的。

《联緜字典》虽以字典为名，实际是一部专收双音词的词典。全书除去大量地编次双声、叠韵和重叠的联绵字外，连助字虚词以及一般的双音复词也包括在内。《尔雅》中的《释训》一篇，多收重叠的双音词，正是后代联緜字典的先河。宋张有的《复古编》，则已标出联绵字的项目。后出的明朱谋玮

《骈雅》、清史梦兰《叠雅》等，也是专辑联绵字的词书。符定一编这部《联緜字典》，更是广搜博采，有意要补《复古编》之未备的。可以说是一部集大成的著作。

这部书参照明梅膺祚《字汇》、张自烈《正字通》等字典的部首，分部收词。每部中的词，按第一字笔画的多少为先后；第一字相同的词又按第二字的笔画多少排次序。在每一个词下，都采《说文解字》中徐铉的反切来标音。《说文解字》所没有的字，或今读必须变音的，就采用隋唐的反切或《广韵》《集韵》等宋人韵书中的音切来补充。书中所说双声，系以古声十九纽为宗；所说叠韵，系以古韵二十二部为据。每部中作为词头的词都兼注两字之音，其次各词，就只注下一字的音。如人部的“俯伏”“俯仰”“俯偻”三个词，“俯伏”两字都注音；下面两个词，即仅标“仰”“偻”两字的音。注音之后，分条释义，一一引书证明。

本书的索引，也按集依文字部首分部编次各词，在正文每页所列的第一个词下注明页码，而附同页他词于下，检查甚便。正文第一、第六两册的卷首另有部首索引，可据以查出部首所在的集称和页数。第十册卷末还附有《如何检阅联緜字典》一文，可作使用这部字典的参考。

《联緜字典》的编者，很重视以字义贯串词义，常在词的注释、引证之后附加按语，分析文字；所以这部书既是词典，也是字典。它的主要价值也就在于把字词的转语、异文以及本字、借字、正字、俗字、今字、古字等联系起来，分别辨析；尤其是对于转语的解释最精。本书“凡例”第十六项所谈转语条例，极为透辟。如“不律”是说“笔”，“扶摇”是说“猋”，这是指出联词转为单词；“茨”是“蒺藜”，“杜”是“土卤”，这是指出单词转为联词；“委蛇委蛇”变作“委委佗佗”，这是指出联词转为叠词；其他种种转语，都有确切的说明。另外，如指出作“明天”讲的“翊日”是今文正字，“翼日”是古文；作“好貌”讲的“便娟”是正字，“嫔娟”“嫔嬛”是俗写；作“无忧病”讲的“无恙”，借作“亡恙”；作“稀少”讲的“寥落”，转为“牢落”“牢剌”“辽落”等；古代匈奴北面的小国“丁零”，异文亦作“丁令”“丁灵”之类；全足以显示这部书在解释字词方面的参考价值。还有本书在常见的字下，详释其义，对不常见的异体，只加简略的解说，或云“详某字下”。这样分别详略，互相参照，办法也很好。

例如《古诗为焦仲卿妻作》这首古诗的小序中有“时人伤之，为诗云尔”这一句话，旧高中语文课本注“云尔”说：“句末的语气助词”。要想知道“云尔”有无其他意义，和别的以“云”为词头的词有什么关系，就可以查查《联緜字典》。先认清“云”字属“二”部，查索引的子集二部，找出“云尔”在子集123页；然后按页码从“二”部二画中查到“云尔”的材料：

云尔　尔，儿氏切。

（一）犹言如此也。《论语·述而》：发愤忘食，乐以忘忧，不知老之将至云尔。……（其他引证略）

（二）绝语之词也。《大戴礼·保傅》：《春秋》之元，《诗》之关雎，《礼》之冠婚，《易》之乾巛，皆慎始敬终云尔。（其他引证略）

（三）转为云耳。声同。见“云耳”下。

由这三条解说中，可以看出“云尔”有两个用法：一是表明“如此，这样”的意思；一是做结束语气的助词。比较看来，就会感到《古诗为焦仲卿妻作》的“云尔”作“如此，这样”讲，更为恰当。同时，也知道了“云尔”可以转作“云耳”。假若再看一下“云尔”上边的“云然”一条，还会发现那一条的第二项解说是“转为云尔，见云尔下”。这又使我们了解了“云然”亦为“云尔”的一语之转。又《史记·信陵君传》："侯生下，见其客朱亥，俾倪故久立，与其客语。"高中课本注云："俾倪，同睥睨。"再查一下《联緜字典》，还会知道"俾倪"亦转为"辟睨"，因为"俾"和"辟"韵同；它与作"城上短墙"讲的"埤垸"，音义也有关系。《联緜字典》在这些方面能提供不少材料。

这部书的引文，上起三代，下终六朝；六朝以后的著作，只参考注疏经解，不取其他书证；这自然会给词汇的演变、异同的研究造成一定的局限性。书前序言和凡例中的许多文字，都用篆书的笔势写刻，弄得奇奇怪怪，也不免好古、拘泥，不足为训。

诗词戏曲词典

甲、张相《诗词曲语辞汇释》

唐宋以来，流行于诗词戏曲中的语词，往往字非新异，而文意特殊；常见于金元戏曲内的俗语方言，更多难于索解。不仅旧字书对文义的注释，缺少这类内容；近代词典如《辞源》《辞海》等所收此种词语，亦为数无几。所以阅读诗词戏曲，需要一些专门的工具书来查词求义。随着近代字书的发展演变与研究戏曲小说的风气的影响，集释诗词戏曲词语的词典遂应运而生。

《诗词曲语辞汇释》，近人张相撰，六卷。成书于1945年，1953年中华书局出版。

本书选取唐宋元明间流行于诗词曲之中的特殊语词，自单字以至短语，汇集排比起来解释其意义、用法。凡是字词有两个以上的意义的，都以一义作为一项，各举数例，细致地辨别其大同之中的小异，说明其情味、语意的不同。有的条目，一义即列十几个书证，或者更多；有的条目，还由词义的解释推及于语源的探讨和文法的分析，内容相当丰富。

《诗词曲语辞汇释》分词条八百有余，每条列证，大都是先举诗，次举词，再举曲，依次为序；不能三者俱全的，就阙其一或二。所收材料，则采诗词并及题序，录剧曲兼取白文；以求包括众义，解释完备。

作者在自序中曾经提到因为词为诗余，曲为词余，诗词曲三者分流而同源，加以汇释，较为方便，所以采用两种办法来汇释这些语词：一种办法是以诗证诗，以词证词，以曲证曲，因其分流而自汇；另一种办法是以三者或二者相证，因其同源而互汇。这样综合各种例证来分析研究语词的异同，是能融会贯通，得出较为全面、恰当的结论的。至于假定一个语辞意义的方法，则分为五项：（1）体会声韵；（2）辨认字形；（3）玩绎章法；（4）揣摩情节；（5）比照意义。这又是遵循清人研究训诂的途径，从多方面来推求解说的。

本书征引甚博，解说亦多精辟。如卷一的“却”字一条，从诗词杂剧和小说中选取许多例证，说明这个字的八种用法，辨析入微，颇有可取。兹引其第二项的内容如下：

> 却，犹于也。李白《别鲁颂》诗：“谁道太山高，下却鲁连节；谁云秦军众，摧却鲁连舌。”下却，犹云低于也。言鲁连有高节，太山虽高，低于鲁连之节也；摧却，犹云挫于也，言秦军虽众，挫于鲁连三寸之舌也。李咸用《早秋游山寺》诗：“静于诸境静，高却众山高。”却与于互文，言高于众山之高也。杜荀鹤《长安春感》诗：“此时情景愁于雨，是处莺声苦却蝉。”却与于互文，言苦于蝉也。又《经九华费徵君墓》诗：“凡弔先生者，多伤荆棘间。不知三尺墓，高却九华山。”言高于九华山也。李后主《应天长》词：“昨夜更阑酒醒，春愁过却病。”言春愁剧于疾病也。

从此可见这部书的体例是每条先作解说，后列书证，和一般字书相同，但举证不避重复，每证之后均加辨释，又和一般字书有异，自具特色。此条所引诗词，全都意义明确，排比互证，能够具体表明“却”作“于”的用法。这种解说，是在普通的字典、词典中查不到的。阅读诗词，碰见普通文字而有特殊用法，用平常的解释没法沟通时，不妨试查《诗词曲语辞汇释》；看曲剧和小说，遇到生僻难懂的词语像“咭哰”“刁蹬”“撷窨”“撑达”“痴挣”之类，也可以翻检这书，寻求解释。

《诗词曲语辞汇释》的编者，能把文字训诂与声韵之学和古今的口头语言结合起来，归纳研究，以谨严、矜慎的态度，从充实的例证中，推求词义、用法的流变，做出确切的解说。如说“撺断”义同“怂恿”，“可憎”实即“可喜”，“谁家”的音转为“啥箇”等，确实足以显示语言之汇通。元王实甫《西厢记》第四本第一折：“想着这异乡身强把茶汤捱，则为这可憎才熬得心肠耐，办一片志诚心，留得形骸在。”这里的“可憎”，正是“可爱”的反语。《诗词曲语辞汇释》这部书，不仅可供一般读者作阅读诗词曲的参考，而且为语文研究工作者汇集了可贵的资料。

这部书共分上下两册，上册卷首列词条的总目；按目索词，要逐卷查找，较为费事。下册卷末有“语辞笔画索引”，按词头的笔画查字，可以迅速找到。如要查“划地”一词，从十画中，找出以“划”为字头的词，见到“划地”下注的页码四五三，按页数一翻即得。

乙、徐嘉瑞《金元戏曲方言考》

《金元戏曲方言考》，徐嘉瑞撰，1948年5月商务印书馆出版。这是近人研究金元戏曲方言出书较早的一部著作。卷首有罗常培、赵景深序和作者自序各一篇。罗常培在序中说："尝谓恢宏词汇，约有四途：搜集各行业之惯语，一也；容纳方言中之新词，二也；吸收外来语之借字，三也；董理话本、语录、戏曲、小说中之恒言，四也。四术虽殊，归趋则一。吾友徐嘉瑞先生《金元戏曲方言考》之作，即为第四术导乎先路者也。"可是罗氏重视戏曲、小说词语的辑释，并对徐著之领先作用，予以肯定。

作者因为元代去今未远，元曲中的方言，有许多还在民间活着，但无专书考释；所以从《元曲百种》《元椠古今杂剧三十种》和元人散曲以及明人曲本、杂剧的"曲""白""科""诨"中搜集材料，编成本书。

这部书所收词语，都按词头的笔画排列，采用"以曲释曲"的办法，在每一词条之下先作解释，后举例证。如九画的"俏泛儿"一条云：

巧笑阿谄。（曲）：俏泛儿勾牵。（烟）：甜食儿喂饲，俏泛儿勾连。［按（曲）系指石君宝《曲江池》，（烟）系指朱有燉《烟花梦》。叶秋注。］

这一条使我们明白了“俏泛儿”这一个不好懂的词的意义。全书所注释的，有不少就是这类的费解之词，如“哰嚎”“嬲聒”“撩达”“凡良”“按酒”“板障”等。这不仅对读元曲的人有帮助，也可供研究语言的人作参考。

《金元戏曲方言考》所收词语，原有约六百条；1955年重印时，又加了《补遗》，补充了一些原有词条的例证，也增入一些新的条目，共一百五十五条，较初版本稍为丰富。但总的说来，这部书由于受作者所见到的材料的限制，举例尚不够广；解释也有错误和欠妥的地方。如一画中的“一柞”“一操”“一合儿”“一托头”“一划的”各条，全是只举一例，证据不免薄弱；其“绿豆皮”“梦撒撩丁”“鳖懆”“中注”等条，解释即都错误①。又三画中的“口碜”一条云：

① 朱居易在所著《元剧俗语方言例释》的自序中，举例指出《金元戏曲方言考》解释之误说：“如‘绿豆皮’本系请退的谐音隐语，徐书却解成了年青；‘梦撒撩丁’本系身无分文，徐书却解成了梦醒空虚；‘鳖懆’本系生气发怒，徐书却解成了无耻；‘中注’本系指举止态度而言，徐书却解成了上半身；‘单注’本系注定的意思，徐书却解成了逃亡飘流。”

口磅　害羞。（儿）亏你不害口磅，说出这等话来。（按《儿》指杨文奎《儿女团圆》。叶秋注。）

这条所说“口磅”，就是现在北京话的“牙磅”，谓语言粗鄙猥亵，不堪入耳，本书只解释为“害羞”，实欠确切。另外，“兀突”一词作“不冷不热”解，现在北京话也这样说，本书按语只云“今昆明有此俗语”，也不全面。但凡事皆以开创为难，此书虽有小疵，其价值亦不容抹煞。

综括本章所述的内容来看，《中华大字典》在《康熙字典》的基础上改进内容和形式，为字典的革新，开导了先路；《词诠》《古书虚字集释》，继承《助字辨略》与《经传释词》的传统，为虚词的解说，做了必要的补充和引申；《辞源》《辞海》突破《尔雅》式训诂词典的樊篱，为新旧兼包的百科全书式的词典，树立了模楷；《辞通》着重从声音的通假上去寻求文字训诂；《联緜字典》注意以字统义，对转语的解释最精；《国语词典》则以正音为主，大量地辑录了通俗口语中的语词；《诗词曲语词汇释》和《金元戏曲方言考》，又为研究诗词戏曲的词语，提供了专门的材料，扩展了词典编撰的途径；这一些都显示了近代字书演变改革的迹象。一般说来，《辞源》的文史和古汉语条目作得较好，《辞海》的百科知识词条又较为见长；这两部词典规模之大，内容之丰富，都超过了从前的词典；虽系旧撰，在今天还有一定的参考价值。《辞通》和《联緜字典》包括大量古汉语词汇，能使读者了解许多一组一组的词的异同演变。《国语词典》对进行语文教学、推广普通话和汉语拼音，作用也很明显。

中国的字书，从战国、秦、汉识字课本式的《史籀》《苍颉》的编撰，到近代多种多样字书的刊行，几经演变，线索可寻；没有旧的借鉴，新的是不会突然出现的。政治经济的进步，促成文化的发展；时代社会的需要，又推动了字书的改革。文字本身的一再演变、语言文字之学研究的日益精深，也和字书的内容和形式的变化始终是相辅相成，密不可分的。但即在词典学不断发展的今天，于旧字书的长处，亦不应忽视。这些旧字书对文字的解说，对事物的概括，很有一些值得加以继承和发扬的地方。例如《说文解字》牛部解释“牵”字说“引而前也”，就比只说“拉着”（《四角号码新词典》第六次修订本第271页“牵”字注）要好得多。《玉篇》犬部解释“猝”字说“犬从草中暴出也。言仓猝暴疾也”，有本义，有引申义，源流清楚，简明具体；也比只说“急速”（《四角号码新词典》第268页“猝”字注）更胜一筹，可见取长补短，无分新旧；参考借鉴，不能偏废。

解放后的字书编撰，已另创纪元，待谱新篇，兹不具论。

国家新闻出版广电总局
首届向全国推荐中华优秀传统文化普及图书

‖大家小书书目

经典常谈	朱自清　著
语言与文化	罗常培　著
习坎庸言校正	罗　庸　著　杜志勇　校注
鸭池十讲（增订本）	罗　庸　著　杜志勇　编订
古代汉语常识	王　力　著
国学概论新编	谭正璧　编著
文言尺牍入门	谭正璧　著
日用交谊尺牍	谭正璧　著
敦煌学概论	姜亮夫　著
训诂简论	陆宗达　著
金石丛话	施蛰存　著
常识	周有光　著　叶　芳　编
文言津逮	张中行　著
中国字典史略	刘叶秋　著

古典目录学浅说	来新夏　著
闲谈写对联	白化文　著
怎样使用标点符号（增订本）	苏培成　著
诗境浅说	俞陛云　著
唐五代词境浅说	俞陛云　著
北宋词境浅说	俞陛云　著
南宋词境浅说	俞陛云　著
人间词话新注	王国维　著　滕咸惠　校注
苏辛词说	顾　随　著　陈　均　校
诗论	朱光潜　著
唐诗杂论	闻一多　著
诗词格律概要	王　力　著
唐宋词欣赏	夏承焘　著
槐屋古诗说	俞平伯　著
词学十讲	龙榆生　著
词曲概论	龙榆生　著
中国古典诗歌讲稿	浦江清　著 浦汉明　彭书麟　整理

唐人绝句启蒙	李霁野　著
唐宋词启蒙	李霁野　著
古典文学略述	王季思　著　王兆凯　编
古典戏曲略说	王季思　著　王兆凯　编
唐宋词概说	吴世昌　著
宋词赏析	沈祖棻　著
道教徒的诗人李白及其痛苦	李长之　著
闲坐说诗经	金性尧　著
陶渊明批评	萧望卿　著
舒芜说诗	舒　芜　著
名篇词例选说	叶嘉莹　著
唐诗纵横谈	周勋初　著
楚辞讲座	汤炳正　著 汤序波　汤文瑞　整理
好诗不厌百回读	袁行霈　著
山水有清音 ——古代山水田园诗鉴要	葛晓音　著

门外文谈	鲁　迅　著
我的杂学	周作人　著　张丽华　编
论雅俗共赏	朱自清　著
文学概论讲义	老　舍　著
中国文学史导论	罗　庸　著　杜志勇　辑校
给少男少女	李霁野　著
鲁迅批判	李长之　著
英美现代诗谈	王佐良　著　董伯韬　编
三国谈心录	金性尧　著
夜阑话韩柳	金性尧　著
英语学习	李赋宁　著
漫谈西方文学	李赋宁　著
历代笔记概述	刘叶秋　著
笔祸史谈丛	黄　裳　著
古典诗文述略	吴小如　著
有琴一张	资中筠　著
鲁迅作品细读	钱理群　著
唐宋八大家 ——古代散文的典范	葛晓音　选译

红楼梦考证	胡　适　著
《水浒传》与中国社会	萨孟武　著
《西游记》与中国古代政治	萨孟武　著
《红楼梦》与中国旧家庭	萨孟武　著
《金瓶梅》人物	孟　超　著　张光宇　绘
水泊梁山英雄谱	孟　超　著　张光宇　绘
《红楼梦》探源	吴世昌　著
《西游记》漫话	林　庚　著
细说红楼	周绍良　著
红楼小讲	周汝昌　著　周伦玲　整理
曹雪芹的故事	周汝昌　著　周伦玲　整理
古典小说漫稿	吴小如　著
三生石上旧精魂 ——中国古代小说与宗教	白化文　著
《金瓶梅》十二讲	宁宗一　著
古体小说论要	程毅中　著
近体小说论要	程毅中　著
文学的阅读	洪子诚　著
中国戏曲	么书仪　著

中国史学入门	顾颉刚　著　何启君　整理
秦汉的方士与儒生	顾颉刚　著
三国史话	吕思勉　著
史学要论	李大钊　著
中国近代史	蒋廷黻　著
民族与古代中国史	傅斯年　著
五谷史话	万国鼎　著　徐定懿　编
民族文话	郑振铎　著
史料与史学	翦伯赞　著
唐代社会概略	黄现璠　著
清史简述	郑天挺　著
两汉社会生活概述	谢国桢　著
中国文化与中国的兵	雷海宗　著
两宋史纲	张荫麟　著
明史简述	吴　晗　著
北宋政治改革家王安石	邓广铭　著
从紫禁城到故宫 ——营建、艺术、史事	单士元　著
史学遗产六讲	白寿彝　著

司马迁之人格与风格　　李长之　著

司马迁　　季镇淮　著

唐王朝的崛起与兴盛　　汪　篯　著

二千年间　　胡　绳　著

论三国人物　　方诗铭　著

考古发现与中西文化交流　　宿　白　著

中国古代国家的历史特征　　张传玺　著

艺术、神话与祭祀　　张光直　著
刘　静　乌鲁木加甫　译

中国古代衣食住行　　许嘉璐　著

中国古代史学十讲　　瞿林东　著

黄宾虹论画　　黄宾虹　著

中国绘画史　　陈师曾　著

和青年朋友谈书法　　沈尹默　著

中国画法研究　　吕凤子　著

桥梁史话　　茅以升　著

中国戏剧史讲座　　周贻白　著

俞平伯说昆曲　　俞平伯　著　陈　均　编

新建筑与流派	童　寯　著
论园	童　寯　著
拙匠随笔	梁思成　著　林　洙　编
中国建筑艺术	梁思成　著　林　洙　编
沈从文讲文物	沈从文　著　王　风　编
中国画的艺术	徐悲鸿　著　马小起　编
中国绘画史纲	傅抱石　著
中国舞蹈史话	常任侠　著
海上丝路与文化交流	常任侠　著
世界美术名作二十讲	傅　雷　著
中国画论体系及其批评	李长之　著
金石书画漫谈	启　功　著　赵仁珪　编
吞山怀谷——中国山水园林的艺术	汪菊渊　著
中国古代音乐与舞蹈	阴法鲁　著　刘玉才　编
梓翁说园	陈从周　著
旧戏新谈	黄　裳　著
民间年画十五讲	王树村　著　姜彦文　编
民间美术与民俗	王树村　著　姜彦文　编

长城史话	罗哲文　著
中国古园林概说	罗哲文　著
现代建筑奠基人	罗小未　著
世界桥梁趣谈	唐寰澄　著
如何欣赏一座桥	唐寰澄　著
桥梁的故事	唐寰澄　著
园林的意境	周维权　著
万方安和 ——皇家园林的故事	周维权　著
现代建筑的故事	吴焕加　著
中国古代建筑概说	傅熹年　著

国学救亡讲演录	章太炎　著　蒙　木　编
简易哲学纲要	蔡元培　著
大学教育	蔡元培　著 北大元培学院　编
老子、孔子、墨子及其学派	梁启超　著
中国政治思想史	吕思勉　著
天道与人文	竺可桢　著　施爱东　编

春秋战国思想史话	嵇文甫 著
晚明思想史论	嵇文甫 著
新人生论	冯友兰 著
中国哲学与未来世界哲学	冯友兰 著
谈美书简	朱光潜 著
中国古代心理学思想	潘 菽 著
民俗与迷信	江绍原 著 陈泳超 整理
佛教基本知识	周叔迦 著
儒学述要	罗 庸 著 杜志勇 整理
希腊漫话	罗念生 著
佛教常识答问	赵朴初 著
大一统与儒家思想	杨向奎 著
孔子的故事	李长之 著
西洋哲学史	李长之 著
乡土中国	费孝通 著
社会调查自白	费孝通 著
经学常谈	屈守元 著
墨子与墨家	任继愈 著
汉化佛教与佛寺	白化文 著
中西之交	陈乐民 著

出版说明

“大家小书”多是一代大家的经典著作，在还属于手抄的著述年代里，每个字都是经过作者精琢细磨之后所拣选的。为尊重作者写作习惯和遣词风格、尊重语言文字自身发展流变的规律，为读者提供一个可靠的版本，“大家小书”对于已经经典化的作品不进行现代汉语的规范化处理。

提请读者特别注意。

北京出版社